DU MÊME AUTEUR

Aux Éditions Gallimard

LE CRIEUR DE NUIT, 2010 (Folio n° 5300). Prix Roger Nimier 2010.

MOMENT D'UN COUPLE

NELLY ALARD

MOMENT
D'UN COUPLE

roman

GALLIMARD

Pour Alain.
Pour Martine, encore.

« Tous les hommes sont menteurs, inconstants, faux, bavards, hypocrites, orgueilleux et lâches, méprisables et sensuels; toutes les femmes sont perfides, artificieuses, vaniteuses, curieuses et dépravées; le monde n'est qu'un égout sans fond où les phoques les plus informes rampent et se tordent sur des montagnes de fange; mais il y a au monde une chose sainte et sublime, c'est l'union de deux de ces êtres si imparfaits et si affreux. »

On ne badine pas avec l'amour
ALFRED DE MUSSET

Couple : *MÉCAN.* Système de deux forces égales, parallèles et de sens contraires ; valeur de leur moment.

Dictionnaire encyclopédique Larousse

Moment d'un couple : Produit de la distance des deux forces par leur intensité commune.

Le Robert, dictionnaire de la langue française

PREMIÈRE PARTIE

1

C'était le jeudi 29 mai 2003, en fin d'après-midi. Le jour de l'Ascension. Encore le printemps, donc, mais il faisait déjà très chaud. Les pelouses du parc des Buttes-Chaumont étaient non pas noires de monde, mais colorées, gaiement, de familles bruyantes et agitées. Il y avait des ballons, des serviettes de plage, des cris, des rires, des petites culottes qui séchaient sur l'herbe, des enfants tout nus ou en slip, un côté Front populaire, premiers congés payés. Juliette était arrivée tôt. Elle était assise près de Florence, une de ses amies du quartier, à l'un des endroits les plus recherchés, sur la grande pelouse en pente avec la rivière en contrebas. Toutes deux regardaient leurs enfants qui pataugeaient avec les autres dans le ruisseau, quand le téléphone portable de Juliette a sonné.

Juliette venait de crier à son fils de quatre ans, Johann, de garder ses sandales pour marcher dans l'eau. Pas seulement à cause des cailloux qui en tapissent le fond et qui sont, par endroits, acérés ou glissants. Surtout parce qu'on peut y tomber sur des débris de verre, des capotes usagées ou des capsules de bière. On peut y tomber sur à peu près n'importe quoi, en fait, malgré la fermeture du parc la nuit et les rondes régulières des gardiens.

L'autre jour, Emma a trouvé un bâton de ski, au fond. Tu te rends compte ? Qui peut s'amuser à jeter un bâton de ski dans la rivière des Buttes-Chaumont ?

En décrochant, Juliette avait encore un sourire sur les lèvres.

C'était son mari, Olivier. Il avait la voix altérée, comme à bout de souffle, ou étranglé.

Tu es où ? — Aux Buttes — Tu es seule ? — Non, je suis avec Flo et les enfants. — Tu peux t'éloigner un peu, j'ai quelque chose à te dire.

Le sourire de Juliette s'était envolé. Elle jeta un regard vers Florence, se leva et remonta la pelouse d'une dizaine de mètres. À l'autre bout du fil Olivier semblait sangloter. Qu'est-ce qui se passe ? demanda-t-elle. Avant d'entendre la réponse, elle sentit comme une morsure au creux du ventre. L'idée la traversa que Maria était morte.

Voilà. J'ai une histoire avec une fille, c'est une élue socialiste, ça dure depuis trois semaines, et maintenant elle veut que je te quitte, et là, nous parlions au téléphone, je lui ai dit que j'allais au cinéma avec toi, elle a commencé une crise d'épilepsie, elle a laissé tomber le téléphone, elle crie, je ne sais pas ce qu'elle a, je ne sais pas quoi faire, il faut que j'aille la voir.

Il reprit sa respiration, ajouta.
Je ne pourrai pas aller au cinéma.

Juliette écoutait, immobile. De là où elle se trouvait, en hauteur, elle apercevait la gloriette et le pont suspendu, des amoureux qui s'embrassaient. Le soleil commençait à descendre sur les arbres. À part cette sale bestiole qui s'agitait au creux de son ventre, tout semblait familier, normal.

Elle habite où ?
Pantin.
Eh bien, vas-y, alors.

Un blanc. Il ne répondait pas. Il n'avait pourtant pas raccroché.
Cela l'agaça. Elle répéta « Vas-y », dit « Allô » plusieurs fois, d'une voix de plus en plus forte, exaspérée. Ensuite elle raccrocha et revint à pas lents s'asseoir près de Florence, qui la regardait avec curiosité.

Qu'est-ce qui se passe ?

Elle haussa les épaules, secoua la tête. Flo n'insista pas. De toute manière il était l'heure de rentrer. Elles appelèrent les enfants, les rhabillèrent, puis descendirent l'avenue Secrétan en silence, tenant leurs petits derniers par la main, tandis que les aînés couraient devant en chahutant.

Arrivées au croisement de la rue Baste, où habitait Florence, elles se séparèrent. Juliette continua sa route, regardant droit devant elle, tout en agitant la main. Elle sentait le regard perplexe de son amie peser sur elle, mais ne s'en inquiéta pas. Plus tard, elle lui expliquerait. Plus tard, quand elle aurait retrouvé l'usage de la parole, quand cet événement encore inintelligible aurait atteint la zone compétente de son cerveau. Florence, comme toujours, comprendrait.

Florence comprenait tout.

Juliette la connaissait depuis l'adolescence, depuis Sainte-Euverte. Elles s'étaient retrouvées voisines à la fin des années 90 lorsque chacune de son côté, avec leurs compagnons respectifs, elles avaient décidé d'acheter un appartement. La flambée des prix de l'immobilier parisien avait fait du 19e arrondissement le seul quartier de Paris intra-muros qui fût encore abordable pour les trentenaires primo-accédants qu'ils étaient. Certes, la proximité de la place Stalingrad et de ses dealers, le quasighetto qui s'étendait autour de la rue du Maroc, la densité et l'énormité des barres HLM du boulevard de la Villette, sans parler de la mauvaise réputation des collèges environnants, étaient des facteurs hautement dissuasifs pour de potentiels acquéreurs, surtout s'agissant de couples sur le point de fonder une famille, comme c'était leur cas. Face à cette situation, leur bande d'amis de l'époque composée en bonne partie de journalistes et d'intermittents du spectacle s'était divisée en deux clans. Certains avaient choisi la banlieue, Est en général, et ils s'en félicitaient. Pour les autres, la plupart d'origine provinciale et dont Juliette et Florence faisaient partie, passer le périphérique aurait été pire qu'un reniement, une sorte de condamnation. Ce schisme entre Néo-Banlieusards et Parisiens-À-Tout-Prix avait fait l'objet de discussions passionnées pendant des mois. Par la suite, chacune des invitations à dîner chez les uns ou les autres relançait le débat, tout le monde campant sur ses positions, les banlieusards exhibant fièrement leur bout de jardin mité les soirs d'été, tandis que les Parisiens s'extasiaient poliment en les plaignant tout bas, se réjouissant d'avoir préféré la commodité des transports et les cafés du canal Saint-Martin à la tranquillité illusoire et aux entrepôts tagués de Montreuil.

De fait, le quartier était très agréable. Le marché de l'avenue Secrétan animé, la Butte Bergeyre fleurie, les agressions à l'arme blanche à peine plus fréquentes que partout ailleurs à Paris, et toute la bande, sincèrement de gauche, louait les vertus de cette mixité sociale imposée par des contraintes économiques mais qui à l'usage se révélait une richesse précieuse, un facteur d'épanouissement indiscutable pour leurs enfants. L'année précédente, le 21 avril 2002, la présence du Front national au second tour de l'élection présidentielle avait retenti pour eux tous comme un coup de tonnerre. Juliette, ayant voté Jospin dès le premier tour, avait pour elle une conscience sans tache. Mais ceux qui, comme Olivier, s'étaient laissé tenter par les Verts ou l'extrême gauche s'efforçaient à présent d'expier leur faute en prenant leur carte au PS, en s'engageant dans la lutte en faveur des sans-papiers ou dans des associations contre l'illettrisme.

Bien sûr, ils ne faisaient pas d'angélisme : la situation dans le quartier était loin d'être rose. Un jour, des mères de famille affolées s'étaient réunies devant l'entrée de la crèche. Une puéricultrice avait trouvé un gamin en train de jouer dans la cour avec une seringue balancée par un junkie par-dessus le haut mur. Par miracle, les tests HIV pratiqués à la hâte s'étaient révélés négatifs. Sur le plan scolaire, pour ceux d'entre eux qui habitaient de l'autre côté de la place Stalingrad, vers les rues du Maroc et de Tanger, la situation se compliquait encore. Plusieurs avaient craqué en découvrant que leur enfant était le seul gamin d'origine européenne de sa classe. Ils avaient préféré renoncer aux grands appartements avec terrasse et vue sur le canal que la Mairie de Paris leur louait à prix avantageux pour se replier dans des surfaces minuscules au sein de quartiers moins populaires. C'était leur droit le plus strict. Les autres déploraient leur départ, sans pour autant leur jeter la pierre. Après tout, nul ne pouvait dire de quoi l'avenir était fait. On ne pouvait exclure que les années passant, au moment de l'entrée au collège, les légitimes inquiétudes parentales finissent par faire vaciller les convictions citoyennes. On ne pouvait exclure que certains se révèlent prêts aux pires turpitudes pour contourner la carte scolaire. Que d'autres sautent le pas du privé. Mais au moment où se situe ce récit, tout cela était bien loin de leurs esprits, puisque Emma et Jeanne, les aînées de Juliette et de Florence, n'avaient encore que six ans.

Arrivée dans son appartement, Juliette hésita. Elle n'avait plus envie d'aller au cinéma. Mais elle avait fait appel pour ce soir à une nouvelle baby-sitter. Il était délicat, pour ne pas dire incorrect, de décommander une inconnue à la dernière minute. La sonnette de la porte d'entrée mit fin à son dilemme. C'était une jeune Sénégalaise à l'air doux et sympathique. Juliette se concentra sur les instructions à donner, les recommandations à faire, puis sortit après avoir embrassé ses enfants. Une fois dehors, sur la place Stalingrad, l'animation autour d'elle lui fit du bien. Elle marcha jusqu'au cinéma Quai de Seine, regarda les affiches. Olivier et elle avaient prévu d'aller voir *Un homme, un vrai*, dont les critiques disaient le plus grand bien. « Les méandres de la vie d'un homme et d'une femme », selon le résumé. Non merci, pensa-t-elle. Dans la salle voisine, on donnait *Swimming Pool*, de François Ozon. « Une inquiétude en attente, un suspense en suspens, un danger immobile », d'après *Télérama*. Elle prit son billet et entra dans la salle.

Vers la fin de la séance, à deux reprises, son portable qu'elle avait pris soin de mettre en mode silencieux se mit à vibrer dans son sac, avec un grondement plaintif de chien muselé qui tire sur sa chaîne. Ouuuh ouh. Ouuuh ouh. Elle se recroquevilla, regarda sur l'écran l'origine des appels, sans trop éclairer les voisins, s'assura que ce n'était pas la baby-sitter qui cherchait à la joindre. L'appel provenait du portable d'Olivier. Elle se renfonça dans son fauteuil. Quelques secondes après, elle entendit le petit jappement étouffé qui lui signalait un message. Dix minutes plus tard, à nouveau. Puis encore cinq minutes après. Elle finit par filer un coup de pied à son sac. Sur l'écran, il y avait Ludivine Sagnier nue et Charlotte Rampling qui pleurait, puis le contraire, des feuilles mortes sur une piscine, Ludivine Sagnier qui assassinait Charlotte Rampling. Ou le contraire. Elle ne cherchait pas à comprendre. Avant la fin du film, elle dérangea tous ses voisins pour aller aux toilettes, en profita pour écouter les trois messages que lui avait laissés Olivier. Il était devant le cinéma, il la cherchait. Elle retourna dans la salle au fond de laquelle, debout, elle regarda les dernières minutes jusqu'au générique, puis, la première, se dirigea vers la sortie.

2

Dans la vie des filles, c'est le père qui donne la tendance. Celui de Juliette avait quitté sa mère quand elle avait cinq ans.

Bien sûr, elle s'était dit que c'était sa faute.

Il est parti.
Sa mère pleure.
Elle a peur.

C'est son premier souvenir.

Après avoir beaucoup pleuré, sa mère s'était mise à dormir. Le père de Juliette avait refait sa vie loin, très loin. Juliette ne le revit pour ainsi dire plus jusqu'à sa majorité. Durant ses longs séjours en maison de repos, sa mère la confiait aux bons soins de ses grands-parents jusqu'à ce que ceux-ci, dont la santé déclinait, n'aient plus la force d'assumer cette charge.

Emmurée dans la dépression, la mère de Juliette était incapable de s'occuper de sa fille. Elle fit alors le choix qui s'imposait.

Elle décida d'emmurer Juliette à son tour.

Elle l'inscrivit au pensionnat de Sainte-Euverte.

Sainte-Euverte était un excellent pensionnat de jeunes filles catholiques. C'était de loin le meilleur établissement de la région de Limoges. Juliette y effectua toute sa scolarité de la sixième à la terminale.

Hélas, elle n'y rencontra pas la foi.

Hélas, car seul un amour divin aurait pu combler le besoin de tendresse abyssal que Juliette accumula au fond d'elle durant ces années d'adolescence.

La tendresse était une denrée inconnue des sœurs dominicaines.

À Sainte-Euverte, les filles étaient menées d'une main de fer dans un gant de crin.

À Sainte-Euverte, Juliette développa un instinct aigu de survie en milieu hostile.

Elle y fit l'apprentissage de l'injustice, de l'humiliation et de la duplicité.

D'un point de vue strictement scolaire, la réputation
d'excellence de Sainte-Euverte était loin d'être usurpée,
et Juliette y fut une élève brillante.

Pour le reste, tout dépendait sans doute du terreau
initial.

Sur des parcelles bien entretenues, entendre par là les
familles réactionnaires, friquées et catholiques qui constituaient l'ordinaire de sa clientèle, Sainte-Euverte savait
cultiver au mieux les jeunes graines qui lui étaient confiées
et s'enorgueillissait de faire sortir de ses rangs de parfaites
futures épouses, futures mères, destinées à devenir la fine
fleur de la grande bourgeoisie limougeaude.

Sur l'humus de famille en décomposition duquel
Juliette était issue, c'était une autre histoire. Il était sans
doute fatal que les sœurs, malgré leurs efforts, ne par-
viennent à faire pousser que ce qu'elle était devenue
lorsqu'elle les quitta, bac et mention en poche, après sa
terminale : une tête bien pleine, bien faite, et complètement brûlée, avide de liberté, de révolte, girouette prête
à tourner à tous les vents de contestation qui soufflaient
dans ces années-là et qui allaient converger dans un délire
d'enthousiasme à la Bastille, un soir de mai 1981 (révolte
anti-Soisson en 1978, mouvement de soutien aux lycées
professionnels en 1979, etc.), tous ces mouvements auxquels, bien sûr, ni elle ni ses condisciples n'avaient pu

participer, mais dont l'écho leur en était néanmoins parvenu à travers les murs épais de Sainte-Euverte,

Impatiente,

Surtout,

De partir à la découverte du continent masculin, dont elle ne se faisait qu'une idée très vague et d'autant plus excitante qu'elle en ignorait à peu près tout.

La nuit, les dortoirs de Sainte-Euverte étaient le lieu d'intenses expérimentations. Des livres, des revues féministes circulaient sous le manteau, dans lesquels les pratiques saphiques étaient plus ou moins ouvertement encouragées. Les filles de Sainte-Euverte ne se le faisaient pas répéter deux fois. Dans la nuit de Sainte-Euverte, Juliette découvrit en aventurière son corps et la douceur écœurante du corps d'une autre, la tiédeur humide d'un sexe féminin. Sous les draps, elle enfonça en elle des objets de formes variées, tentant de percer le mystère du plaisir de la pénétration. Mais malgré l'excitation sulfureuse de ces instants, elle sentait bien qu'elle ne s'acclimatait que par défaut à ces moiteurs tropicales, trop liquides, trop sucrées, que pour atteindre l'ivresse des sommets du plaisir il manquait à tout ça l'essentiel. Et lorsqu'un mois à peine après avoir quitté Sainte-Euverte, à l'étroit dans son lit d'étudiante, elle découvrit la rigidité d'un sexe d'homme dressé, tenu à pleine main, doux et dur comme un bâton de bois bien poli, elle sut qu'elle avait trouvé sa voie, et que l'amour d'un homme serait la grande affaire de sa vie.

3

Comment va l'épileptique? lança Juliette d'un ton léger, en s'asseyant.

En sortant du cinéma, elle avait tout de suite aperçu Olivier, debout, de dos, au bord du bassin de la Villette. Il regardait l'autre rive. La nuit était tombée, les fenêtres des immeubles en face s'allumaient une à une. Depuis l'ouverture de ce cinéma dans les anciens entrepôts, peu après leur emménagement dans le quartier, la physionomie de la place Stalingrad avait beaucoup changé. Des cafés et des restaurants étaient apparus tandis que, de l'autre côté du bassin, le quai de la Loire avait été aménagé en promenade. Juliette y avait poussé tour à tour, dans le même landau, Emma puis Johann, pendant des heures et des heures. Plus tard, quand ils avaient commencé à marcher, elle embarquait souvent la poussette à bord du bateau qui faisait la navette jusqu'au parc, pour les emmener jouer au Jardin des vents.

Malgré l'obscurité, elle l'avait reconnu, sa haute silhouette, sa façon de se tenir, les mains croisées dans le dos, le menton très légèrement levé. Elle s'approcha, s'arrêta à un mètre de lui. Il se retourna, sourit d'un air dégagé, demanda si le film lui avait plu. Elle ne répondit pas, désigna la brasserie, un peu plus loin.

Autour d'eux, le quai bruissait d'une foule joyeuse qui profitait de la chaleur du soir. Massés à l'entrée des

28

cinémas, des gens faisaient la queue pour la séance de 22 heures tandis que d'autres sortaient des salles par bouffées compactes. Les lumières se reflétaient dans l'eau, un bateau passait, il flottait un air de vacances. Comme il n'y avait plus de place à la terrasse du café voisin, ils s'installèrent à une petite table à l'intérieur.

Comment va l'épileptique? demanda-t-elle.

Le visage d'Olivier se ferma.

Ce n'est pas drôle.

Il assombrit encore un peu sa voix, ajouta : C'est même assez tragique.

Ah, dit-elle.

Apparemment, elle est vraiment malade. Je ne le savais pas, je viens de l'apprendre. Un de ses amis était déjà là quand je suis arrivé. C'est lui qui m'a expliqué. Une histoire de viol, si j'ai bien compris.

Stop, dit-elle. Je m'en fous.

Ce qui peut paraître brutal, mais se comprend mieux si l'on sait que Juliette aussi, dans le temps, avait été violée, et qu'Olivier bien sûr était censé le savoir. À moins qu'il ne l'ait oublié — il était parfois sujet à d'étranges amnésies. Ou qu'il n'ait au contraire supposé que la découverte de ce point commun supplémentaire emplirait Juliette d'une compassion immédiate envers celle qui couchait avec son mari. Dans ce cas, c'était une gigantesque erreur d'analyse. Violée ou pas, le potentiel d'empathie de Juliette envers cette personne dont elle venait de découvrir l'existence était à son minimum — pour tout dire, assez voisin de zéro.

Stop, dit-elle. Je m'en fous. Il n'y a que deux choses qui m'intéressent : Un, est-ce que tu veux nous quitter, moi et les enfants?

Non, répondit-il aussitôt, sans hésitation perceptible. Non, ce n'est pas ce que je veux.

Elle ne chercha pas à dissimuler son soulagement.

Bon. Deux, est-ce que tu es amoureux?

Il hésita. Balbutia quelque chose qui n'était ni oui ni non mais qui se terminait par : C'est fort, oui.

Oh merde, merde, merde! soupira Juliette.

Elle mit son visage dans ses mains, se cacha les yeux, murmura : Je n'ai tellement pas envie de vivre ça.

Pas envie pas envie. Si banal. Tellement médiocre. L'impression d'avoir vécu ça mille fois, par livres, personnes, interposés. Pas nous, pas à nous. Tellement sûre que ça ne nous arriverait jamais, à nous deux, toi et moi.

Lui de son côté essayait de lui faire comprendre le caractère exceptionnel au contraire de cette histoire, pas banale du tout, banale non, pas pour lui en tout cas, exceptionnelle, au contraire.

Mais ça paraît toujours exceptionnel à ceux qui le vivent, l'interrompit-elle accablée, baissant ses mains, le regardant dans les yeux, tu le sais bien, justement, c'est ça qui est si banal.

Alors qu'est-ce que tu veux faire?

Olivier se laissa aller contre le dossier de sa chaise, hésita un peu, soupira.

Il va falloir que je me sorte de cette histoire, je suppose. Mais ça va prendre un peu de temps.

Juliette se détourna, agita un bras en l'air comme si elle se noyait, essaya d'attirer l'attention d'une serveuse. Elle avait besoin d'un whisky. Mais l'endroit était bondé, enfumé, tout le personnel à cran. Personne ne faisait attention à elle.

Il faut que tu comprennes que je ne l'ai pas voulu, reprit Olivier. Il se redressa et chercha son regard. Ça m'est arrivé, c'est tout, et sur le moment j'ai pensé que ça ne changerait rien entre nous. Je pensais même que ça te serait assez indifférent, je dois dire. Mais pour t'expliquer, il faudrait que je te raconte tout depuis le début. Comment c'est arrivé.

Sûrement pas, répondit-elle en baissant le bras, à bout de patience, et en se retournant vers lui. Je ne veux rien savoir. Ni où ni quand ni comment. Je ne veux même pas savoir son nom.

Olivier eut l'air déçu. Il aurait bien voulu raconter, visiblement.

Nous y viendrons un jour, c'est forcé, insista-t-il. Depuis le début, j'ai pensé dans un coin de ma tête que plus tard on pourrait en parler. Je continue à croire qu'un jour ce sera possible.

Pas question, répondit-elle. Ni maintenant ni plus tard. D'ailleurs, pourquoi me l'avoir dit?

Je ne pouvais pas faire autrement, il fallait bien que je t'explique. Je ne pouvais pas venir au cinéma.

Elle haussa les épaules. Mauvaise excuse, pensa-t-elle. Il aurait pu continuer à mentir. Inventer un problème de bouclage, un papier à finir en urgence. Elle était si confiante, ne posait jamais de questions, ce n'était pas difficile.

Peut-être, dit-il. Mais c'est un soulagement, aussi. Je me sens mieux, maintenant.

Elle hocha la tête.

Tant mieux pour toi. Moi, tu vois, c'est curieux, je me sens beaucoup moins bien.

Ils n'étaient toujours pas servis et, à son tour, Olivier commença à s'énerver. C'était toujours pareil, ici. Il fallait supplier pour qu'un serveur excédé daigne venir prendre une commande qui mettait des heures à arriver, ou qui, dans cinquante pour cent des cas, n'arrivait pas.

C'est vraiment un endroit de dingues, dit-il.

Il finit par se lever, se dirigea vers le bar. Quand on leur apporta enfin leurs consommations, elle prit son verre de whisky et en demanda aussitôt un deuxième, bravant la désapprobation manifeste de son mari. Ce soir, elle n'en avait rien à foutre.

Si au moins c'était un truc gai, un truc joyeux, tu vois. Mais, là, ça commence très fort, hein, la Crise de Nerfs, le Psychodrame… Si elle se met dans cet état juste parce qu'on va au cinéma ensemble, crois-moi, je connais ce genre de fille, dans dix jours on est bons pour le SAMU.

Il rit : Ce n'est vraiment pas le genre. Vraiment pas. Je ne peux pas t'expliquer puisque tu ne veux pas que je te parle d'elle mais c'est une élue et en plus elle est normalienne.

Juliette ricana doucement. Normalienne. Si tu crois que ça m'impressionne.

Il est intéressant de noter que plus tard, quand ils évoqueront ensemble cette conversation, Olivier niera fermement avoir dit ces mots, « et en plus elle est normalienne ». Il dira que ce sont les mots qu'aurait pu employer son père et que parler comme son père, en de telles circonstances, aurait été pathétique.

Il les a pourtant dits, ces mots, Juliette de son côté en est convaincue. Mais peu importe.

L'alcool commence à faire son effet, elle n'a pas l'habitude de boire ainsi deux whiskies coup sur coup. Elle se détend peu à peu, tout devient irréel. Son mari est là, assis, en face d'elle, rien n'a changé entre eux, rien ne semble devoir changer, il l'affirme, bientôt tout cela appartiendra au passé. À moins que. Sauf si.

Elle réfléchit tout haut, le regarde avec attention.

Est-ce que tu voudrais continuer cette histoire tout en restant avec moi, je n'ai pas dit que j'étais prête à l'accepter et à première vue elle non plus, mais si c'était possible, est-ce qu'au fond c'est ce que tu voudrais?

Non. Tant que tu ne savais pas, sans doute, mais maintenant que tu sais, non.

Très bien. Donc, fin de l'histoire, pense Juliette, dont le malaise, inexplicablement, persiste. Sensation étrange d'un film dont le dénouement précède l'intrigue, dont les bobines ont été inversées.

Ils finissent leurs verres en silence. Il est temps de rentrer. Ils traversent la place Stalingrad en marchant côte à côte, à légère distance, sans prendre le moindre risque, même par mégarde, de se toucher.

Dans son histoire avec Olivier, Juliette a eu l'impression souvent que les bobines avaient été mélangées. Depuis le premier jour, leur histoire n'a ni queue ni tête.

Il y a leur premier baiser et, deux semaines plus tard, leur première nuit ensemble.

Entre ces deux moments, Olivier a rencontré Maria et l'a déjà trahie.

34

En conséquence ils rompent puis trois ans plus tard se retrouvent et se marient dans la foulée.

Enfin, un mois après, ils emménagent ensemble et se présentent mutuellement leurs familles.

Rencontre puis Trahison puis Amour puis Rupture puis Mariage puis Vie Commune.

C'est n'importe quoi.

Depuis la naissance des enfants, les choses semblaient enfin avoir pris un cours normal.

Mais le projectionniste, apparemment, continue de picoler.

Arrivés chez eux, ils payèrent la baby-sitter, puis se dirigèrent vers leur chambre. Elle lui demanda à quelle heure il comptait partir pour Rome, le samedi suivant.

Je ne vais pas partir, je crois.

Ah si, tu vas partir, s'exclama-t-elle. Moi je veux que tu partes, ça me fera du bien de ne pas te voir pendant quelques jours.

Elle lui caressa la joue. À toi aussi ça te fera du bien d'aller là-bas. Ça va te changer les idées.

Olivier ne répondit pas.

Juste un truc, ajouta-t-elle. Si tu dois me quitter, quitte-moi maintenant. Pas quand j'aurai cinquante ans. Ça c'est vraiment dégueulasse.
Il sourit.
Je suis d'accord. J'ai compris. C'est d'accord.

Seule dans la salle de bains, elle fouilla, trouva au fond d'une boîte une plaquette de somnifères à peine périmés. En avala un, alla s'allonger près d'Olivier et s'endormit comme une masse, en lui tournant le dos.

Deux heures plus tard, elle se réveilla le cœur battant, en nage. Johann, son petit garçon, était couché contre elle. Elle ne l'avait pas entendu entrer, se glisser dans leur lit. À présent, coincée entre lui et son père, elle crevait de chaud et ne pouvait plus dormir. Elle se leva avec précaution, prit son fils dans ses bras, s'efforçant de ne pas interrompre son sommeil. Elle alla le recoucher puis revint dans leur chambre et réveilla Olivier sans ménagement. Elle pleurait. Lui, hagard, éberlué, hirsute, ne savait que répéter : Recouche-toi, je t'en supplie, essaie de te reposer. Ne pleure pas. On va s'en sortir.

Il me faut juste un peu de temps.

4

C'était la parenthèse enchantée.
Elle n'allait pas durer longtemps.

En 1975, le Parlement avait voté sous les huées la loi Veil, qui autorisait l'interruption volontaire de grossesse pour une durée probatoire de cinq ans.
En 1979, une nouvelle loi rendit ces dispositions définitives.

La pilule contraceptive quant à elle était disponible et remboursée par la sécurité sociale, y compris pour les mineures, depuis 1974.

Le ciel était clair et la route semblait dégagée.

Ça n'allait pas durer longtemps mais personne ne s'en doutait encore. Dès le milieu des années 80, le sida allait étendre son ombre, poser sur la jeunesse sa chape de plomb. Mais en attendant, à la toute fin des années 70, lorsque Juliette quitta Sainte-Euverte pour faire une prépa scientifique et s'installer dans une résidence universitaire de Limoges, le monde était à elle et la liberté lui tendait les bras. Malgré quelques réserves inévitables après plusieurs années passées dans un pensionnat de jeunes filles quant à la Nature Intrinsèquement Bonne de la Femme, elle s'était inscrite dans un « groupe femmes » et abonnée à une revue féministe bourrée de majuscules qui emphatisaient des mots bien choisis (« Pater-Patrons de la Presse », « Pharaons du Pouvoir des Pouvoirs »), semée aussi de jeux de mots tels que « mâlé-diction ». Juliette parvenait rarement à en lire un numéro jusqu'au bout, mais se laissait caresser par « les lettres plurielles des mots », qui étaient « autant de femmes ensemble dans le lieu du féminin : chaud et simple, riche et concis, éloquent et sincère ». Une sorte de sas de décompression après Sainte-Euverte, en quelque sorte.

Est-ce dans *Des femmes en mouvements* que Juliette entendit parler pour la première fois de lunaception ? Non, sans doute, car c'était une revue trop sérieuse pour faire la promotion d'une méthode aussi fantaisiste. Il est sûr en revanche que la pilule contraceptive avait dans *Des femmes en mouvements* mauvaise réputation. Un produit chimique altérant le Cycle Ovarien de la Femme ne pouvait être que mal vu. Juliette utilisait donc comme moyen contraceptif un diaphragme et de la crème spermicide, technique dont l'efficacité avait été démontrée et mesurée à 97 %.

Avant chaque rapport sexuel, elle s'isolait quelques instants pour sortir l'objet de son étui, déboucher le tube spermicide et déposer sur le cercle en caoutchouc qui en forme le pourtour un mince filet de crème. Pour finir, elle ajoutait l'équivalent d'une grosse noisette au fond de la membrane. Puis, pressant le cercle entre deux doigts jusqu'à en faire un ovale aplati, elle mettait en place l'appareil et s'assurait qu'il couvrait le col de son utérus de manière étanche, avant de retourner se jeter dans les bras de son amoureux du jour. Certes, dans le feu de l'action, il n'était pas toujours facile de s'astreindre à cette discipline, mais elle s'y tenait néanmoins. Encore étudiante, à l'aube d'une carrière qu'elle imaginait brillante, il n'était pas question qu'elle tombe enceinte et elle était assez responsable pour n'envisager l'avortement que comme une solution de dernier recours. Quant au préservatif, elle n'en avait jamais vu. L'objet semblait appartenir à une époque barbare depuis longtemps révolue, et un homme lui aurait-il proposé d'en utiliser un, il est peu probable qu'elle y aurait consenti, tant la contraception lui semblait ressortir exclusivement au domaine réservé de la Femme. Mon Corps est à Moi et sous ma responsabilité exclusive, elle avait bien retenu la leçon.

Pour plus de sûreté, elle ajoutait à la méthode du diaphragme un soupçon de lunaception, baignant son corps nu dans les rayons de lune chaque fois que l'occasion s'en présentait (c'est-à-dire hélas assez peu) afin de synchroniser son cycle avec celui de l'Astre Féminin. Consciencieusement, elle évitait de faire l'amour quand ses quartiers n'y étaient pas favorables. Elle pensait ainsi réduire les probabilités d'échec contraceptif de 3 à 1 ou 2 %, mais sans doute n'avait-elle pas assez exposé son corps à la lune, ou les statistiques sous-estimaient-elles la fécondité des filles de son âge, ou les deux. Quoi qu'il en soit, Juliette était tombée enceinte, à tout juste dix-huit ans.

5

Le vendredi de l'Ascension était un jour de pont. Ni Juliette ni Olivier ne travaillaient. Les petits non plus n'avaient pas école. Juliette regarda le ciel et pensa qu'ils auraient pu partir à la campagne. Mais trois semaines plus tôt, Olivier avait décidé d'aller passer deux jours à Rome, justement, ce samedi-là. Trois semaines plus tôt. Alors qu'ils finissaient de déjeuner, elle envoya les enfants jouer dans leur chambre et lui demanda sans y croire, par simple acquit de conscience :

Rassure-moi. Ton week-end à Rome, ça n'a rien voir avec cette histoire ?

Il haussa les épaules.

Ça fait des mois que j'en parle.

Ça fait des mois que tu en parles, mais tu t'es décidé il y a trois semaines. Et hier, tu m'as dit que cette histoire durait depuis trois semaines, justement.

Son regard était fuyant. Elle le regarda, incrédule.

Tu avais prévu de partir à Rome avec elle ?

Il grommela : Je vais annuler, je te l'ai dit hier, je ne vais pas y aller.

Tu avais prévu de partir à Rome avec elle, répéta-t-elle.

Elle se sentit brusquement accablée. C'était à Rome que son histoire d'amour avec Olivier avait commencé. Elle l'imagina prenant l'avion le lendemain avec l'autre, les coups de fil pendant les jours qui allaient suivre, elle ici pensant à eux ensemble sous le soleil, là-bas, se promenant dans les rues, bavardant aux terrasses des cafés. Impossible.

Tu comptais dormir où avec elle? Chez Maria?

Quelques mois plus tôt, l'ex-compagne d'Olivier avait appris qu'elle avait un cancer du sein. C'était même l'une des raisons qui avaient soi-disant décidé Olivier à aller lui rendre visite.

Il répondit à Juliette, avec une expression clairement destinée à lui faire sentir son manque de cœur :
Maria a des soucis plus graves. Je n'allais pas la mêler à nos problèmes.

Après une pause, il ajouta :
En revanche, Katarina est au courant. Elle vient de vivre une histoire, elle aussi. Qui s'est mal terminée, d'ailleurs. Elle m'avait fait des confidences lors d'un de ses passages à Paris. Je lui ai parlé à mon tour et elle m'a offert l'hospitalité. C'est la seule personne qui soit au courant.

Dégueulasse. C'était dégueulasse. Katarina était venue chez eux l'an passé avec son mari et sa petite fille. Maintenant elle accueillait Olivier chez elle avec sa « maîtresse », comme on dit dans le théâtre de boulevard. Juliette sentit ses mains devenir moites.

Je ne vois pas quelle différence ça fait, continuait Olivier, buté. Tu aurais préféré que je dépense de l'argent en hôtel?

Juliette haussa les épaules.

En tout cas, c'est non. Si tu vas à Rome avec elle, je te préviens, en rentrant tu trouveras tes valises sur le palier.

Je vais annuler, dit-il.

Après un temps, il ajouta : J'avais pris un billet non remboursable. C'est du fric foutu en l'air, mais bon.

Juliette ne répondit rien mais sa pensée devait se lire clairement sur son visage car il n'insista pas.

Il faut que j'aille la prévenir, dit-il. Elle a déjà fait ses bagages. Je vais y aller tout de suite.

Téléphone, lui dit-elle.
Je ne peux pas lui dire ça par téléphone, répondit-il. Ce serait lâche.

Juliette rit doucement.

Tandis qu'annoncer à ta femme d'un coup de portable que tu la trompes et la laisser se démerder avec les enfants pendant que tu vas consoler ta copine, ça ne t'a pas posé de problème?

Il avait son air fermé.

Je ne peux pas, répéta-t-il. Il faut vraiment que j'y aille.

Bien, dit-elle, avec la vague impression de rejouer une scène déjà familière. Alors vas-y.

Lorsque Olivier ferma la porte derrière lui, il était 14 heures.

Juliette débarrassa la table et s'assit un instant pour réfléchir. Bien qu'en congé ce jour-là, elle avait demandé à Yolande, leur nounou antillaise, de venir s'occuper des enfants à l'heure habituelle, afin de pouvoir aller chez le coiffeur. Elle avait ses habitudes dans un salon hors de prix situé près de son bureau dans le 8e arrondissement — c'était l'un des rares luxes qu'elle s'octroyait. Olivier avait essayé de la persuader des mérites des coiffeurs de leur quartier, mais elle tenait bon autant par coquetterie que pour manifester son indépendance. Elle se sentait ce jour-là moins disposée que jamais à faire des concessions au sens de l'économie de son mari. Après tout, elle gagnait sa vie mieux que lui, était financièrement autonome et n'avait de comptes à rendre à personne.

Installée en peignoir près de la baie vitrée, une pile de magazines féminins posée devant elle, attendant que Fabrice s'occupe d'elle, elle tenta de se distraire en observant la porte d'entrée, le ballet des chauffeurs qui déposaient les clientes, des filles du vestiaire qui s'affairaient, des manucures qui proposaient leurs services. Tout près d'elle, une élégante femme brune racontait d'une voix haut perchée son dernier séjour à Saint-Barth. C'était pour ces femmes-là qu'avait été inventé le mot adultère, pensa Juliette. La tristesse s'abattit de nouveau sur elle d'un coup, et elle contempla son reflet dans la glace.

Comme toutes les femmes de sa génération ou presque, elle ne croyait pas faire son âge, et comme toutes les femmes de sa génération ou presque, elle avait raison, quoique « faire son âge » soit un concept difficile à définir avec précision. Ce que cela signifiait, plus ou moins confusément, pour Juliette comme pour la plupart des gens, c'est qu'elle paraissait bien plus jeune que sa mère au même âge. Ce fait, objectif, indiscutable, n'était pas seulement dû à la maladie ni à l'abus de médicaments qui avaient usé celle-ci prématurément. La génération de Juliette qui avait vu les femmes s'émanciper si radicalement semblait avoir conquis comme en supplément une bonne dizaine d'années de jeunesse. On leur reconnaissait désormais le droit à la séduction, à une vie sexuellement active grosso modo jusqu'à la ménopause, et nonobstant l'arithmétique, Juliette qui n'avait du passage du temps qu'une notion très abstraite se sentait beaucoup plus proche de son enfance que de ce moment-là. Elle se sentait généralement très proche de toutes les Juliette qu'elle avait été et entretenait un dialogue constant et tendre avec ces versions antérieures d'elle-même qui la constituaient, à l'exception notable des quelques années qui avaient suivi son viol, années qui étaient comme un trou noir dans lequel Juliette avait perdu sa propre trace, disparu de ses écrans radars intérieurs.

À cet instant, c'était la Juliette de quinze ans qui se regardait dans la glace, cherchant à faire coïncider son image avec celle qu'elle s'était toujours faite d'une femme trompée.

Elle n'y parvenait pas.

Rien à faire.

Elle ne pouvait pas admettre que cela lui arrive aujourd'hui. À elle. L'adultère. Rien que le mot évoquait le drame bourgeois ou le vaudeville poussiéreux. Dans adultère, il y avait adulte, ce n'était sûrement pas un hasard. Elle eut l'impression que l'aveu d'Olivier l'avait brutalement poussée dans un nouvel âge de sa vie. C'était la fin des rêves, de la jeunesse, de l'idéal. La façon qu'il avait trouvée de lui dire qu'à ses yeux elle n'était qu'une bonne femme comme les autres. La veille, il avait eu l'air étonné qu'elle ne soit pas convaincue par son argument selon lequel, s'il s'était senti autorisé à la trahir, c'est que « tout le monde le faisait ». Il avait l'air de trouver que c'était un argument solide, un bon argument, auquel on ne pouvait rien opposer. C'était sans doute de cela qu'elle lui en voulait le plus, d'avoir considéré leur amour comme un amour ordinaire, un amour banal, de banal à médiocre il n'y avait pas loin. Les magazines people qu'elle se mit à feuilleter pour se changer les idées faisaient leurs gros titres sur des gens dont elle n'avait jamais entendu parler. Elle venait à peine de passer quarante ans et elle se sentit vieille, d'un seul coup.

Prise d'une inspiration subite, lorsque le coiffeur s'enquit de ce qu'elle désirait, elle lui demanda de couper. Court. Depuis l'enfance, elle portait les cheveux longs ou mi-longs, sans jamais avoir eu le cran de raccourcir davantage que le carré à hauteur de menton. C'était le moment ou jamais, Olivier la trompait. Une page était tournée. C'était une manière comme une autre d'en prendre acte.

Ensuite, elle alla voir la généraliste chez qui elle avait pris un rendez-vous le matin même. Son cabinet était lui aussi dans le 8e arrondissement, à deux pas du bureau de Juliette, ce qui lui permettait d'y passer quand elle avait un rhume ou une angine sans empiéter sur sa journée de travail. En fait, elles étaient deux médecins, deux sœurs, l'une s'appelait Haddou, l'autre Haddou-Duval, et Juliette ne savait jamais à laquelle des deux elle avait affaire avant d'avoir en main la feuille de soins sur laquelle l'un des deux noms était rayé. De vraies jumelles, sans doute. Elle entra directement dans un grand salon d'attente défraîchi et désert, il n'y avait pas de secrétariat. C'était vieillot et d'une propreté douteuse, ce qui était assez étonnant dans un quartier pareil. Au bout d'un long quart d'heure qu'elle passa immobile à détailler les taches qui parsemaient la moquette, la porte du médecin s'ouvrit. Une femme d'âge moyen en blouse blanche, un peu boulotte et sans grâce, prononça son nom avant de s'effacer pour la faire entrer.

Qu'est-ce qui vous arrive ? lui demanda-t-elle.

Juliette prétexta un mal de dos et se laissa examiner rapidement. Elle attendit que le médecin soit de nouveau assise à son bureau et commence à rédiger son ordonnance pour ajouter l'air de rien, tout en se rhabillant :
Et puis j'aimerais bien que vous me prescriviez du Lexomil.

Le Dr Haddou (Duval ?) haussa un sourcil en levant les yeux pour la regarder.

Vous avez des soucis ?

Mon mari vient de m'annoncer qu'il avait une liaison, s'entendit répondre Juliette avec une jubilation masochiste.

La généraliste hocha la tête sans manifester ni surprise ni compassion, ni aucun intérêt particulier. Elle revint à son ordonnance et demanda en continuant à griffonner :
Une boîte, ça suffira, ou vous en voulez deux ?

Peut-être, après tout, était-ce le quotidien d'un médecin du 8e arrondissement, pensa Juliette en sortant de son cabinet. Peut-être, dans ce quartier très bourgeois, le Dr Haddou (ou Duval ?) passait-elle le plus clair

47

de ses journées à prescrire des anxiolytiques et des anti-
dépresseurs à des épouses richissimes, oisives et trompées. Elle regarda la feuille de soins qu'elle tenait à la
main. Duval.

En retournant à la bouche de métro, elle marcha la
tête levée vers les immeubles haussmanniens du boulevard Malesherbes, tentant d'imaginer les appartements
sur lesquels ouvraient leurs hautes fenêtres. Au prix du
mètre carré dans ce quartier, ils valaient une fortune.
Qui donc, aujourd'hui, avait les moyens de s'offrir de tels
appartements ? Personne de son entourage en tout cas.
Jamais de sa vie, lui semblait-il, elle n'avait parlé à l'un
d'entre eux, ou alors c'était sans le savoir. Qui étaient-ils
donc, ces mystérieux habitants du 8e arrondissement
qu'elle ne croisait jamais nulle part, ni au travail, ni en
vacances, ni dans aucun des endroits où se déroulait sa
vie sociale ? Même dans leur quartier populaire, Olivier
et elle n'auraient plus pu se permettre d'acheter
aujourd'hui. En sept ans, les prix avaient presque doublé.
Ceux de leurs amis qui avaient raté le coche à l'époque
étaient contraints de rester en location, probablement à
vie, et même louer devenait de plus en plus difficile. Elle
se dit soudain que Paris était peuplé d'héritiers ou de
milliardaires qu'elle croisait dans les rues sans s'en douter
ou qu'elle ne pouvait que deviner, dissimulés dans leurs
voitures aux vitres teintées, car il était peu probable que
ces gens-là prennent jamais le métro. Elle se surprit à
rêvasser à ce monde entrevu chez son coiffeur dans lequel
des femmes portant des vêtements griffés et des bijoux
coûteux sirotaient des cocktails en se confiant leurs infor-

tunes conjugales, avant d'aller pour se distraire vider le compte bancaire vertigineux de leur mari. Ce qui devait être une consolation de taille, quoi qu'on dise.

Elle rentra chez elle, fit dîner les enfants, les coucha, puis se mit à regarder un documentaire sur Arte. À 22 heures, elle regarda sa montre. Cela faisait huit heures qu'Olivier était parti.

Elle décrocha le téléphone.

Il répondit aussitôt. Il sortait du métro, marchait vite, essoufflé. J'arrive, dit-il.

Il est arrivé. Se laisse tomber dans le fauteuil, l'air épuisé. La regarde.
Tu t'es coupé les cheveux, dit-il.

C'est une constatation qui n'appelle aucun commentaire.

Alors? demande Juliette.
Alors, je lui ai dit. C'était affreux. Elle a défait ses bagages. Elle a hurlé. Elle a pleuré.
Pendant huit heures?

Il semble surpris.

Huit heures?
Que tu es parti. Sans vouloir être mesquine, je suis frappée par une certaine disproportion : cinq minutes

pour dire par téléphone à la femme avec qui tu vis depuis dix ans que tu as une histoire avec quelqu'un d'autre, huit heures pour annoncer à une fille que tu connais depuis trois semaines que tu ne pars pas en week-end avec elle.

Silence.

Passons, dit-elle. Et maintenant?

Maintenant quoi?
Vous vous êtes dit quoi, pour la suite?
Je lui ai dit que j'avais besoin de réfléchir, que je ne voulais pas qu'on se voie ni qu'on se parle pendant dix jours. De toute façon j'ai des jours de RTT à prendre avant la mi-juin, je pensais aller à Aubigny avec les enfants. En profiter pour faire le point.

Juliette le regarde sidérée.
Tu ne lui as pas dit que c'était terminé?
Non, je lui ai dit qu'on ne partait pas à Rome, je ne lui ai pas dit que c'était terminé. Je n'avais pas dit que je le ferais, réplique Olivier, sur ses gardes.
J'avais dû mal comprendre, murmure Juliette.

Elle sourit faiblement. S'il te faut huit heures juste pour annuler un week-end, prévois une bonne semaine pour lui dire que c'est fini.

Il se radoucit un peu. Il faut que tu me laisses un peu de temps, Juliette. Il faut que j'y aille doucement. Crois-moi, ce n'est pas facile.

50

6

C'était sa faute.

Il le lui avait bien fait sentir.

Sa faute, sa faute, sa faute.

Et il avait raison, il faut quand même être très conne, ces histoires de lunaception, tout le monde le lui avait dit.

Pour sa défense, elle utilisait aussi un diaphragme, quatre-vingt-dix-sept pour cent, je précise.

Diaphragme ou pas, sa faute quand même, conne, conne, conne.

Le médecin, un homme âgé d'une cinquantaine d'années, après lui avoir bien fait sentir que c'était sa faute, avait été sympa. Elle lui avait demandé comment faire, elle était majeure heureusement tout juste, où comment prendre rendez-vous quel hôpital, comment ça se passait tout ça. Il avait mis la main sur son épaule, sympa.

Vous êtes sûre de ne pas vouloir le garder?

Ah ça pour être sûre, elle était sûre, archi-sûre. Elle avait les concours à préparer, et le père, le futur père, enfin l'ex-futur père, le bientôt ex-futur père, le garçon quoi, n'était même pas au courant.

Vous êtes enceinte de trois semaines pas plus, je peux faire ça ici.

Elle avait ouvert grands les yeux, étonnée.

Quand ça?

Tout de suite, si vous voulez.

C'était trop beau pour être vrai, elle l'aurait embrassé si elle avait osé.

Trop sympa, vraiment.

Une heure plus tard elle était sortie du cabinet pliée en deux en larmes le foutu salopard, son aiguille à tricoter qu'il lui avait enfoncée il faudrait savoir ce que vous voulez jeune fille comme au temps des faiseuses d'anges elle les pieds dans les étriers hurlant une douleur comme ça, indescriptible, de la torture point barre, et ce salopard qui parlait qui parlait tout en fouaillant là-dedans allons allons ça ne fait pas si mal que ça détendez-vous il fallait y penser avant tout juste s'il ne la traitait pas de mauviette de petite pute comment ça m'arrêter mais voyons je n'ai pas encore fini c'est dommage si vous partez maintenant vous serez toujours enceinte bon c'est comme vous voulez mais maintenant je vous conseille vraiment d'aller vous faire avorter si vous ne voulez pas accoucher d'un monstre ha ha ha parce que j'ai dû l'amocher un peu quand même le petit ectoplasme ha ha ha ça vous fera cent vingt francs, le salopard comme il prenait son pied de l'avoir fait hurler, pauvre conne de pauvre conne de pauvre conne de pauvre conne.

Quinze jours plus tard, Juliette avorta à l'hôpital sous anesthésie locale tandis que les infirmières, sympas aussi, blaguaient entre elles en se racontant leur week-end, là rien à dire non qu'elle trouvait ça hilarant mais elle ne sentait rien, c'était le principal.

Elle en sortit avec une ordonnance pour la pilule, je vous donne laquelle avait dit le médecin, une femme ce coup-là, on en fait des minidosées même des microdosées maintenant c'est mieux vous savez à votre âge, non merci ni la mini ni la micro merci je préfère la normale avait dit Juliette, je vous assure le cancer plus tard, je m'en fous je veux la plus dosée je veux la méga dose je ne veux.

Plus jamais.

Vivre ça.

7

Dis donc, tu ne devais pas partir pour Rome, toi? demanda Stéphane.

Ce week-end de l'Ascension n'en finissait pas. Le matin du samedi, ils avaient retrouvé toute la bande du quartier aux Buttes-Chaumont pour un pique-nique. Debout près de Stéphane, Olivier plaisantait, parlait en faisant de grands gestes, un sandwich à la main. Assise un peu plus loin près de Sylvia sur une nappe à carreaux étalée dans l'herbe, Juliette l'observait.

Depuis le mois d'avril, les grèves se succédaient dans l'Éducation nationale. Au sein de l'établissement scolaire que fréquentaient leurs enfants, beaucoup d'instituteurs étaient grévistes. Il fallait jongler entre les nounous de dépannage, les jours de RTT, les copines qui, à tour de rôle, pouvaient prendre leur journée et organiser une garderie à la maison.

Mais depuis la veille, on annonçait que les mouvements de grève risquaient de s'étendre aux transports.

Olivier ne pouvait pas, expliqua-t-il, dans ces conditions, laisser Juliette seule avec les enfants, encore moins prendre le risque de rester coincé à Rome pour une durée indéterminée.

Stéphane, Paul et les autres hommes du groupe approuvaient avec complaisance.

Faux-cul, pensa Juliette.

Dire qu'elle avait toujours cru qu'Olivier mentait mal.

Le lendemain, ils déjeunèrent chez des amis à la campagne, en région parisienne. Olivier continuerait en voiture vers la Normandie. Il avait insisté pour emmener les enfants avec lui à Aubigny, mais Juliette avait refusé de faire manquer l'école à Emma, qui était au CP. Il partirait donc seul avec Johann, elle rentrerait en train avec leur fille à Paris.

Peu avant de passer à table, elle l'entraîna dans un coin du jardin.

Juste un truc. Tu n'as pas couché avec elle, hier?

À nouveau ce regard fuyant. À nouveau Juliette sentit son estomac se nouer.

Je pensais que tu l'avais compris, répondit-il.

Non, dit-elle. Non, c'est sans doute incroyable, mais je ne l'avais même pas imaginé.

Elle le regarda froidement, comme un étranger, avec un commencement de dégoût.

Fais attention. J'espère que tu te rends bien compte que le problème, bientôt, ce ne sera plus de rompre avec elle, ce sera de ne pas me perdre.

Emma apparut à la fenêtre ouverte. Elle les observait.

Maman, pourquoi tu grondes Papa?

Juliette soupira : Je ne le gronde pas, ma chérie. On parle, c'est tout.
Elle attendit que sa fille ait repris ses jeux pour continuer.

Et Aubigny? Tu n'y vas pas avec elle, par hasard?

Il lui jeta un regard hostile, offusqué.

Je t'ai expliqué que j'y allais pour réfléchir. Avec Johann, en plus. Tu me prends pour qui ?
Je ne sais pas, répondit Juliette. Je ne sais plus.

Elle retourna aider en cuisine et se mit en devoir de couper le melon. Après le départ d'Olivier et de Johann, son amie les accompagna, Emma et elle, à la gare de Mantes-la-Jolie.

Juliette détestait les trains de banlieue. Celui-là était composé de voitures à deux niveaux. Elle demanda à Emma si elle préférait s'asseoir en haut ou en bas.

En haut, dit Emma.
Allons-y, dit Juliette.
Mais à mi-chemin dans l'escalier, elle s'aperçut qu'un seul voyageur était assis dans le compartiment supérieur, et la familière angoisse la saisit.

Ne jamais prendre les trains de banlieue, surtout le dimanche et le soir.
Mais les heures creuses sont les pires.
Ne pas prendre non plus les RER, surtout le C, en milieu d'après-midi.

Mais on ne peut pas dire non plus que le métro soit sûr.
Ni même aucune rue, passé une certaine heure.

56

Dans la grande ville, la femme est une proie. Mais pas seulement la femme, et il n'y a pas que la ville.

Les petites routes de campagne non plus ne sont pas sûres.

Évidemment, à ce compte-là, on ne sort plus de chez soi.

Sans compter que chez soi on peut être victime de violence conjugale.

Même chez soi, il faut rester sur ses gardes.

C'était quelques années après son viol.

Elle avait pris le RER en négligeant toute règle de prudence. Elle était montée dans la rame sans regarder autour d'elle.

Elle aurait dû se méfier, les couloirs et le quai étaient déserts. Elle aurait dû se méfier, même s'il était trois heures de l'après-midi, même si on était au cœur de Paris, même s'il faisait grand soleil.

Elle était montée à la station Javel.

Elle lisait.

Qu'est-ce qu'elle lisait, déjà? Elle ne s'en souvient plus. Tout ce qui s'est passé juste avant cet instant est effacé de sa mémoire. Elle sait qu'elle n'a jamais terminé ce livre. Il est resté dans la rame.

Elle lisait déjà sur le quai. Elle est montée sans lever les yeux de sa page. Elle s'est assise sur le premier strapontin près des portes.

Les portes se sont refermées. Le RER a démarré. Quelques secondes plus tard, il y a eu un bruit et un mouvement rapide. Elle a senti quelque chose de froid et de coupant à l'arrière de son cou, sous ses cheveux, elle a levé la tête et elle a vu une queue humaine sortie d'un pantalon baissé, dressée devant elle à hauteur de ses yeux. Elle a entendu une voix qui disait distinctement : Suce-moi ou je te tue.

Elle a senti un frisson courir dans son dos et un calme étrange, sinistre, l'envahir. Pour parer au plus pressé, elle a empoigné le poignet qui tenait la main qui tenait la lame pour l'immobiliser de son mieux. Puis elle a levé les yeux et elle a vu le visage de l'homme auquel appartenaient cette voix, ce poignet, cette lame et cette queue. Elle a vu une bouche ouverte et des yeux exorbités. Elle a compris que, sans l'ombre d'un doute, cet homme était complètement défoncé.

Elle s'est dit : Ça y est, ça m'arrive. En théorie, à cet instant, elle aurait dû voir sa vie défiler devant ses yeux. Son grand-père, la maison aux volets bleus de son enfance, Sainte-Euverte. Mais pas du tout. Elle a imaginé l'avenir, sa mère, le monde sans elle. Elle a vu les titres des journaux du lendemain, elle s'est vue en une de *Libé* et du *Monde* — ce qui n'est sûrement pas normal, ce qui est sans doute une pathologie singulière, qui doit avoir un nom, une forme de narcissisme aigu ou de mégalomanie galopante ou de je ne sais quoi. Quoi qu'il en soit, c'était très disproportionné, car de telles choses sont banales et dans *Libé*, dans *Le Monde*, il y aurait eu au mieux un entrefilet, dans la rubrique Société en page 8. Peut-être une demi-page, si l'homme après sa mort s'était particulièrement acharné. Plus le nombre de coups de couteau augmentait, plus les sévices qu'il lui ferait subir avant de l'achever seraient atroces, plus augmentaient ses chances de faire le 20 heures. Elle a eu le temps de se voir projetée derrière Poivre d'Arvor, une photo immense et plutôt flatteuse, quand l'homme qui n'avait visiblement pas que ça à faire et bien que cette revue de presse mentale ait pu prendre tout au plus un demi-quart de seconde a manifesté des signes d'impatience. Il a effectué un léger mouvement du poignet, en sorte qu'elle a senti la pointe de la lame sur sa peau, et il a redit plus fort, comme s'il croyait sérieusement qu'elle n'avait pas bien entendu la première fois : Suce-moi, je te dis.

Elle a serré plus fortement le poignet en essayant de l'écarter légèrement de son cou, a redescendu ses yeux vers la queue et tenté d'argumenter, comme elle avait lu quelque part qu'il était conseillé de faire en ces circonstances — et bien qu'il semblât étrange d'entrer ainsi en conversation avec un membre dressé. Mais cela n'a pas duré longtemps car l'homme a aussitôt enfoncé un peu la pointe du couteau, lui faisant ainsi savoir que ça urgeait et que ni lui ni sa queue n'étaient d'humeur à discuter. Cette fois elle a senti la peau céder sur un ou deux millimètres, le sang perler dans son cou.

Elle a fermé les yeux.

Le problème, bien sûr, n'était pas la fellation en soi. La fellation en soi, Juliette la pratiquait volontiers, quoique de préférence avec des gens qu'elle connaissait, et pour qui même, si possible, elle éprouvait une certaine attirance. En l'occurrence, la queue dressée devant elle n'avait rien de sympathique. Elle dégageait de plus une forte odeur de latrines, ce qui l'incommodait beaucoup, car elle avait malheureusement hérité de sa grand-mère un odorat très fin qui, comme chacun sait, est source de bien plus de désagréments que de plaisir.

Mais ce n'était pas le plus grave.

Le plus grave était que cette scène se passait à la fin des années 80 et que toute promiscuité sexuelle avec un junkie — ou présumé tel — comportait un certain nombre de risques dont Juliette était tout à fait informée.

La rame faisait un boucan d'enfer, ils devaient longer la Seine, le RER allait à toute allure, dans quelques minutes ils arriveraient à la station Champ-de-Mars-Tour-Eiffel.

Il devenait urgent de se déterminer. Juliette devait répondre à la question shakespearienne qui se pose à chaque être humain à un moment de sa vie, qui se posait à elle en tout cas, dans ce RER, par cet après-midi d'été, dans toute sa brutale simplicité.

To be, or not to be.

Être, ou ne pas être.

Vivre, ou mourir.

Sucer, ou ne pas sucer.

Restons plutôt en bas, mon cœur, dit Juliette.
D'accord, Maman, répondit Emma, docile.

Quelques gares plus loin, trois hommes s'engouffrèrent dans le wagon juste avant la fermeture des portes et grimpèrent les marches pour aller à l'étage. On entendit des cris, des bruits de lutte. Juliette serrait sa fille contre elle. Personne en bas ne bougeait, tous les voyageurs étaient comme tétanisés. Cela dura plusieurs minutes. Puis, à la gare suivante, les hommes descendirent et s'enfuirent en courant sur le quai, suivis du voyageur au visage ensanglanté. Alors seulement, quelqu'un tira la sonnette d'alarme.

Le train resta immobilisé longtemps. Des hommes en uniforme arrivèrent, s'agitèrent sur le quai. Juliette ne parvenait pas à savoir si les voyous avaient été rattrapés.
Il s'est pris un coup de cutter, dit quelqu'un.

Tout ça pour lui piquer son portable, soupira une femme assise à côté d'elle.

Qu'est-ce qui s'est passé, Maman ? demanda Emma.

Elle essaya de lui expliquer la situation, sans lui mentir, sans la terroriser non plus. Tu ne risques rien, je suis là pour te protéger, mon chaton.

Et tout en prononçant ces mots, elle sentit amèrement leur ridicule et l'étendue de son impuissance à protéger qui que ce soit. Alors elle cacha son visage dans les cheveux de sa fille en la serrant contre elle.

À peine étaient-elles arrivées à la maison que le téléphone sonna. Ton fils voulait te dire bonsoir, dit Olivier. Juliette, encore secouée, essaya de lui raconter l'épisode du train, mais elle renonça vite. Il l'écoutait à peine.

Je vais coucher Johann, là. Mais rappelle-moi tout à l'heure, s'il te plaît, j'aimerais qu'on se parle.

Vers 22 heures, quand Emma fut enfin endormie, elle rappela Aubigny. Le téléphone sonna longtemps, avant qu'Olivier finisse par décrocher. Il était essoufflé. J'étais dans le jardin, dit-il.

Ils échangèrent quelques banalités, mais Olivier n'était pas très loquace.

Tu voulais me dire quelque chose ?

Rien de spécial, répondit-il.

Comment tu te sens ? insista-t-elle.

Je ne sais pas trop, esquiva-t-il, il faut du temps. Et toi ?

Elle hésita.

Je n'ai pas envie de faire de grandes phrases, dit-elle, mais tu as cassé quelque chose, je crois.

Elle s'était retrouvée sur le quai, vivante.
Elle avait bien calculé son coup. Elle l'avait branlé de son mieux, essayant de faire en sorte que son plaisir culmine au moment précis où le train entrerait dans la station Musée-d'Orsay.

À l'instant où le wagon s'était arrêté, où le système pneumatique de fermeture des portes avait émis le « tchouf » caractéristique qui indique le déverrouillage, l'homme était haletant, au bord de l'éjaculation. Elle l'avait poussé de toutes ses forces tout en écartant le couteau, il avait perdu l'équilibre et était tombé sur le sol. Elle s'était précipitée sur la porte, avait soulevé la poignée et s'était retrouvée sur le quai au moment où le signal de fermeture imminente des portières retentissait.

Les portes s'étaient refermées, le RER était reparti, l'homme n'avait pas bougé.

Elle avait regardé sa main qui tremblait un peu, n'y avait pas vu une seule goutte de sperme.

Elle était entrée dans une pharmacie acheter un flacon de désinfectant qu'elle avait vidé entièrement sur ses mains.

Cette fois non plus, elle n'avait pas porté plainte.

De toute manière, elle n'avait fait qu'entrevoir le visage de son agresseur, elle aurait été incapable d'en faire un portrait-robot, ou alors de sa queue, ça n'aurait pas suffi, ç'aurait été sûrement compliqué, pour l'enquête.

8

Juliette marche dans la rue. C'est le lendemain du départ d'Olivier pour Aubigny, nous sommes donc lundi. Il faut reprendre le travail. Elle n'a pas de solde de RTT à liquider, elle. Elle a pris tous ses jours groupés pendant les petites vacances scolaires, selon l'accord qu'elle a passé avec son entreprise. Ce matin, le réveil l'a sortie d'un rêve épuisant et tordu, elle était dans un club de vacances en Tunisie ou dans un endroit analogue, elle voulait retourner nager dans la mer tiède, mais on ne lui laissait pas le choix, on la forçait sous un soleil de plomb à participer en compagnie d'inconnus à un jeu dont elle ne connaissait pas les règles. Elle s'est levée péniblement, fourbue, la tête lourde et des courbatures comme si elle avait pris une cuite la veille. Sans doute la faute au Lexomil, elle n'a plus l'habitude de prendre des médicaments pour dormir. Elle a déposé Emma à l'école puis, sans enthousiasme, s'est dirigée vers le métro pour se rendre à son travail.

Elle est sortie à la station Villiers et à présent elle marche dans la rue, élégante, en jean et veste de tailleur, sa sacoche en bandoulière. Les hommes la regardent et elle, pour une fois, le remarque. En général, quand Juliette marche dans la rue, les hommes la regardent et Juliette, elle, regarde ses pieds. On lui en fait souvent la réflexion. Ses pieds, ou autre chose, le ciel, la vitrine d'un magasin, quelqu'un qui fait la manche ou un enfant qui joue. Si habituée à sentir sur elle les regards des hommes qui croisent sa route qu'elle ne s'en rend même plus compte. Mais ce matin c'est différent, il y a ce courant d'air inhabituel dans sa nuque qui la fait un peu frissonner, elle aurait dû mettre une écharpe, mais non, ç'aurait été ridicule, par ce temps, on annonce plus de 25 degrés, c'est juste qu'elle a les cheveux courts, à présent, et qu'il est encore tôt le matin. C'est surtout qu'il y a en elle cette fragilité nouvelle, comme une fêlure qui lui fait aujourd'hui chercher les regards d'inconnus qu'elle évite d'ordinaire avec soin — ne pas passer pour une allumeuse, ne pas encourager les avances —, elle cherche à croiser des yeux pour s'y raccrocher, y lire qu'elle est toujours la plus belle, encore jeune et désirable, malgré sa fatigue, malgré la trahison.

Elle entre dans l'hôtel particulier XVIIIe qui abrite les bureaux de Galatea Networks, salue la standardiste puis se sert un café au bar de la cafétéria. Dans la jolie cour arborée qu'elle voit par la baie vitrée, des collègues discutent avec animation, assis à une petite table en teck. C'est un décor raffiné, luxueux sans ostentation, qu'on penserait plus adapté à une maison de couture ou d'édition qu'à une entreprise spécialisée dans les nouvelles technologies. Mais le patron et fondateur de Galatea Networks, un certain Denis Madinier, est un quinquagénaire génial et farfelu, un esthète, amateur d'architecture médiévale et de peinture baroque. Avec sa fortune nouvellement acquise, il s'est paraît-il acheté un château cathare qu'il fait rénover pierre à pierre, et même s'il ne s'agissait en rien d'un chantier comparable il a suivi de très près, à l'époque, l'aménagement de l'hôtel particulier où il a choisi d'installer sa jeune entreprise, lorsqu'elle a pris son essor. L'escalier qui s'élève dans le hall de Galatea est monumental, avec une rampe superbe en chêne brut et sculpté. Chaque matin, Juliette y laisse traîner sa main en gagnant son bureau du deuxième étage. Elle ne prend jamais les ascenseurs.

Quand on demande à Juliette ce qu'elle fait dans la vie, elle répond qu'elle est « chef de projet technique », ce qui n'évoque rien à personne. Si on insiste, elle ajoute qu'elle travaille en duo avec un « chef de projet commercial », qui est aussi son supérieur hiérarchique, bien qu'il soit plus jeune et moins diplômé qu'elle. Cela tient en partie au fait qu'elle est « technique », donc moins rémunérée que si elle était « commerciale ». (À ce stade, en général, la perplexité de son interlocuteur est totale. Par quelle mystérieuse équation économique celui qui vend un système informatique ultra-sophistiqué vaut-il plus cher aux yeux d'une entreprise que celui ou celle qui a su concevoir et mettre au point ce système, cela défie la logique la plus élémentaire. Mais c'est apparemment un fait admis par tous, et en tout cas c'est comme ça.) Cette différence salariale tient aussi, évidemment, au fait que Juliette est une femme, et ses deux congés maternité, sans parler du quatre-cinquièmes de temps qu'elle a obtenu après la naissance d'Emma, n'ont pas favorisé son ascension professionnelle, ce n'est rien de le dire.

Par ailleurs, Juliette partage son espace avec d'autres « chefs de projet techniques », elle travaille en « open space », comme on dit. Pour la suite, ça a son importance.

Ces jours-là, l'ambiance à Galatea Networks est électrique. Une rumeur d'OPA hostile par une société concurrente met tout le monde sur les dents. Certains soupçonnent le président et fondateur Madinier, à présent que sa société est cotée au Nouveau Marché et qu'il a touché le jackpot, de n'avoir rien de plus pressé que de vendre la boîte au plus offrant et de partir mettre ses doigts de pied en éventail dans son château du XIIIe siècle. C'est de cela, sûrement, que discutent ses collègues dans la cour. Ces rumeurs, d'ailleurs, sont tout à fait fondées, l'avenir le montrera. Mais pour l'instant, Juliette s'en fiche. Elle reste debout, seule, au bar. Puis, une fois qu'elle a fini son café, elle monte dans son bureau rassembler ses dossiers avant de filer au sous-sol pour la réunion de coordination qui a lieu tous les lundis matin.

Dans la salle, il n'y a encore que le directeur général, Chatel, en grande discussion avec Pissignac, le chef de projet commercial. Ils sont debout, un café à la main, et lui jettent un coup d'œil distrait, la saluent vaguement d'un hochement de tête. Ni l'un ni l'autre ne semblent remarquer qu'elle s'est coupé les cheveux. Cela ne l'étonne pas. La direction ne plaisante pas sur le sujet du harcèlement sexuel. Aucun cadre de l'entreprise ne prendrait le risque de complimenter une collègue sur un changement de coiffure. Tandis qu'elle va s'asseoir et qu'elle sort ses dossiers, avec la bizarre impression d'être transparente, Chatel examine en connaisseur le nouveau costume de Pissignac, fait sur mesure par le tailleur qu'il lui a conseillé. Pissignac prend l'air cool et détaché et, ne voulant pas être en reste, s'extasie sur les pompes de son directeur général qui lui promet de lui donner l'adresse de son chausseur. Juliette mordille son crayon. Elle attend patiemment que ses chefs aient fini de parler chiffons, et qu'on puisse enfin commencer la réunion.

Ce n'est qu'en fin de matinée qu'Olivier lui téléphone. Deux mots pour lui demander si elle veut bien le rappeler, car il a bouffé, comme il dit, tout son forfait. Évidemment, elle trouve cela étrange. Car d'ordinaire Olivier râle toujours en ouvrant les factures de téléphones mobiles et cherche sans succès à la convaincre de réduire le montant de leurs abonnements. Puisqu'on n'utilise jamais la totalité de nos forfaits, de toute façon, dit-il.

Il semble que ce mois-ci soit l'exception qui confirme la règle.

Elle le rappelle donc et lui dit : Dis donc, tu téléphones beaucoup, pour une fois.

À l'autre bout du fil elle entend ce petit rire qu'il a déjà eu à plusieurs reprises, ces derniers jours, et qu'elle ne sait pas trop comment interpréter.

Pour une fois, oui. Ce petit rire qui est peut-être simplement gêné, mais qui sonne tout de même beaucoup comme un petit rire flatté, voire satisfait. Olivier peut-il être satisfait, au fond de lui, du mal qu'il lui fait? Le mot qui lui vient à l'esprit est « fat » Voilà, un petit rire fat. Il faudra qu'elle pense à lui dire que ce rire ne lui va pas du tout, et que même, carrément, il lui soulève le cœur. Mais ce n'est pas le moment. Il faudra qu'elle le lui dise un jour, quand les choses seront calmées.

Il se prépare à emmener Johann jouer sur la plage. Il ne parle pas de « l'autre ». « L'autre », Juliette ne sait toujours rien d'elle. Elle ne veut toujours rien savoir. À plusieurs reprises, durant ce long week-end, Olivier a tenté quelques confidences mais elle l'a fait taire aussitôt — je ne veux pas savoir, a-t-elle dit, je me fous de connaître son histoire, je ne veux même pas savoir son nom. Toute son énergie, elle la met à ne pas penser à eux, à ne rien imaginer, et l'incroyable est qu'elle y parvient presque. Depuis trois jours elle a réussi à tenir à distance l'image d'Olivier couchant avec une autre, à la repousser de toutes ses forces hors de son champ de vision mental. Elle a l'impression que si elle la laisse prendre forme dans son esprit, cette image ensuite la poursuivra à jamais, comme une image de corps mutilé qu'on n'arrive plus à oublier, comme celle de ce mendiant entrevu un jour à Lisbonne, sorti de nulle part, brandissant sous ses yeux deux moignons, elle n'a pas eu le temps de fermer les yeux, et qui lui revient sans prévenir, la réveille la nuit en sursaut. Elle sait que ce sera la même chose, l'image du corps d'une autre mêlé à celui de son mari est une vision atroce qui surgira entre eux chaque fois qu'Olivier posera la main sur elle. S'il pose encore la main sur elle, évidemment, s'ils restent ensemble pendant les années à venir. Je voudrais tant que cela n'ait jamais eu lieu, pense-t-elle pour la centième fois. Je voudrais tant effacer cela.

Ils ont raccroché. Au fil des heures, et tout en continuant, les yeux rivés sur son ordinateur, à rédiger la réponse à l'appel d'offres sur lequel elle travaille depuis plusieurs semaines, le vague dégoût provoqué par le rire d'Olivier se change en une angoisse qui lui est plus familière. Olivier est seul avec leur fils, c'est certain. Mais l'idée même qu'il puisse passer des heures au téléphone avec cette fille est une souffrance d'une intensité absurde, insupportable.

Pour la première fois lui vient l'idée que c'est elle qui a un problème. Pourquoi ne le fout-elle pas dehors, simplement? Cette incapacité à accepter la perte, l'idée du désamour.

Quoique réfractaire à l'analyse — trop rationnelle, trop impatiente, à moins que le souvenir de sa mère — elle a été bien forcée de fréquenter un peu les psys, après son viol. Un jour, l'un d'eux lui avait demandé de s'adresser à voix haute à la petite fille de cinq ans qui était au fond d'elle et que son père avait abandonnée. Se sentant ridicule, elle s'était exécutée et au bout de deux mots s'était mise à sangloter. Étrangement, à l'époque, cela lui avait fait du bien. Elle est tentée de refaire l'expérience, un peu curieuse de voir où en est aujourd'hui cette petite Juliette, car voici un certain temps qu'elle n'a pas donné de nouvelles. Mais elle laisse rapidement tomber. Ce n'est pas un exercice qu'il est conseillé de pratiquer à son bureau. Surtout lorsqu'on travaille en open space.

Changeant de technique, elle recherche parmi ses mails celui que lui a envoyé récemment un amour de jeunesse qui a retrouvé sa trace sur Internet et, dans la foulée, elle lui téléphone à son travail. C'est formidable, dit-il. Ils conviennent de déjeuner ensemble prochainement, bien qu'elle reste floue sur les dates possibles. Franck lui pose quelques questions sur sa vie puis conclut : Tu t'es rangée, alors? Elle rit faiblement : Qu'est-ce que tu entends par là? — Ben, tu représentais tellement pour moi... — L'aventure, la liberté... le coupe-t-elle, railleuse, pour cacher la tristesse et le regret qui l'envahissent. — Euh oui, mais bon, avec l'âge... Non, c'est bien. Faut pas s'empâter, quoi, c'est tout. — Pour moi, pas de problème, dit-elle. Il rit : Tu as de la chance. Moi, je suis au régime.

Plus tard, elle sort de son bureau, et au bout du couloir, près des toilettes, laisse un message à Olivier.

Apparemment, là où il se trouve, il n'y a pas de réseau, ils doivent être au bord de la mer. Je voulais juste te dire que je ne vais pas bien. Je t'ai dit tout à l'heure que j'allais bien mais ce n'est pas vrai. Je ne vais pas bien du tout. J'ai des crises d'angoisse, j'ai l'impression que je vais m'évanouir.

Après avoir raccroché, elle se demande ce qu'elle a dit exactement, et la voix qu'elle avait. Elle est tentée de réécouter son message. Rien ne l'empêche de refaire le numéro d'Olivier et d'écouter sa messagerie, il choisit toujours le même code secret et elle ne peut pas croire qu'il ait pris la précaution d'en changer. Elle joue avec cette possibilité une seconde puis renonce, à l'idée d'entendre une voix féminine inconnue disant des mots qu'elle ne veut pas même imaginer. Elle pense aux statuettes asiatiques qui mettent les mains sur les yeux, se bouchent les oreilles. Ne rien voir, ne rien entendre. Si seulement elle avait pu ne rien savoir. Après tout, elle n'avait rien demandé. Elle ne croit pas aux vertus de la vérité.

Dans l'après-midi, en sortant de réunion, elle trouve un SMS.

« Ce que je veux, c'est que nous continuions ensemble. Si c'est encore possible. »

Elle ne peut s'empêcher de constater qu'il a choisi la façon la plus économique de le lui dire, maintenant que son forfait est épuisé. Olivier n'a jamais été l'homme des grandes déclarations. Il est de ceux qui croient que les preuves suffisent. Juliette pense qu'aujourd'hui, de cet amour, de ces dix ans de vie commune, il ne lui reste rien. Deux enfants, un appartement, mais pas la moindre petite lettre, le moindre mot griffonné pour attester qu'ils s'aimaient, lui permettre de savoir à quel moment ils ont cessé de s'aimer.

Comme les grèves paralysent à présent complètement les transports en commun, elle décide de rentrer à pied. Malgré tout, le message d'Olivier a un peu dissipé son angoisse. Elle se sent moins fébrile. Au bout d'une heure de marche, une vibration de son portable l'informe qu'on lui a laissé un message vocal depuis la maison d'Aubigny. Elle continue de marcher, ne voulant pas risquer de rompre prématurément le calme précaire qui l'habite.

À peine chez elle, encore dans le hall de l'immeuble, elle écoute le message. Olivier voulait savoir si Johann aime l'omelette. Elle regarde l'heure, inutile de rappeler pour ça, ils ont sûrement déjà dîné. Elle se demande dans l'ascenseur si le SMS disait : « Tout ce que je veux, c'est continuer » ou seulement « Ce que je veux, c'est continuer ». Sur le palier, elle vérifie. Il y a écrit : « Ce que je veux ». Donc, ça ne l'empêche pas, peut-être, de vouloir aussi autre chose. Par exemple, de continuer à voir cette fille. Elle échange quelques mots avec la nounou, embrasse sa fille et se précipite sous la douche. Elle est en nage.

Emma qui suce encore son pouce vient la regarder nue et lui demande :

Comment on voit qu'on a du lait dans la poitrine ?

On ne voit pas, répond-elle. Seulement, quand on allaite les seins deviennent plus gros et parfois il y a une petite goutte qui perle au bout.

J'aimerais bien avoir du lait dans la poitrine, dit Emma. Mais surtout j'aimerais bien avoir du chocolat. J'aimerais avoir plein de trucs, du jus de pomme, des chewing-gums, et aussi des McDo. Ce serait bien.

Très bien, ma chérie, approuve Juliette. Très pratique.

9

Son viol, le vrai, il n'y avait pas grand-chose à en dire. Ç'avait été un viol non violent, ce qui se fait de mieux en matière de viol, le genre qui vous rend vraiment dingue, parce qu'on ne s'est pas battue, ni débattue, la sidération ça s'appelle, un joli mot, le viol aussi d'ailleurs. Elle avait donc été non seulement violée, mais sidérée, deux jolis mots mais deux vraies saloperies mentales, elle avait mis du temps à s'en rendre compte, encore plus à s'en remettre. On était au début des années 80 et la sidération on n'en parlait même pas, la sidération qui ressemble quand même beaucoup vue de loin, et même vue de près, vue du point de vue de l'homme, à du consentement, pour peu qu'on ne soit pas regardant, pour peu qu'on ne fasse pas trop gaffe, surtout quand comme elle on couchait facilement sans se faire prier à droite et à gauche, quand on était libérée comme elle l'était c'était l'époque, elle avait vingt et quelques années mais elle était loin d'être vierge, elle pouvait à peine lui en vouloir au bonhomme, elle ne pouvait en vouloir qu'à elle-même, qui ne s'était pas battue ni débattue, qui avait été tétanisée par la peur.

En bref ç'avait été le genre de viol qui fait penser au type qu'elle ne demandait que ça la petite salope, elle l'a imaginé souvent rentrant chez lui comme si rien ne s'était passé embrassant sa femme, c'était un type bien comme il faut, genre commercial une belle bagnole, de fonction sans doute quelle importance. D'ailleurs elle aussi elle y avait cru, que rien ne s'était passé, elle avait tout fait pour y croire et elle y était arrivée, presque, à quelque chose près, vraiment peu de chose, quelques années de jeunesse perdues, une carrière stoppée net, une incapacité soudaine, totale à se projeter dans l'avenir. Tandis que ses camarades de promotion raflaient les meilleurs postes dans des cabinets de consulting des multinationales poursuivaient leurs études au MIT à Harvard, elle avait mis toute son énergie à creuser un trou béant dans son CV, vivant de petits boulots, passant des heures sous sa couette à boire du thé en mangeant du Lexomil, ça avait bien duré trois ou quatre ans cette petite plaisanterie, avec la conséquence prévisible qu'elle se retrouverait un jour obscur chef de projet sous les ordres d'un Pissignac mais c'était le cadet de ses soucis, elle ne voyait plus personne, avait entrepris de lire Proust, Balzac et Zola, toute la littérature russe de Gogol à Gorki, elle ne savait pas ce qu'elle cherchait ni ce qu'elle fuyait elle essayait juste de survivre, les psys mettaient ça sur le dos de sa mère sa dépression tout ça et elle était d'accord ou l'abandon de son père oui ça aussi c'était possible — et sinon pour le Lexomil? — à

75

leur décharge elle n'était pas bien sûre de leur avoir raconté son viol aux psys pas sûre elle n'y avait peut-être pas pensé ça avait si peu d'importance, elle était dans un déni incroyable non c'est vrai à ce stade ce n'est plus de la résilience c'est du déni pur et simple à moins que ce ne soit de la connerie, pure et simple elle aussi en tout cas c'était ainsi, c'était sa victoire à elle, croyait-elle, au milieu de cette défaite absurde qu'était devenue soudain son existence, de nier un lien de cause à effet somme toute évident, sa manière à elle de résister à cette débâcle intime de se dire que ce viol n'y était pour rien, rien à voir juste un incident de parcours, au début d'ailleurs elle en parlait volontiers avec une certaine légèreté qui étonnait les gens, la naïveté de Juliette, elle en parlait à l'occasion, sans en faire un drame, elle était même foutue d'en plaisanter l'inconsciente, elle croyait qu'on n'était plus à une époque ni dans un pays où c'était un déshonneur d'avoir été violée, on n'était plus à Berlin en 1945 où les filles après s'être fait passer dessus par quinze soldats soviétiques se voyaient tendre par leur père une corde pour se pendre, on n'était pas en Iran, pas en Libye, et si elle était sûre d'une chose, c'était que son honneur et sa fierté à elle résidaient ailleurs. Mais elle s'était vite rendu compte de son erreur car si ce n'est pas un déshonneur peut-être en revanche les gens, pour la plupart, ont des idées bien arrêtées sur la manière dont se comporte une fille qui a été violée, sur la manière dont elle en parle, ça jetait chez beaucoup un méchant doute sur la réalité de son histoire, sa manière à elle d'en parler. Alors elle s'était tue mais peu à peu, insidieusement, quelque chose de ce doute s'était insinué en elle, avait pourri en culpabilité. Par la suite, chaque fois qu'elle lisait un récit dans un journal, un témoignage d'une femme violée qui s'était battue et qui s'en était sortie, un modèle vivant en quelque sorte, ou même le témoignage de la famille d'une fille qui s'était battue et qui y était restée, un modèle aussi, peut-être même encore plus, seulement un modèle mort, chaque fois qu'elle lisait des récits de ce genre qui parlaient de pureté, de courage, elle se sentait jugée, elle n'y pouvait rien, elle sentait une fureur monter en elle, une rage, contre qui elle ne savait pas, contre le type même pas elle n'y pensait plus jamais, contre ces victimes non bien sûr, leur famille pas davantage, contre elle-même alors sans doute, qui ne s'était pas battue ni débattue, contre tous les donneurs de leçons qui sous-entendent à tue-tête que quand on ne se défend pas au moins un minimum, c'est qu'on est sûrement consentante, qu'est-ce que ça aurait été si elle avait vraiment dit la vérité, si elle n'avait pas inventé le couteau.

Ça lui était venu dès le début, comme ça, pour se protéger du jugement des autres, par réflexe, quand elle en parlait elle disait que le type qui l'avait prise dans sa bagnole l'avait menacée d'un couteau, pressentant d'instinct que la plupart des gens étaient infoutus de comprendre que même sans couteau la peur avait été la même, la peur avait été immense, sidérante, vous feriez quoi vous seule avec un type plus fort que vous en rase campagne, en bordure d'une route déserte, d'ailleurs qu'est-ce qu'elle en savait après tout, peut-être qu'il en avait un, de couteau, le type, après tout, caché dans sa boîte à gants, qu'il n'attendait que l'occasion d'une toute petite résistance pour le sortir. C'était ce que lui avait dit son ami Jean-Christophe, le seul à qui elle avait avoué son mensonge, et même si elle n'y croyait pas vraiment, au commercial-qui-a-un-cran-d'arrêt-dans-la-boîte-à-gants-de-sa-voiture-de-fonction, ça lui avait fait du bien d'entendre ça. Ça lui faisait du bien d'entendre qu'elle était malgré tout, oui, une victime, que pour une fois ce qui lui était arrivé n'était pas complètement de sa faute, sa faute, sa faute sa faute sa faute.

Enfin, heureusement, il y avait eu le RER C.

Ça lui avait fait un bien fou, un vrai malade mental, un vrai couteau, une agression sans équivoque, sans bavure, sans la moindre zone d'ombre, en plein Paris et en pleine lumière, sans le moindre interstice où aurait pu aller se nicher sa culpabilité, ça justifiait après coup tous ses mensonges.

Grâce à son agresseur du RER C, elle avait commencé à aller mieux.

Pas très longtemps après, elle avait rencontré Olivier.

Elle s'en rend compte à présent c'est seulement à partir de là qu'elle a eu l'impression que sa vie commençait, avec le mariage ou peut-être la maternité, c'est difficile à dire et encore plus à avaler, tout à fait contraire à ses convictions féministes mais c'est comme ça, triste triste l'aliénation des petites filles, c'est à partir de là seulement qu'elle a cessé d'attendre, de se projeter constamment dans un futur ou de ne pas se projeter du tout, qu'elle a été dans le présent de sa vie. Olivier était l'amour qu'elle attendait et leur accord était miraculeux, elle ne cessait pas de s'en émerveiller, à part ce truc qu'il avait avec les mots, l'inverse d'elle, cette difficulté à dire les choses et peut-être encore plus à les entendre mais il lui semblait que ce n'était pas grave que ça s'arrangerait avec le temps, ça ne s'était pas arrangé, au contraire.

10

Alors, tu as appelé ton avocat? lança Olivier d'un ton léger, lorsqu'il lui téléphona plus tard dans la soirée.

Elle ne trouva pas ça drôle.

Tu as eu mon SMS? poursuivit-il.

Oui.

Mais il faut qu'on parle de nous, parce qu'on ne peut pas continuer comme avant. À elle, je lui ai dit que je ne voulais plus qu'on se voie, que je voulais reconstruire avec toi. Maintenant il faut qu'on parle toi et moi.

Allons-y, répondit-elle, sans méfiance.

Le torrent de reproches qui s'abattit alors sur elle la laissa interdite. Sans reprendre sa respiration, Olivier s'était lancé dans un long monologue où il lui reprochait, en vrac, de ne plus jamais vouloir faire l'amour avec lui, de le critiquer et de le rabaisser constamment, précisant au passage comme il le faisait souvent qu'il était inutile qu'elle prétende le contraire car il était sûr d'avoir raison — elle avait essayé à plusieurs reprises mais sans succès de le convaincre que ce genre de phrase ne constituait pas, à son avis, le meilleur préalable à un dialogue constructif. Il poursuivit en disant qu'elle ne pouvait pas nier, en plus, qu'elle avait des problèmes sexuels.

Elle tenta en vain de parer les coups, sans parvenir à l'interrompre. Enfin il termina en concluant qu'il voulait continuer à vivre avec elle, mais « à certaines conditions », et brusquement elle fut submergée par la rage, une rage immense, incontrôlable.

À certaines conditions. Il ne lui demandait pas pardon, il ne lui venait même pas à l'esprit de dire qu'il était désolé.

Ça t'arracherait la gueule de me dire que tu m'aimes ? pensa-t-elle. Et la distance de sécurité qu'elle s'efforçait de conserver d'ordinaire entre ses pensées et leur formulation se trouvant dangereusement réduite par l'état de colère dans lequel elle se trouvait, une sorte de carambolage se produisit dans son cerveau. Elle s'entendit hurler :

Ça t'arracherait la gueule de me dire que tu m'aimes ?

Puis elle raccrocha et se mit à sangloter, recroquevillée sur le canapé.

Heureusement il la rappela aussitôt, et peu à peu elle se calma. D'un commun accord ils décidèrent de

80

remettre la suite de cette conversation à plus tard et après qu'ils eurent raccroché pour de bon, cette fois en se souhaitant une bonne nuit — Olivier rentrait le lendemain matin — , Juliette se mit à réfléchir. De l'interminable cahier de doléances d'Olivier, elle avait retenu deux choses : a) il se sentait constamment critiqué, b) tu ne peux pas nier que tu as des problèmes sexuels.

Sur le premier point, il y avait beaucoup de choses à dire mais il aurait fallu reprendre toute leur histoire à son début, le fait qu'elle n'ait jamais pu rien lui dire qu'il n'interprète comme une critique, jamais pu exprimer le moindre désaccord sans qu'il se sente personnellement agressé, sans déclencher ses réactions hostiles, ses « je ne comprends pas pourquoi tu dis ça alors que je sais très bien qu'au fond tu es d'accord avec moi », ses « tu ne peux pas ressentir ça c'est impossible » et même, carrément, ses « je ne te crois pas ». Il aurait fallu revenir sur tout ce qui avait fait que passé leurs deux premières années de mariage qui avaient été idylliques, elle avait eu le sentiment de n'avoir d'autre issue pour régler leurs différends que de se taire, de dire amen à tout, de porter leur relation à bout de bras toute seule jusqu'à ce que deux ans plus tôt elle en ait marre, elle se rebelle, elle songe à le quitter, et c'est vrai que là elle n'avait plus été très sympa, par exemple quand elle lui avait dit qu'elle n'était pas sûre d'avoir envie de vieillir avec lui, mais d'abord c'était la vérité, ensuite il fallait voir comment on en était arrivé là.

Sur le deuxième point, elle se demanda de quoi il voulait parler. Des problèmes sexuels, certes elle en avait eu quelques-uns, après son viol, le contraire eût été étonnant mais rien de vraiment grave, était-ce même des problèmes d'ailleurs, disons qu'elle avait commencé à avoir des fantasmes, des fantasmes violents, qui l'effrayaient un peu. Elle avait mentionné ce fait à Olivier peu après leur rencontre, sans insister, en passant, de peur de le choquer, comme une curiosité certainement liée aux agressions qu'elle avait subies et qui s'était estompée avec le temps. Il ne l'avait pas questionnée et plus jamais le sujet n'avait été évoqué entre eux. Était-ce à cela qu'il faisait allusion ? Car pour le reste, il lui semblait avoir une sexualité plutôt normale et raisonnablement épanouie, elle avait un orgasme chaque fois qu'ils faisaient l'amour ou presque, aucun blocage particulier, peu de tabous, non, décidément elle ne voyait pas du tout ce qu'il entendait par ses « problèmes sexuels ».

Enfin, elle se souvint de ce qu'elle avait mis dix ans à admettre : les mots, pour lui, pour elle, n'avaient pas le même sens. C'était l'une des principales difficultés entre eux, pire qu'une difficulté, un obstacle, pire qu'un obstacle, un vrai parcours du combattant, avec des fosses de malentendus, des murs d'incompréhension, ça épuisait Juliette, ça la rendait dingue.

Peut-être voulait-il parler du désir.

Si, dans le langage d'Olivier, « avoir des problèmes sexuels » signifiait « avoir envie de lui moins souvent », alors il n'avait pas tort.

Au cours des mois qui venaient de s'écouler, elle s'était plusieurs fois refusée à lui. Si Olivier lui avait posé la question, elle aurait pu lui fournir tout un tas d'excellentes raisons à cela, la plus évidente étant que le soir elle tombait de sommeil et que depuis qu'Emma ne faisait plus la sieste les moments privilégiés du week-end où se concentrait auparavant l'essentiel de leur activité sexuelle avaient rétréci comme une peau de chagrin. En creusant un peu, elle aurait pu en trouver d'autres, par exemple le fait que depuis toujours c'était elle qui prenait l'initiative de faire l'amour et qu'à force elle en avait eu marre. S'il avait envie d'elle, il n'avait qu'à le dire, manifester activement son désir, faire en sorte d'éveiller le sien, au lieu de se retourner brusquement vers le mur, l'air buté, lorsqu'elle faisait mine d'ignorer ses avances, comme il était arrivé à plusieurs reprises ces derniers temps. Mais Olivier avait préféré, comme toujours, s'enfermer dans le silence.

Réfléchissant à cela, Juliette peu à peu reprenait confiance. Le fait qu'Olivier, quelques instants plus tôt, ait verbalisé enfin pour la première fois sa frustration, à défaut de son désir, était plutôt bon signe.

Si le fond du problème était là, s'il ne s'agissait que de sexe, ce n'était pas très grave. L'entente physique avec Olivier, dès leur rencontre, avait été immédiate. Aujourd'hui, à force d'en lécher, d'en respirer chaque recoin, le corps d'Olivier lui était devenu plus familier que le sien propre. À tort ou à raison, il semblait à Juliette qu'aucune autre femme, une fois passé l'attrait éventuel, et forcément très fugitif, de la nouveauté, ne pouvait savoir mieux qu'elle — et même aussi bien qu'elle — lui donner du plaisir.

Seulement, il fallait agir vite. L'absence de désir n'était pas insurmontable, mais depuis l'annonce de la trahison d'Olivier, Juliette sentait avec effroi monter en elle quelque chose qui ressemblait à du dégoût. Bientôt, elle le sentait, refaire l'amour avec son mari lui inspirerait la même invincible répugnance qu'enfiler un sous-vêtement déjà porté par une inconnue — ce que cette comparaison suggérait de possessivité grossière et possiblement de haine envers son propre sexe, elle l'entrevoyait, mais elle préféra ne pas s'attarder là-dessus. Ce n'était pas le moment.

Lorsque Olivier rentra d'Aubigny, le lendemain, elle lui dit :
J'ai décidé qu'on n'allait se dire que des choses gentilles pendant dix jours, d'accord ?

Il était sorti acheter des fleurs. Il coucha les enfants, puis elle l'entraîna dans leur chambre pour faire l'amour. Il ne faut pas attendre, dit-elle, sinon j'ai peur de ne plus pouvoir te toucher, c'est comme une chute de cheval, il faut remonter tout de suite.
Ils se firent des baisers rapides, il sentait bon, elle promena ses lèvres sur son corps en lui disant pardon si je ne t'ai pas bien aimé, ces derniers temps.
Il se laissait faire, disait : Je ne sais pas, je ne me suis pas dit les choses comme ça.

Alors elle dit en souriant : Tu te rends compte tout de même que ce n'est pas comme ça que c'est censé se passer ? Tu te rends compte que théoriquement ce n'est pas à moi de te demander pardon ?

Il était loin.

Après l'amour ils s'endormirent aussitôt, fatigués.

Le matin suivant, elle partit travailler tandis qu'Olivier restait bricoler à la maison tout en s'occupant des enfants.

Quand elle rentra le soir, tard, il lui montra fièrement l'installation téléphonique qu'il avait faite en son absence. En plus de la base et du sans-fil qu'ils avaient déjà dans l'entrée et dans leur chambre, il avait ajouté deux autres combinés que lui avait filés un collègue dans le salon et la cuisine. Elle s'interrogea sur l'intérêt d'avoir quatre téléphones en charge dans un appartement de quatre-vingts mètres carrés, lui qui trouvait toujours qu'il y avait trop de machins branchés et passait son temps à mettre la télé et tous les appareils hors secteur pour économiser l'électricité.

Aussitôt, il explosa. Toujours des critiques. Il pensait pourtant mériter un peu de gratitude, pour la journée qu'il avait passée à faire ça.

De la gratitude, pensa Juliette. Il fallait se pincer pour y croire.

Le ton monta très vite. Elle ne se rendait pas compte. Il s'effondra sur le canapé, les larmes aux yeux. Si tu crois que c'est facile pour moi. C'était quand même une histoire d'amour, dit-il.

Elle eut l'impression qu'il l'avait frappée, lui donna à

son tour des coups sur la poitrine. Vraiment, c'était une histoire d'amour. Non, tu ne me l'avais pas dit.

Puis, très vite, leur colère retomba. Allons nous coucher, dit-il.

Un bruit dans le couloir les fit taire. Emma était pelotonnée dans le fauteuil de l'entrée et les écoutait.

Juliette l'emmena se coucher avec elle, lui demanda ce qu'elle avait entendu exactement. Tu parlais de bobos, dit Emma, de bobos que Papa t'avait faits. Elle tenta de lui expliquer que, parfois, des gens qui s'aimaient pouvaient se faire un peu mal sans faire exprès, comme elle avec son frère, rien de grave, aucune raison de s'inquiéter.

Le lendemain, son solde de RTT épuisé, Olivier reprit son travail au journal.

Le soir, assis devant la télévision, de nouveau il pleura. Juliette l'observait, une boule d'angoisse au creux du ventre.

Je te préviens, je vais tout raconter à Florence. J'ai besoin d'en parler à quelqu'un.

Comme tu voudras, dit-il.

11

Il était 23 heures et la soirée battait son plein. Toute la bande du quartier était là, plus quelques amis d'amis, le patron du bistrot d'en face et une institutrice de l'école des enfants. Serrés sur le minuscule balcon, Pierre, Stéphane et Paul discutaient avec Olivier, tandis qu'à l'intérieur une vingtaine de personnes divisées en petites grappes dînaient dans un joyeux brouhaha, certaines autour de la table ronde, d'autres assises sur le canapé, leur assiette sur les genoux et leur verre à leurs pieds. Il y avait aussi quelques invités assis par terre et ceux qui préféraient rester debout, se servant du dessus de marbre de la cheminée pour poser leur assiette.

C'est très bon, ce qu'on mange, qu'est-ce que c'est?

Alors elle me dit : Mais ce n'est pas le rôle de la coopérative scolaire, ça, madame!

J'ai gagné un voyage aux Seychelles, dis donc... explosé mes objectifs du premier trimestre... meilleur vendeur Europe...

Du mafé de bœuf. C'est Amidou qui m'a donné la recette, tu sais, la maman de Babacar.

Et pour vos locaux, vous en êtes où?

Deux heures, tous les matins. Et la piscine, trois fois par semaine.

D'après le maire, ils seront relogés dans des hôtels mais je me méfie de lui, il n'arrête pas de nous enfumer, en plus tous les hôtels sont pleins dans le quartier.

Du beurre de cacahuète.

C'est sûr qu'on n'est pas à l'abri d'un nouveau plan social, de toute façon, objectivement, on est beaucoup trop nombreux.

Il vous faut combien d'inscriptions pour pouvoir ouvrir?

Moi j'en ai fait une fois avec des bananes, c'est bon aussi.

Juliette était arrivée une bonne heure avant tout le monde et avait aidé Florence en cuisine. Dans le hall, elle avait croisé un individu bizarre, mais avait pris sur elle pour ne pas y prêter attention. On croisait souvent des individus bizarres dans cet immeuble. Paul était psychiatre et recevait ses patients chez lui. Il était d'une déontologie exemplaire et respectait scrupuleusement le secret professionnel, sauf vis-à-vis de sa femme qui de son côté, ne se sentant tenue à rien, faisait le bonheur du quartier avec ses histoires de fous. Depuis que le quotidien dans lequel elle travaillait comme documentaliste avait été mis en liquidation judiciaire, Florence passait ses journées chez elle et était devenue très calée dans les diverses et nombreuses névroses qui affligent nos sociétés modernes, à l'aube du XXIe siècle. Juliette lui demanda où elle en était côté recherche d'emploi. Florence haussa les épaules. La presse allait mal, et Florence n'était pas optimiste sur ses chances de retrouver du travail de sitôt.

Heureusement, il y avait de plus en plus de dépressifs, ce qui équilibrait les finances du ménage, et Paul bossait chaque jour jusque très tard le soir.

À son tour, elle demanda à Juliette comment elle allait, et Juliette lui raconta toute l'histoire, pendant que Florence épluchait des oignons, ces deux facteurs se conjuguant si bien qu'au bout de peu de temps elles furent toutes deux en larmes.

Paul, qui venait de terminer ses consultations, était apparu avec un grand sourire avant de jauger d'un coup d'œil la situation et de disparaître aussitôt sans demander son reste.

J'espère que tu n'attends pas de moi que je te donne des conseils, dit Florence en reniflant.

La dernière fois que j'ai donné un conseil dans une histoire de ce genre, ça a été une catastrophe.

Et elle recommença à s'occuper de ses oignons, comme elle ne devrait jamais cesser de le faire, ajouta-t-elle à l'intention de Juliette, qui la regardait par en dessous, les yeux humides et interrogateurs.

L'année précédente, lorsque son amie Isabelle était tombée amoureuse, Florence l'avait encouragée à en parler à son mari qui l'avait aussitôt mise dehors. Le grand amour avec Nathan n'avait pas duré six mois. Maintenant Isabelle vivait seule avec son chat, ses enfants ne lui parlaient plus, elle bossait quarante-huit heures sur vingt-quatre et était en passe de devenir alcoolique.

Alors moi, maintenant, je la boucle.

Juliette haussa les épaules.

Je n'attends pas de conseil.

Tu devrais en parler à Paul, suggéra Florence. De toute façon, il t'a vue pleurer, il va me poser des questions et je n'ai pas envie de lui mentir.

Tu peux lui dire la vérité, ça ne me dérange pas.

Non, je préfère que tu le fasses. Il aime beaucoup Olivier, il comprendra peut-être mieux que moi et puis il pourra parler avec lui.

Elle alla le chercher et le planta devant Juliette (Juliette a quelque chose à te dire), puis partit s'occuper des enfants.

Cela me surprend de la part d'Olivier, dit Paul. Je ne l'aurais pas cru si… léger.
Qu'est-ce qu'on peut faire ? ajouta-t-il.

Rien. J'ai besoin de pouvoir en parler, c'est tout.

Maintenant ils étaient tous en train de manger le mafé qui était un peu trop cuit, et Juliette regardait Olivier rire avec Paul et Stéphane.

Difficile de croire qu'il y a quelques heures il pleurait, qu'il vit une grande passion contrariée, tu ne trouves pas ? glissa-t-elle à Florence.

Béatrice s'assit près d'elles, une assiette à la main.
Vous parlez de qui ? demanda-t-elle.
Tu ne connais pas, répondit Flo. Une amie qui vient d'apprendre que son mec a une liaison.

Béatrice s'était séparée depuis peu du père de sa fille qui, durant les quelques années qu'avait duré leur vie commune, l'avait trompée à tour de bras.

C'est la saison, dit Béatrice d'un ton léger, en haussant un peu les épaules. Chaque fois que Philippe avait une nouvelle histoire, ça démarrait au printemps. Dites à votre amie de ne pas trop s'inquiéter, à l'automne ils se calment.

À part Béatrice et Nourredine, le patron du café, dont la femme était restée à la maison, tous les autres invités étaient venus en couple. La plupart mariés depuis une dizaine d'années environ comme Juliette et Florence. Ce qui était logique puisque c'était par les enfants qu'ils s'étaient connus. Tous, ils avaient l'air de bien s'entendre, et même d'être encore amoureux, mais ça, pensa Juliette, c'était ce qu'on voyait de l'extérieur, ce qui se passait vraiment entre eux, on ne pouvait pas savoir. L'année dernière quand Stéphanie et Thierry, puis Béatrice et Philippe, avaient annoncé qu'ils se séparaient, ils avaient tous été frappés de stupéfaction, comme si un immeuble de leur rue devant lequel ils passaient tous les jours s'était soudain écroulé sous leurs yeux. Les mariages sont ainsi, des édifices qui semblent bâtis pour durer des siècles et qui parfois s'effondrent d'un coup, bouffés par une mérule invisible.

Serge, qui venait d'arriver en sortant du théâtre, avait rejoint Paul et Stéphane sur le balcon et les embrassa sur la joue avant de pincer celle d'Olivier.

Toujours ta beau de bébé et ton corps de jeune homme, toi, hein ?

Olivier prit un air modeste.

Ils enchaînèrent sur l'un de leurs sujets favoris : exercices physiques, perte de poids, vélo. Stéphane était au régime et Pierre s'entraînait pour le marathon.

Quant à Serge, à qui son statut d'intermittent du spectacle laissait beaucoup de temps libre, il le passait dans une salle de sport à lever des haltères et travailler son corps. Il exhiba ses abdos sous l'œil admiratif et envieux de ses amis mâles tandis que leurs femmes les observaient d'un œil fatigué, absorbées dans leurs conversations sur le boulot ou la politique.

Regarde-les. On se croirait dans un bain-douche du Marais, rigola Florence.

Ils feraient mieux de faire des compliments à leurs femmes, renchérit Béatrice. Regardez-vous toutes les deux, pas un poil de ventre. C'est pourtant vous qui les avez portés, leurs enfants.

Juliette acquiesça, pensive. Depuis combien de temps Olivier ne lui disait-il plus qu'elle était belle ? Quand elle lui en faisait la remarque, il haussait les épaules et répondait :

Tu le sais très bien. Tout le monde te le dit.

Tu as raison, grinçait-elle. Trop de renforcement positif en provenance de l'extérieur. C'est bien de se faire enfoncer un peu dans son couple.

Et en plus, ajoutait-elle, tu te trompes.

À Galatea Networks, le marivaudage et la galanterie étaient considérés comme des fautes professionnelles graves. Ayant choisi une carrière scientifique, Juliette avait depuis longtemps l'habitude d'évoluer dans un entourage masculin, mais la froideur aseptisée de ses collègues actuels lui faisait regretter le temps de son école d'ingénieurs où elle jouait en toute impunité sur tous les tableaux, recueillant les bénéfices de son intelligence sans sacrifier aucun des avantages de sa féminité. Elle était l'une des rares filles de sa promotion, sans doute la plus jolie, ses camarades et même ses professeurs se bousculaient pour le lui faire savoir. Pour autant nul n'aurait osé mettre en doute ses compétences ni prétendu poser des bornes à sa liberté. Sans doute pour cette raison, elle avait vite cessé de fréquenter les « groupes femmes ». Il lui semblait que le combat était gagné, l'égalité entre les sexes acquise, qu'il n'y avait plus à se battre. Elle se demanda l'espace d'un instant si elle était encore féministe. Entourée comme elle l'était d'hommes qui l'étaient autant et plus qu'elle, en premier lieu son mari, elle n'en était plus très sûre.

Elle croisa le regard de Florence qui, ayant au fil des ans développé le pouvoir de lire dans ses pensées, lui sourit. Elles en avaient parlé souvent. Leurs maris à toutes deux approchaient d'assez près l'idéal masculin qu'elles avaient appelé de leurs vœux quelque vingt ans plus tôt. Comme les autres mâles de leur petit groupe, ils étaient notamment des spécimens presque parfaits de l'espèce des nouveaux pères. Ils changeaient les couches, préparaient les biberons, et se croisaient le dimanche sur les quais, portant leur bébé sur le dos ou dans un sac kangourou, comparant les suspensions de leurs landaus flambant neufs. (À la naissance de Johann, Olivier avait investi dans une King Roller Cruiser tout-terrain, mais la Maclaren High Trek Duo de Paul, avec amortisseurs et freins à disque, n'était pas mal non plus.)

Pourtant, si pénible que ce fût à admettre pour Juliette, c'est à la naissance d'Emma que tous les problèmes entre Olivier et elle avaient commencé.

Très vite, elle avait ressenti un horrible sentiment d'abandon. Olivier était fou de sa fille, et non seulement elle avait la sensation de ne plus exister pour lui mais elle devait lutter constamment contre l'impression qu'il lui volait son rôle de mère. Durant les premières semaines il lui était resté une arme secrète : elle allaitait. Olivier lui apportait Emma dans leur lit et restait près d'elles pendant que leur fille tétait son sein, les regardant toutes deux avec un attendrissement qui faisait plaisir à voir. Pourtant Juliette était prête à jurer qu'à plusieurs reprises elle avait surpris une lueur d'envie dans ses yeux. Heureusement pour lui, cela n'avait pas duré longtemps. Par la force des choses Juliette avait dû sevrer Emma et reprendre le boulot dès la fin de son congé légal — le bébé avait moins de trois mois. Olivier avait pu alors laisser libre cours à son délire paternel. Il avait développé une phobie de la mort subite du nourrisson et réveillait

Juliette dix fois par nuit, sans égard pour sa fatigue, se levant d'un bond pour s'assurer que la petite respirait toujours. Puis il avait commencé à mettre au point des méthodes originales pour préparer les biberons et pour changer les couches, méthodes qui du point de vue de Juliette avaient pour seul effet de multiplier par deux le temps dévolu à ces tâches et n'étaient qu'une source d'emmerdement sans aucune contrepartie positive, mais Olivier ne voulait rien entendre, et pour éviter les disputes, elle s'était pliée à ses exigences. Il était subitement devenu un expert ès bébés, il passait sa vie sur Internet à échanger ses expériences avec d'autres parents. Elle qui avait eu la chance de ne pas connaître le baby blues, qui pensait naïvement avec cette naissance atteindre une espèce de plénitude, ne pouvait plus regarder sa fille dans les bras de son père sans devoir réprimer un épouvantable sentiment de jalousie — jalouse de qui? de lui? d'elle? les deux sans doute —, elle oscillait entre une rage de dépossession et un sentiment d'abandon, sans bien sûr rien en laisser paraître. De quoi se serait-elle plainte? Sans doute avait-elle aussi commis des erreurs. À leur décharge, ni Olivier ni elle ne savait ce qu'était censé être un père : Juliette durant toute son enfance n'avait vu le sien que deux ou trois fois, et Olivier avait passé comme Juliette de nombreuses années en pension. Même s'ils avaient été tous deux plus proches de leurs pères respectifs, le modèle de la génération précédente ne leur aurait servi à rien. Ils étaient les défricheurs d'un nouveau mode de vie, et tout était à inventer.

Juliette ne l'aurait jamais admis devant quiconque

(pardon, Johann, je t'aime), mais après la naissance d'Emma, sa décision d'avoir très vite un autre enfant, plus que par un réel désir, avait été dictée par la volonté farouche d'en finir avec ce triangle infernal dans lequel elle ne cessait de s'interposer entre Olivier et son bébé, en partie par nostalgie de leur couple, mais aussi par crainte que ce tête-à-tête fusionnel avec son père ne finisse par faire d'Emma une psychopathe.

Sur la chaîne passait la chanson de Noir Désir, *Le vent nous portera*.

Quelqu'un comprend les paroles de cette chanson ? demanda Pierre. Sans déconner. Qui comprend ? Je n'ai pas peur de la route, Faudra voir faut qu'on y goûte, Des méandres au creux des reins…

Laisse tomber, répondit quelqu'un. C'est de la poésie.

Aux alentours de minuit, des couples commencèrent à partir. Les compteurs des baby-sitters tournaient. Juliette, Sylvia et Béatrice se rapprochèrent du petit groupe formé par Paul, Serge, Olivier et Stéphane pour leur suggérer qu'il était temps de rentrer. Stéphane était lancé dans un long récit sur une histoire qui s'était passée au sein de son entreprise.

Marchand est convaincu qu'il est le père de la gamine. Moi je lui ai dit comment tu peux en être sûr ? Elle est quand même bizarre, la Marion.

Tu peux nous résumer? demanda Juliette. On a raté le début.

C'est mon patron qui a eu une histoire avec une nana du service.

Déjà, ça commence mal, dit quelqu'un.

Stéphane partit d'un grand éclat de rire. Ça, tu l'as dit. Surtout qu'ils sont tous les deux mariés, chacun de leur côté.

Et alors?

Alors elle est tombée enceinte, et maintenant elle menace mon patron, Marchand, de tout dire à sa femme.

Et son mari à elle?

Ben son mari, il croit que l'enfant est de lui, forcément. Mais elle s'en fout, la Marion. Elle dit à Marchand que de toute façon elle va divorcer et que c'est lui l'homme de sa vie. Elle appelle chez lui en pleine nuit, elle exige qu'il lui offre les mêmes cadeaux qu'à sa femme, sinon elle balance tout. Il commence à avoir les jetons.

Il a raison, dit Paul. Mais comment ça se fait qu'il te raconte tout ça à toi? C'est ton patron, non?

Oui. Je ne sais pas. Je crois qu'il est un peu flatté, en fait.

Flatté de quoi?

Stéphane est fasciné par cette histoire, intervint Sylvia. Marchand en profite pour plastronner devant lui.

Attends, c'est quand même pas banal, se défendit Stéphane. Elle est super bien foutue, Marion. Tu peux pas t'empêcher de te dire que pour qu'une fille comme elle se mette dans un état pareil, il doit avoir un truc spécial, le type.

97

Non mais je rêve, soupira Sylvia. C'est pathétique.

De retour à la maison, Juliette, qui avait beaucoup trop bu, décida de faire l'amour à Olivier, comme chaque soir depuis son retour. Dès qu'ils furent au lit, elle se serra contre lui et commença à l'embrasser, mais pour la première fois il la repoussa. Arrête.

Surprise, elle se détacha de lui pour le regarder bien en face, puis se laissa tomber sur l'oreiller sans le lâcher des yeux.

Pas la peine de me fixer avec cet air-là, dit Olivier. De toute façon, je sais très bien que tu n'en as pas envie.

C'était son habitude, quand il ne voulait pas quelque chose, de lui coller ça sur le dos.

Tu te trompes, répondit-elle. Mais elle n'insista pas davantage, se tourna vers le mur, avala beaucoup trop de Lexomil et s'effondra.

Le lendemain, lundi de Pentecôte, il lui fut impossible de se réveiller. Olivier emmena les enfants au square. Quand finalement elle émergea, elle alla faire les courses, puis elle partit aux Buttes-Chaumont avec les enfants retrouver Florence, comme elles se l'étaient dit la veille. À midi elle avait de nouveau tenté d'avoir une discussion avec Olivier. Il lui avait répondu :

Tu es toujours très éloquente pour me démontrer comme je suis nul.

La nuit suivante, à deux heures du matin elle se réveilla en larmes et secoua Olivier dans leur lit : Promets-moi que tu me laisseras mes enfants. Je t'en prie.

Il se réveilla en sursaut, affolé.

Il n'a jamais été question de ça.

Je ne veux pas de garde alternée, je ne veux pas voir mes enfants une semaine sur deux.

Arrête. Je te jure qu'il n'en est pas question. De toute façon, la garde alternée, c'est une connerie.

Il l'entoura de son bras, ajouta :

Je ne veux pas que tu aies mal.

12

La question est : qu'est-ce que tu veux, exactement? demanda Jean-Christophe, tenant sa cigarette à bout de bras, le coude posé sur le dossier de la banquette, tout en chassant de l'autre main la fumée qui s'obstinait à aller dans la direction de Juliette. Dans le grand miroir de la brasserie placé juste derrière lui, elle le voyait se refléter de trois quarts dos comme un grand poulpe bicéphale agitant ses tentacules.

Juliette réfléchit, avant de répondre sincèrement.

Là, tout de suite, j'ai envie de faire mal à Olivier, j'ai envie qu'il ait mal, répondit-elle.

Jean-Christophe soupira en prenant soin d'exhaler vers le plafond, ce qui lui donna l'air étrangement exaspéré.

Oui, mais bon, ça, ça ne mène à rien, non, ne te laisse

pas aller à ça, protesta-t-il. Pas de vengeance, enfin, tu es au-dessus de ça, tout de même.

Non, poursuivit-il en suivant des yeux les volutes de fumée qui s'évanouissaient au-dessus d'eux, comme s'il s'adressait non pas à elle, assise en face de lui, mais à une puissance supérieure aux yeux de laquelle les petits tracas de Juliette, forcément, ne pouvaient paraître que dérisoires. Non, la question est : est-ce que tu veux continuer à vivre avec lui, ou est-ce que tu veux que vous vous sépariez? Dans le second cas, la marche à suivre est simple. Mais le prix à payer est très lourd, fais attention, il ne faut pas le sous-estimer. Se retrouver seule avec deux enfants, surtout petits comme les tiens, et à Paris, en plus, ce n'est vraiment pas facile.

Il ressemble de plus en plus à Fabrice Luchini, pensa Juliette, avec la soudaine impression d'être une actrice dans un film de Rohmer.

Et si je veux continuer avec lui?

Jean-Christophe baissa les yeux vers elle, hochant la tête d'un air compatissant et néanmoins ravi que Juliette ait choisi de soumettre à sa sagacité l'option la plus épineuse. Il s'accorda un long moment de réflexion silencieuse en continuant à la fixer, les yeux mi-clos, avant de reprendre avec lenteur.

Alors de deux choses l'une : soit il est amoureux, tu exiges qu'il la quitte, mais pourras-tu ensuite lui pardonner, et lui, aussi, te pardonner de l'avoir empêché

100

de vivre ça ? D'un autre côté — je réfléchis tout haut — s'il est vraiment amoureux, si c'est vraiment la femme de sa vie, de toute façon il partira, donc tu peux aussi décider de laisser faire…

Il fit une pause.

Soit ?… continua mentalement Juliette qui, prisonnière de son esprit cartésien, attendait toujours le second terme de l'alternative.

Mais rien ne vint. Jean-Christophe, selon toute apparence, avait terminé. Il s'était tu et dardait sur Juliette un regard perçant, inquisiteur. Elle hésita un instant, puis secoua la tête.

J'ai trop peur, répondit-elle. Si je laisse faire, si je ne me bats pas, il fera ce qu'elle voudra. Il est comme ça, il va avec celle qui le veut le plus.

Elle pense à sa rencontre avec lui, à l'épisode Maria, se dit Jean-Christophe. À l'époque, il avait été surpris du désespoir dans lequel sa rupture avec Olivier avait plongé Juliette, alors qu'elle ne le connaissait que depuis quelques semaines. Trois ans plus tard, il avait été encore plus stupéfait de la rapidité avec laquelle, quand Olivier et elle s'étaient retrouvés, elle s'était convaincue qu'il était l'homme de sa vie et avait foncé tête baissée dans le mariage. Indéniablement, dans ce couple, c'était Juliette qui avait voulu Olivier beaucoup plus que l'inverse. Lui s'était contenté de se laisser aimer, avec sa nonchalance coutumière.

Alors, si c'est de la faiblesse, il faut que tu sois dure, asséna-t-il, en posant son poing fermé sur la table pour ponctuer son discours. Il y a des femmes redoutables, tu sais, qui sont prêtes à tout pour obtenir ce qu'elles veulent. Elle n'a rien à perdre, elle. Si c'est ça et que tu veux le garder, il faut être intransigeante. Il ne faut plus qu'il la voie, ni qu'il lui parle.

Juliette se demanda d'où venait à Jean-Christophe cette assurance dans l'expertise des relations amoureuses, cette sagesse d'oracle, lui qui, homosexuel, n'avait jamais entretenu, officiellement du moins, aucune liaison durable. Sans doute de ses lectures, car sa culture était presque aussi impressionnante que celle de Fabrice Luchini et la littérature regorge, comme on sait, de situations de ce genre. Sûrement aussi des récits des uns et des autres, glanés au fil des années — il montrait à chacun un intérêt si sincère que tout le monde se confiait à lui — et qui avaient dû finir par lui constituer un corpus d'expériences conséquent, d'où il pouvait aisément déduire quelques lois générales.

Elle le remercia de ses conseils et le quitta détendue. Le métro étant toujours en grève, elle continua sa réflexion en marchant de l'Opéra jusqu'à son bureau. Ce déjeuner avec Jean-Christophe lui avait fait du bien. Cette histoire de prix à payer rendait tout plus clair. Non, elle ne voulait pas payer le prix d'une séparation avec Olivier. Elle envisageait avec effroi la perspective d'années à batailler sur les choix relatifs aux enfants, à batailler sans amour, sans effort de compréhension réciproque.

Elle décida qu'elle voulait le garder, et qu'elle allait se battre.

DEUXIÈME PARTIE

13

Olivier arriva tôt ce matin-là au journal. Dans le hall, il salua quelques collègues puis appela l'ascenseur, appuya sur le bouton du troisième étage et emprunta le couloir au bout duquel, apposé sur un panneau vitré, un dessin de Gaston Lagaffe assoupi au milieu de piles de livres surmontait l'indication : Service Politique. Sur le pas de la porte, il fut pris à la gorge par l'odeur de tabac froid. Sur la dizaine de bureaux que contenait la pièce, tous encombrés de livres, journaux, etc., seul l'un d'entre eux était occupé à cette heure matinale : celui d'Elsa, la jeune stagiaire, qui, assise près de la fenêtre ouverte, essayait de respirer un peu d'air pur tout en terminant de rédiger le compte-rendu de leur dernière réunion hebdomadaire.

Il échangea avec elle quelques propos affables, s'efforçant de cacher la compassion que lui inspirait ce petit être innocent et sans défense, encore à l'abri dans le cocon douillet de son école de journalisme, et qui n'avait aucune idée de la férocité de la compétition dans laquelle elle allait se trouver jetée dès l'obtention de son diplôme. Personne n'avait jugé utile de l'en informer mais le simple fait pour elle d'avoir décroché ce stage d'été dans un hebdomadaire renommé tenait à proprement parler du miracle, ou plutôt de l'âpre négociation qu'avait eue Thierry, le rédac chef, avec le directeur de la rédaction qui voulait lui imposer la nièce de sa compagne et qui n'avait fini par lâcher prise que parce qu'un désistement de dernière minute avait libéré une place aux Infos géné où on avait pu fourguer la nièce en question.

Durant les deux mois d'été, le journal ne fonctionnait pour ainsi dire que grâce aux stagiaires, on en recrutait donc à tour de bras. La demande était telle qu'on pouvait se permettre de n'engager que ceux qui sortaient des meilleures écoles et de choisir parmi ceux-là les éléments les plus brillants. Non seulement ils ne coûtaient à peu près rien mais ils faisaient preuve d'un enthousiasme et d'une énergie qui manquaient cruellement aux rédacteurs titulaires, de plus en plus dépressifs et blasés, fatigués de résister aux pressions qui s'exerçaient sur eux, usés de constater que ce qu'ils écrivaient n'intéressait plus grand monde, forcés de surcroît d'admettre que le journal, fait par ces stagiaires de choc, ne perdait pas grand-chose en qualité. La conclusion qui s'imposait, pour lesdits rédacteurs titulaires, était limpide et déprimante : ils ne devaient leur position et leur salaire qu'à un effet d'antériorité, à la chance d'être nés une vingtaine d'années plus tôt qu'eux.

La presse allait de plus en plus mal. Les hebdoma-
daires s'en sortaient plutôt mieux que les quotidiens
mais celui dans lequel travaillait Olivier, quoique presti-
gieux, avait un lectorat vieillissant et était chronique-
ment au bord de la cessation de paiement. S'asseyant à
son poste de travail, Olivier aperçut sur son bureau les
chiffres de vente qu'on distribuait chaque semaine aux
chefs de service. Ils étaient en chute libre. Le site web
dans lequel ils avaient lourdement investi ne rapportait
toujours pas un rond. À ce rythme, le journal allait
mettre bientôt la clé sous la porte. Au cours des dernières années, les plans sociaux s'étaient succédé et
chacun s'accrochait à son siège en prévision du crash
qui allait forcément se produire, la seule incertitude
étant la date de la catastrophe. Olivier sentit l'angoisse
familière lui étreindre l'estomac à la pensée de se
retrouver au chômage, à plus de quarante-cinq ans, dans
un secteur en crise. Simultanément ou presque, une irri-
tation non moins familière monta en lui à la pensée de
Juliette et de ses allusions permanentes à sa supposée
pingrerie. Comme s'il n'était pas naturel d'être préoccupé par les questions d'argent lorsque, comme eux,
on avait deux petits enfants à charge, des perspectives
de carrière plus qu'aléatoires et, s'étant mis au travail
sur le tard, aucun espoir de pouvoir prétendre avant
de longues années à une hypothétique retraite. Mais
Juliette, contrairement à lui, avait toujours fait preuve
d'un optimisme qui frisait l'inconscience. Elle avait une
confiance absolue en l'avenir. Cette tranquille assurance
qui compensait ses propres inquiétudes était, entre

autres choses, ce qui l'avait séduit chez elle dix ans plus tôt. À présent cela l'exaspérait. Pour la millième fois, il additionna mentalement leurs deux salaires et se livra à une rapide simulation des coûts qu'engendrerait une séparation, la vente de leur appartement, la recherche de deux appartements séparés assez proches dans lesquels ils pourraient accueillir tous deux, chacun de leur côté, leurs enfants. Pour la millième fois, il constata avec satisfaction qu'une telle option, à Paris, en 2003, était irréaliste, et que par conséquent il était inutile de continuer à se torturer l'esprit avec ça. En signifiant à Victoire avec fermeté qu'il ne quitterait pas sa femme, même si cela avait été pénible, il avait pris la bonne décision.

Il revit en pensée le visage de la jeune femme lorsqu'il lui avait annoncé qu'il ne partirait pas à Rome avec elle, ses larmes, et instantanément sa queue se dressa à ce souvenir. Ils avaient fait l'amour ce jour-là comme jamais. On avait beau dire, le drame faisait bon ménage avec le sexe. Beaucoup mieux que l'humour, en tout cas. À la différence de Juliette, Victoire manifestait toutes ses émotions et ses sentiments sans distance, avec une vibrante intensité, et Olivier, même s'il lui arrivait de penser qu'elle en faisait un peu trop, ne pouvait s'empêcher de trouver ce premier degré étrangement excitant.

Quand avait-il entendu parler d'elle pour la première fois ? Il ne s'en souvenait plus. Il n'avait pas la mémoire de ces choses-là, pas comme Juliette qui se rappelait tout, chaque mot prononcé chaque date, jamais elle n'oubliait un anniversaire, pas seulement celui de leur

110

mariage celui de leur première nuit de leur premier baiser et j'en passe, c'était effrayant, Juliette se souvenait même de choses qu'elle n'avait pas vécues, des choses de sa vie à lui avant elle, qu'il lui avait racontées, dans les réunions de famille elle était capable de lui souffler au débotté le nom d'une tante éloignée qu'elle n'avait entrevue qu'une fois, sur les albums photo elle identifiait mieux que lui ses ancêtres, Juliette était une véritable plaque sensible sur laquelle les choses les plus infimes et sans intérêt s'imprimaient, instantanément et semblait-il à jamais. Enfin, plaque sensible, c'était la manière gentille de le dire. Une véritable caisse enregistreuse, pensait-il parfois quand elle l'énervait.

Et elle l'énervait de plus en plus souvent, à lui ressortir des mots qu'il avait dits, à lui rappeler des choses qu'il avait faites, à lui demander des comptes, comme si on ne pouvait pas avancer sans regarder toujours en arrière, sans faire constamment des états des lieux, des bilans. Ç'avait été son grand truc, à Juliette, les premières années de leur mariage. Elle voulait programmer des discussions à intervalles réguliers, à des dates précises, l'anniversaire de leur rencontre par exemple, pour parler d'eux. De leur couple. Rien que l'idée le rendait fou. Il se crispait instantanément, pourquoi parler puisque tout allait bien, elle ne comprenait pas, elle disait justement, pour que ça continue, pour désamorcer le moindre début de malentendu qui pourrait se présenter entre nous, il sentait l'énervement monter, le sang battre dans ses tempes, de quel malentendu elle parlait, qu'est-ce qu'elle cherchait à lui dire. Elle le regardait perplexe, finissait par laisser tomber. Quand elle lui demandait s'il l'aimait c'était la même chose, ça sonnait pour lui comme une sommation, une injonction contradictoire, comme lorsqu'on vous demande d'être spontané, un truc irréalisable, comme si son amour n'était pas assez évident, est-ce qu'il ne lui en avait pas donné toutes les preuves, apparemment ça ne suffisait pas mais qu'est-ce qu'elle voulait de plus, ce sentiment pénible qu'elle lui donnait toujours d'exiger de lui autre chose, ce sentiment qu'elle lui donnait constamment qu'il n'était pas à la hauteur.

Hervé venait d'arriver, déjà rouge et transpirant malgré l'heure matinale, son casque de scooter sous le bras. Il salua Elsa et Olivier à la cantonade, s'installa à son bureau le dos au mur et alluma son ordinateur. Le regard furtif qu'il avait jeté avant de s'asseoir vers le bureau encore inoccupé d'Alexandra, situé juste à côté du sien, n'échappa pas à Olivier. Alexandra était la vedette du service. C'était une brillante journaliste d'une trentaine d'années, incroyablement sexy et d'une déontologie implacable, un ayatollah du politiquement correct sans aucune complaisance pour les déviances machistes de ses collègues masculins. Olivier observa avec un brin d'ironie l'air sérieux et concentré avec lequel Hervé contemplait son écran, pianotant de temps en temps sur son clavier pour donner le change. Sans aucun doute, avant d'attaquer sa journée de travail, il prenait des forces en matant les images pornographiques qu'il téléchargeait par centaines sur son disque dur pendant les longues soirées qu'il passait seul au journal, profitant de la connexion haut débit et non sécurisée dont disposaient les journalistes. Depuis que sa femme l'avait quitté l'année précédente, emportant sous le bras leurs deux enfants, Hervé avait pris dix kilos et filait un mauvais coton. Brusquement, le souvenir revint à Olivier de l'une des premières fois, si ce n'est la première, où il avait entendu prononcer le nom de Victoire. C'était peu avant la Journée internationale de la femme, le 8 mars. Hervé discutait avec Thierry de l'angle sous lequel il convenait de couvrir l'événement cette année, et le nom de Victoire était venu sur le tapis. Thierry avait suggéré un portrait, tendu une photo à Hervé, qui l'avait prise et regardée avec concupiscence.

Pas mal, avait-il commenté.

Et après s'être assuré qu'Alexandra n'était pas dans les parages, il avait ajouté :

Qui la baise ?

Olivier, qui suivait la conversation de loin, s'était approché. C'était la question rituelle, entre mecs du service, dès qu'on parlait d'une femme de moins de cinquante ans et pas trop mal foutue, et même s'il désapprouvait vigoureusement ce type de propos sexiste, Olivier ne pouvait s'empêcher de s'y intéresser. Thierry avait répondu par un geste d'ignorance.

À ce stade, malgré les difficultés qu'ils rencontraient dans leur couple, la probabilité qu'Olivier trompe Juliette était encore très faible, et lui-même n'aurait pas parié un sou là-dessus. Pour qu'une telle chose se produise, il aurait fallu tout un ensemble de circonstances qui avaient peu de chances d'être réunies un jour. Par

113

exemple, qu'Hervé ait un accident de scooter juste avant son interview programmée avec une élue socialiste, présidente d'une organisation féministe en vue, et qu'Olivier soit appelé, au pied levé, à le remplacer. Que la présidente en question, sans être une beauté renversante, soit jeune et plutôt jolie, et qu'elle tombe instantanément sous le charme de ce journaliste consciencieux et un peu timide, qui la regardait comme il regardait toutes les femmes, sans chercher à la séduire, avec gentillesse et un intérêt sincère pour ses idées. Que le fait de le savoir non seulement membre de la rédaction d'un hebdomadaire réputé mais de surcroît marié et père de deux enfants excite au plus haut point le désir de conquête de cette élue, et par là même son désir tout court. Qu'en retour le journaliste soit flatté, ému, et bientôt exalté par l'intérêt qu'elle lui témoignait, et qui le changeait agréablement de la froideur manifestée depuis des mois par sa femme. Qu'il se dise qu'après tout, au vu de ce qu'il constatait chez ses collègues masculins et les hommes politiques qu'il côtoyait chaque jour, tromper sa femme était une pratique courante et qui ne portait guère à conséquence. Et qu'enfin, submergé par la fierté et par le désir que cette femme puissante éprouvait pour lui, augmenté du désir que d'autres éprouvaient pour elle, il se décide à sauter le pas.

C'était exactement ce qui était arrivé.

Dès le lendemain de leur première entrevue, Victoire avait commencé à le bombarder de textos, et Olivier avait senti monter en lui une sensation grisante qu'il

114

n'avait plus connue depuis longtemps. Bien sûr, depuis qu'il était marié, d'autres femmes s'étaient intéressées à lui. Il s'était livré à des jeux de séduction sans importance, notamment avec l'une ou l'autre de ses jeunes stagiaires. Comme la plupart de ses collègues masculins (mais peu d'entre eux avaient autant de succès que lui), il s'amusait de sentir sur lui leurs regards admiratifs et aguicheurs, ne résistait pas toujours à l'envie de leur faire un sourire un peu appuyé, un compliment à double sens sur leur travail. Mais jamais il n'avait poussé son avantage — Olivier n'était pas un chasseur et de plus, à quarante-cinq ans passés, il manquait toujours autant d'assurance. Ce n'était pas le moindre de ses charmes. Qu'un homme aussi séduisant ne semblât pas en avoir conscience lui attirait depuis toujours, d'emblée, la sympathie des femmes, leur curiosité, parfois plus. Encouragées par sa réserve, piquées de ce qu'elles prenaient pour de l'indifférence, elles s'amusaient volontiers à le provoquer. Certaines finissaient même par tomber raides amoureuses de lui, raides mais platoniquement, c'était le principal, et les choses en restaient là.

Victoire — comme Juliette avant elle — n'en était pas restée là.

En rester là n'était pas du tout le style de Victoire.

Le style de Victoire, dans ses conquêtes amoureuses comme dans sa carrière politique, était l'encerclement suivi d'un harcèlement minutieux et systématique. Tel Ulysse au siège de Troie, elle n'hésitait pas à user de ruse pour franchir les premières lignes de défense. Sitôt qu'elle avait mis un pied dans la place, sa progression devenait inexorable quoique sinueuse et en apparence désordonnée, entrecoupée de patients replis dans des positions retranchées, histoire de reprendre son souffle, sans jamais céder le moindre pouce du terrain conquis.

Tel était le style de Victoire. Du moins, dans une première phase du combat.

Dans une seconde phase, en cas de résistance inattendue et prolongée de l'adversaire, cela pouvait tourner au pilonnage à l'arme lourde, à l'offensive au bazooka, au massacre à la machette, à l'incendie du camp adverse puis à l'ébouillantement de l'ennemi, son écartèlement, sa crucifixion, sa mise au pilori ou autre supplice raffiné.

Mais cela, Olivier l'ignorait encore.

À contre-courant des clichés qui accablent encore souvent les militantes de l'égalité des sexes, Victoire cultivait à fond sa féminité. Elle s'habillait avec recherche et se juchait en permanence sur des talons vertigineux qui la faisaient plus grande que la moyenne, bien qu'en réalité elle fût plutôt petite. Elle était par ailleurs pourvue d'une longue chevelure rousse qui était, elle le savait, son plus grand atout et dont elle tirait le meilleur parti, la laissant cascader sur ses épaules ou la torsadant en de lourds chignons au gré de ses humeurs. Durant l'interview qu'Olivier avait faite avec elle, Victoire n'avait pas cessé

116

de tortiller ses boucles entre ses doigts, de les porter à ses lèvres, répondant à ses questions d'un ton légèrement hésitant, comme troublé, sans le quitter de ses yeux clairs. Puis elle l'avait questionné à son tour, lui avait demandé son avis sur les sujets qu'ils avaient évoqués. Tout en lui répondant, un peu mal à l'aise, il avait eu quelque peine à soutenir son regard transparent, indéchiffrable, habitué qu'il était à la profondeur rassurante des yeux brun doré de Juliette. Les lèvres très légèrement ouvertes, Victoire buvait chacune de ses paroles. Eût-elle assisté à la scène, Juliette se serait moquée sans pitié de ficelles aussi grossières. Elle aurait raillé la vanité des hommes, la crédulité de ceux qui se laissaient prendre à de tels manèges. N'empêche. Cela le changeait agréablement du lourd reproche qu'il sentait en permanence affleurer chez Juliette à son endroit depuis la naissance d'Emma, et dont il ne comprenait pas la cause. Quelle avait été sa faute? Il participait aux tâches ménagères, s'occupait des enfants plus qu'aucun père de leur entourage, tout en assumant sa part des dépenses du foyer. Mais Juliette était un mécanisme d'horlogerie compliqué qui semblait s'être brusquement déréglé. Rien de tout cela ne paraissait la satisfaire. Rien de ce qu'il faisait ne trouvait plus grâce à ses yeux. Ses moqueries naguère tendres étaient devenues acerbes. Peu après la naissance de Johann, elle l'avait repoussé un soir — elle qui était des deux (c'était entre eux un fait admis) la plus sensuelle, la plus demandeuse. Il s'était senti rejeté, violemment, et lui en avait voulu. Puis elle avait prononcé cette fameuse phrase : « Je ne suis pas sûre de vouloir vieillir avec toi. »

C'était ce qu'il redoutait depuis toujours.

À la réflexion, peut-être la peur de se voir rejeté par une femme était-elle la véritable raison pour laquelle Olivier n'avait jamais été un conquérant. L'époque aussi lui avait été favorable. Lorsqu'il avait atteint l'âge adulte, à la fin des années 70, toute parole ou geste de drague un peu appuyé envers une représentante du sexe opposé vous ravalait irrémédiablement au rang de bête préhistorique, de sombre brute. En plus d'être inefficace, c'était contre-productif : les filles de son âge, au lycée puis à la fac, étaient prêtes à s'envoyer en l'air avec à peu près n'importe qui, à condition d'avoir l'illusion que c'étaient elles qui l'avaient choisi et non l'inverse.

Il avait donc entamé sans effort une carrière de séducteur passif, affable et nonchalant, prêt à faire l'amour à toutes celles qui lui faisaient l'honneur de s'intéresser à lui, et avec pour préoccupation essentielle de réussir des ruptures sans drame ou du moins avec le minimum de drame possible. À mesure qu'il vieillissait, cela devenait plus difficile. De plus en plus, les femmes qu'il rencontrait ne pensaient qu'à une chose : lui passer la corde au cou. En cette fin des années 80, l'institution du mariage n'était plus trop au goût du jour, mais l'obsession de faire des enfants, chez les femmes du moins, n'était pas un effet de mode. À chaque nouvelle liaison, inéluctablement, le moment venait où il se voyait confronté à la question fatidique. Il avait beau décliner la proposition de la façon la plus courtoise et la plus délicate possible, son refus de toute forme d'engagement passait mal.

L'une après l'autre, elles finissaient par le quitter, amères, sans qu'il fasse rien pour les retenir.

Puis Juliette avait débarqué dans sa vie. D'emblée, il avait su qu'avec elle ce serait différent, selon la formule consacrée. Il l'avait su de manière certaine et, en conséquence, il avait pris ses jambes à son cou et il avait fui, car sa vie lui convenait très bien comme elle était et il n'avait pas le moindre désir d'en changer. Juliette en avait été dévastée, meurtrie, mais n'en avait rien laissé paraître. Retranchée dans son orgueil, elle s'était contentée de lui assurer avec un sourire amer, mais une conviction qui faisait froid dans le dos, qu'il était en train de commettre l'erreur de sa vie. Ce dont, avait-elle cru bon d'ajouter, elle n'aurait rien eu à foutre si par la même occasion il n'avait pas aussi bousillé la sienne. Puisqu'ils étaient, elle en était certaine, destinés l'un à l'autre.

Olivier médita sur ces phrases durant les trois années qui suivirent, au cours desquelles deux autres femmes, dont la fameuse Maria, tentèrent assez peu subtilement de lui mettre le grappin dessus. Vers la même époque, sa mère mourut. Il se sentit acculé. Autour de lui, tous ses amis étaient en couple, beaucoup avaient déjà des enfants, et l'avenir solitaire qui se profilait devant lui ne lui semblait soudain plus si enviable. D'autre part, la certitude affichée par Juliette au moment de leur rupture, bien qu'il l'ait caché de son mieux sur le moment, l'avait fortement impressionné. De toutes celles qui avaient déclaré vouloir faire leur vie avec lui dans le passé, Juliette était de très loin celle qui avait l'air la plus sûre de son coup. Après mûre réflexion, il avait décidé de lui faire confiance.

Trois ans après l'avoir quittée, il l'avait donc rappelée et, dans la foulée, l'avait demandée en mariage. Juliette avait accueilli cette demande avec un peu d'étonnement, mais avait accepté aussitôt, se réservant juste un délai raisonnable pour mettre fin proprement à la relation sans avenir qu'elle entretenait depuis quelque temps, faute de mieux, avec un homme marié. Ce qui fut fait sans plus attendre. Et quelques semaines seulement après s'être retrouvés, ils s'étaient passé, mutuellement et irrévocablement, la corde au cou.

Dès les premières semaines de leur vie commune, il s'était senti incroyablement apaisé. Juliette avait vu juste. Enfin, il avait quitté le sol friable et mouvant sur lequel il se tenait depuis toujours en perpétuel déséquilibre et, pour la première fois de sa vie, la terre lui semblait ferme sous ses pieds. Aux côtés de Juliette, il se sentait adulte, en harmonie avec le monde, à sa place. Il en était le premier surpris, pour ne pas dire davantage. Il fit la publicité de l'institution du mariage auprès de tous leurs amis. Juliette se foutait de lui, riait de son enthousiasme, heureuse. Après deux années d'euphorie durant lesquelles le seul reproche qu'il trouva à faire à Juliette fut son irrépressible tendance à pratiquer l'humour à ses dépens — mais il avait fini par s'y habituer — tandis que de son côté Juliette se plaignait de son manque de romantisme — mais il lui donnait suffisamment de preuves d'amour pour qu'elle se fasse une raison — ils décidèrent d'avoir un enfant. Elle en avait parlé la première, et il avait émis des objections de pure forme, pour le seul plaisir de l'entendre déployer ses arguments et de se laisser convaincre. À nouveau, il était subjugué par la tranquille certitude de sa femme, par cet élan vital proprement surhumain, incompréhensible, qui lui faisait envisager la conception d'un être vivant comme une chose toute simple et allant de soi.

Et là était le miracle.

Autant que d'un acte sexuel — et même bien davantage, dès lors que la contraception existe —, Emma était née de ces discussions sans fin entre Juliette et lui, au restaurant ou sous la couette. Autant que du ventre de sa mère, elle était née de ses pensées à lui, des longues marches au cours desquelles il avait commencé par admettre la possibilité d'un enfant et continué en se l'imaginant, elle sa fille ou lui son fils, une pensée devenue chair, et vivante de surcroît, par le seul pouvoir d'une décision qu'il avait prise, qu'il aurait très bien pu ne pas prendre, dans le laboratoire secret de son cerveau. C'était vertigineux et pour Olivier, une source d'émerveillement inépuisable, presque mystique.

La paternité avait été pour Olivier une révélation, et les premiers mois d'Emma avaient été sans conteste les plus heureux qu'il ait connus de toute son existence.

C'était aussi, hélas, le moment qu'avait choisi Juliette pour commencer à faire la gueule.

Le téléphone posé sur son bureau se mit à sonner, interrompant ses réflexions. Il regarda le numéro qui s'affichait et, sans surprise, reconnut celui de Victoire. Il soupira, hésitant à décrocher. À la quatrième sonnerie, Hervé lui jeta un regard interrogateur, auquel il répondit par un sourire embarrassé. Bien qu'il n'en ait parlé à personne, il avait la quasi-certitude qu'Hervé était au courant de sa liaison. Victoire n'était pas la reine de la discrétion, loin de là. Elle avait insisté plusieurs fois, après leurs rendez-vous, pour le raccompagner au journal et s'était même collée contre lui un jour au moment précis où Thierry, son rédac chef, passait à quelques mètres d'eux. Il la soupçonnait de l'avoir fait exprès mais ne s'en inquiétait pas trop, sachant qu'il pouvait espérer l'indulgence, voire la complicité, de ses collègues masculins. Compte tenu de l'attitude de Juliette à son égard ces derniers temps, il se sentait assez sûr de son bon droit. N'importe quel homme à sa place, lui semblait-il, aurait fait la même chose, s'il avait eu la chance qu'une femme aussi extraordinaire que Victoire daigne s'intéresser à lui.

L'*extraordinarité* de Victoire, à vrai dire, ne lui avait pas sauté aux yeux de prime abord. Durant leur premier entretien, il n'avait été bouleversé ni par sa séduction physique ni par l'originalité de ses propos et s'était un peu étonné de l'excitation médiatique qu'elle commençait à susciter autour d'elle. Mais au fil de leurs rencon-

122

tres, et à mesure que l'intérêt qu'elle éprouvait pour lui se précisait, sa perception avait changé. La certitude qu'avait Victoire d'être quelqu'un d'exceptionnel était impressionnante, et sa capacité à en convaincre les autres encore davantage — sans doute était-ce là le secret de toute carrière politique. Il était impossible d'y résister, même si les raisons objectives justifiant cette certitude étaient difficiles à discerner à l'œil nu. Elle avait enfoncé le clou en ne lui cachant pas l'opinion flatteuse que plusieurs intellectuels éminents avaient d'elle, et en lui faisant écouter les messages empressés que lui laissait un homme politique en vue sur son répondeur. Olivier s'était senti grisé — sans pour autant devenir tout à fait aveugle. À beaucoup d'égards, Juliette aussi était quelqu'un d'exceptionnel, il en restait bien conscient. Thierry, qui l'avait croisée deux ou trois fois, ne s'en était toujours pas remis, et lui avait dit à plusieurs reprises combien il enviait sa chance d'être marié à une femme pareille. Mais ce genre de remarque, depuis longtemps, ne provoquait plus chez Olivier la moindre satisfaction. Il se demanda pourquoi, alors qu'il ne pouvait s'empêcher d'être flatté par la lueur d'envie qu'il croyait discerner dans les yeux d'Hervé en ce moment même, tandis qu'il observait d'un air égrillard le comportement étrange de son collègue. La raison de cette différence, songea-t-il, résidait sans doute dans le fait que l'extraordinarité de Victoire rejaillissait sur lui, ruisselant en quelque sorte de ses regards extasiés et des manifestations bruyantes du plaisir qu'il lui donnait, cependant que l'extraordinarité de Juliette se manifestait le plus souvent par des remarques ironiques qui, pour spirituelles qu'elles fussent, masquaient mal, Olivier en était convaincu, le mépris qu'elle éprouvait tout au fond d'elle à son égard.

Le téléphone en était à sa huitième sonnerie, et Elsa à son tour tourna la tête vers lui, intriguée. Enfin, l'appel fut basculé vers le standard et le silence revint. Simultanément ou presque, son téléphone portable se mit à vibrer dans sa poche. Il avait demandé maintes fois et avec insistance à Victoire de cesser de l'appeler, le temps de faire le point. Mais elle ignorait superbement ce qu'elle nommait avec dédain ses demandes de « moratoire ». Cette fois, il allait tenir bon. En plus, il avait du travail. Il tentait de s'absorber dans la lecture de la revue de presse du jour que le service documentation avait préparée à son intention et déposée sur son bureau, quand une nouvelle vibration dans sa poche l'informa de l'arrivée d'un texto. Il ne put résister à la tentation de jeter un coup d'œil à son téléphone et lut :

« Pas dormi de la nuit, envie de mourir. C'est trop dur. Appelle-moi je t'en prie. »

Son cœur se serra en même temps que sa queue se dressait. Jamais il n'aurait cru que Victoire fût amoureuse de lui à ce point. Il ne pouvait s'empêcher d'être touché et même bouleversé par l'intensité des sentiments qu'elle éprouvait pour lui.

Il allait mettre fin à cette histoire. Il l'avait promis à Juliette. Mais il le ferait avec élégance et délicatesse, proprement, en gentleman, faisant en sorte que Victoire souffre le moins possible. Il n'était pas un mufle, et encore moins un monstre.

124

Il se leva et sortit du bureau, suivi — du moins l'imaginait-il — par deux paires d'yeux inquisiteurs. Il descendit un étage et emprunta le couloir qui menait à une petite terrasse jouxtant le service de documentation. Une fois dehors, il composa le numéro de Victoire.

14

Le plan d'action de Juliette avait été rapidement mis au point : faire l'amour à Olivier tous les jours et empêcher cette fille de continuer à leur pourrir la vie. La première partie du plan était la plus facile à réaliser. Le soir après avoir couché les enfants, elle se mit au lit, fraîche et douchée, et constata avec une certaine surprise qu'elle était pleine de désir. Après une heure d'attente, lorsqu'il arriva vers 22 heures, elle était à moitié endormie et le désir bien émoussé, mais elle se secoua et lui fit l'amour de son mieux, avec un savoir-faire qu'elle espérait à la hauteur de son expérience mais qui n'excluait pas une dose d'invention. Olivier se montrait docile et coopératif, comme à son habitude. Ses sensations à elle furent un peu gâchées par des crampes dans les pieds — depuis qu'il faisait beau, elle portait des sandales dont elle n'avait pas l'habitude. Mais c'était tout de même fort agréable, et elle fut récompensée de ses efforts lorsque ensuite, étendue contre lui, elle entendit Olivier soupirer : C'est drôlement bien de faire l'amour avec toi.

Depuis le retour de son mari d'Aubigny, Juliette refusait toujours de parler de l' « autre », ne voulait toujours connaître ni son nom, ni son âge, ni rien. Mais une question par-ci, une phrase par-là, elle commençait tout de même à en savoir sur elle bien plus qu'elle ne l'aurait souhaité.

Son prénom, qui commençait par un V, mais qu'elle se refusait à prononcer.

(V comme Victoire.
Elle s'appelait Victoire.
Même si elle s'était appelée Agathe ou Joséphine, Juliette aurait eu du mal à prononcer son prénom.
Alors Victoire.)

Comment il s'était retrouvé un jour chez elle pour un dossier qu'il préparait sur l'épineuse question du voile, qui divisait la gauche. Fallait-il, oui ou non, interdire le port du foulard islamique à l'école ? Au nom de ses convictions féministes, Victoire avait défendu le droit des jeunes musulmanes à suivre un enseignement laïc sans renier pour autant leur religion. Au nom de ses convictions féministes, elle aurait pu défendre exactement le contraire, comme nombre de ses consœurs, et dénoncer le voile comme un symbole insupportable de l'oppression patriarcale dont elles étaient victimes. Mais la position adoptée par V avait l'immense avantage d'apparaître comme audacieuse, en rupture avec la ligne majoritaire au PS, et en conséquence de faire inévitablement parler d'elle. Ce qui n'avait pas raté, et la rédaction du journal avait décidé de faire son portrait. C'était au moment de la Journée des femmes, le 8 mars.

Je croyais que ça durait depuis trois semaines, s'étonna Juliette.

Oui, là, j'ai seulement fait sa connaissance. Après, il y a eu beaucoup d'échanges de mails.

Outre son mandat de conseillère municipale en banlieue parisienne, V était présidente d'une association féministe nommée Elles Égalent Eux que Juliette connaissait vaguement — la connotation ornithologique qui lui était venue à l'esprit spontanément lorsqu'elle en avait entendu parler pour la première fois (Ailes égalent Œufs) était semblait-il involontaire. En revanche, le sigle EEE! (avec un point d'exclamation) par lequel on désignait le plus souvent l'association pouvait s'entendre aussi comme un soupir exaspéré (Eux, eux, eux!), ce qui était délibéré.

EEE! s'inscrivait dans la mouvance néoféministe dite « différentialiste », largement inspirée du modèle radical américain, qui fustigeait l'aspiration beauvoirienne au neutre, à l'universel abstrait, pour faire la promotion d'une nature spécifiquement féminine douée de nombreuses qualités et en tout point supérieure à son équivalent masculin, la virilité. Théorisé en France par Antoinette Fouque, la fondatrice de *Femmes en mouvements*, ce courant essentialiste avait œuvré avec succès pour la parité en politique qui avait été instituée légalement en juin 2000, juste à temps pour permettre l'élection de V aux municipales de 2002, ce qui tombait bien. Il était également soutenu par une philosophe en vue, dans le privé la compagne de Lionel Jospin, ce qui tombait encore mieux pour V, qui conciliait ainsi utilement ses convictions féministes et ses ambitions politiques : l'ancien chef de la gauche, bien qu'officiellement retiré de la vie publique, gardait sur ses camarades une influence certaine et, grâce à lui, V avait réussi à se faire favorablement connaître de plusieurs figures clés du PS.

Tout cela, Olivier ne l'avait bien sûr pas raconté de cette façon à Juliette, se contentant de lui dire que V était une proche de la philosophe. Mais l'esprit puissamment déductif de Juliette, mettant en regard les faits, les dates, ce qu'elle connaissait de la vie politique et les quelques éléments dont elle disposait sur la personnalité de V, lui avait permis d'émettre quelques hypothèses plausibles, qu'elle ne devait pas tarder à voir se confirmer. Son instinct — supérieurement féminin — avait fait le reste.

Olivier lui avait appris également que suite à son interview avec V, elle avait été invitée par le journal à participer à une table ronde sur la laïcité, au mois de juin, à Bordeaux. Table ronde à laquelle Olivier, en tant que coresponsable de ces journées-débats, ne pourrait se dispenser d'assister.

Enfin, il l'avait informée, en passant, que V était divorcée, et qu'elle avait un fils de six ans.

Juliette devait noter par la suite avec intérêt combien Olivier, si scrupuleux et soucieux d'exactitude lorsqu'il s'agissait de son travail journalistique, pouvait se montrer approximatif lorsqu'il s'agissait de V, car elle n'avait en réalité jamais été mariée, et son petit garçon, Tom, n'avait guère plus de trois ans.

Mais il est vrai, devait-elle se dire alors, que ces approximations n'étaient pas très graves.

Que, même, elles n'avaient aucune espèce d'importance.

Et que, donc, il aurait été ridicule de lui en tenir rigueur.

Et son fils, elle en faisait quoi, quand vous étiez chez elle ?
Je ne l'ai jamais vu. C'est sa mère à elle qui s'en occupe, je crois.
Ah, fit Juliette.

Depuis qu'Olivier lui en avait parlé, la pensée de ces journées-débats de Bordeaux au cours desquelles il allait forcément revoir V obsédait Juliette. Elle profita de ce moment d'intimité pour lui proposer de l'y accompagner. L'idée le fit sourire. Il en plaisanta et elle en fut blessée.

Ne prends pas ça trop à la légère, dit-elle. Ce n'est pas un jeu.
Il redevint aussitôt sérieux, presque sombre.
Non, dit-il en fixant le plafond. Ce n'est pas un jeu. Parfois elle me fait peur.

Peur ? Juliette tourna le visage vers lui, surprise. Peur de quoi ?

Je ne sais pas, répondit-il. Qu'elle débarque ici, peut-être. Mais elle n'a pas notre adresse, rassure-toi.

Juliette ne comprenait pas.
Qu'est-ce qu'elle viendrait faire ici ?
Te demander de me laisser partir. Te dire que je ne t'aime pas.

Juliette resta silencieuse un instant.
Si c'est ce que tu lui as dit.

Il ne répondit pas. Bien sûr, c'était ce qu'il lui avait dit. Elle n'insista pas.

Durant les jours qui suivirent, la vie sembla reprendre comme par le passé. À ceci près que lorsqu'elle appela Olivier un soir pour savoir à quelle heure il allait rentrer et qu'il ne répondit ni au journal ni sur son portable, un vilain soupçon surgit. Elle soupira en pensant que désormais cela serait son lot, et ce pendant un bon moment. Combien de temps fallait-il pour retrouver la confiance ? Elle laissa à Olivier un message lui demandant de la rappeler et cinq minutes après le téléphone sonna alors qu'elle se trouvait sous la douche. Il était à la doc du journal, il arrivait. La petite douleur s'éloigna.

« Parfois elle me fait peur. » Cette phrase d'Olivier l'intriguait. Pouvait-on être amoureux de quelqu'un et en avoir peur ? Naïvement sans doute, elle avait du mal à le concevoir. L'amour n'était-il pas synonyme d'abandon, de confiance ? Elle se décida à consulter

130

l'expert en la matière et, du bureau, envoya un mail à
Jean-Christophe. La réponse ne tarda pas :

De : JC
À : Juliette
Envoyé : jeudi 12 juin 2003 15 : 10

Bien sûr que c'est possible. Il y a des femmes qui sont un peu
extrêmes et qui usent de tous les stratagèmes pour arriver à leurs
fins. Certaines sont véritablement dangereuses : chantage au
suicide, scandales auprès de tiers, attaque professionnelle...
Il me paraît inacceptable que tu pâtisses de ce type de chantage parce que tu es moins agressive. La meilleure solution
serait sans doute que tu fasses encore plus peur à Olivier
que « l'autre », mais en es-tu capable ? Quoi qu'il en soit tu
confirmes mon sentiment qu'il faut qu'il ne la voie plus, ni ne
lui parle, car sinon il aura de plus en plus peur et pourrait finir
par lui céder malgré lui.
Je t'embrasse.
Jean-Christophe

Juliette relut le mail plusieurs fois. Faire peur à Olivier ? Elle eut l'impression qu'un pan entier de la gram-
maire des relations entre hommes et femmes lui était
demeuré jusqu'alors inconnu. Elle préférait ne pas
prendre de risque et s'en tenir à son plan initial. Chaque
soir, dans leur lit, parfois même dès le canapé du salon,
elle se serrait contre lui, commençait à le caresser. Depuis
la soirée chez Florence, jamais plus il ne l'avait repoussée.
Il se laissait faire, amusé, flatté, excité, ou les trois à la
fois, en tout cas clairement consentant. Après l'amour,

étendu sur le dos les yeux mi-clos, il soupirait de bien-être, puis il l'attirait à lui et l'embrassait avec tendresse.

Forte de ces encouragements, elle lui renouvela sa proposition de l'accompagner à Bordeaux.

Il eut un geste vague. On a le temps, dit-il, peut-être que je peux faire l'aller-retour samedi, rater la journée du dimanche, ne pas passer la nuit là-bas.

Dans la journée aussi il peut se passer des choses.

Il haussa les épaules.

S'il y a une occasion où rien ne peut arriver, ce sont des journées-débats comme celles-là, les conférences s'enchaînent, tout le monde connaît tout le monde…

Oh, dit-elle, sait-on jamais, le break du déjeuner, un coin d'herbe fraîche.

Mais non, répondit-il.

Ils tournaient autour du pot. Ce qu'elle attendait de lui, c'était qu'il lui dise sa détermination à rompre, il ne pouvait pas ne pas le savoir.

Un soir il rentra tard — c'était le bouclage du journal. Juliette se sentait épuisée. Elle coucha les enfants et alla se mettre au lit. Il arriva vers 22 heures, se glissa silencieusement dans la chambre.

Ça va? Je me sens abattue, dit-elle. Pourquoi? demanda-t-il. Elle sourit doucement. Je ne sais pas. J'ai eu quelques contrariétés ces derniers temps.

Durant la nuit elle fut réveillée par une sensation de brûlure dans les zones génitales, qui ne fit qu'empirer au cours de la matinée du lendemain. L'après-midi, n'y tenant plus, elle téléphona au cabinet médical et obtint un rendez-vous dans la demi-heure.

Cette fois, elle n'était pas seule dans la salle d'attente. Quand elle était entrée dans le grand salon défraîchi, un homme était déjà assis. Il était vêtu simplement et d'origine maghrébine. Visiblement, la clientèle du cabinet Haddou-Duval n'était pas aussi huppée que son emplacement aurait pu le laisser supposer. D'ailleurs, le prix des consultations était tout à fait raisonnable. Il y a donc des gens normaux qui habitent ce quartier, se dit Juliette. À moins que, comme elle, ils ne soient seulement employés dans l'un des nombreux bureaux qui occupaient les immeubles de la rue de Miromesnil ou La Boétie, et ne profitent d'une pause pour venir chercher un soulagement à leurs maux psychosomatiques, engendrés par le stress et leurs conditions de travail. Juliette s'étonnait toujours que le médecin lui propose spontanément de lui prescrire un arrêt de travail de plusieurs jours, à la fin d'une consultation pour un simple mal de gorge. Bien sûr, elle refusait, ce n'était pas son genre.

Lorsque ce fut son tour, le Dr Duval (ou Haddou?) lui serra la main et lui demanda, exactement comme quelques jours plus tôt : Qu'est-ce qui vous arrive?

Juliette hésita un peu.

J'ai des brûlures douloureuses, peut-être une simple

mycose, mais comme je vous l'ai dit l'autre jour, mon mari a une liaison. Il dit qu'il a mis un préservatif mais bon, je préférerais vérifier qu'on n'a pas attrapé quelque chose.

Le médecin n'avait pas bronché. C'était donc bien la même que la dernière fois. Elle prescrivit à Juliette des analyses complètes, pour les mycoses et toutes les MST.

Allez-y tout de suite, dit-elle. Et évitez d'avoir des rapports, en attendant les résultats.

Elle croisa le regard perplexe de sa patiente.

En ce moment, ce n'est pas très facile.

Le docteur hocha la tête. Bien sûr, elle comprenait. Non, non, il ne fallait surtout pas que Juliette cesse de faire l'amour avec son mari, surtout dans ce contexte.

Simplement, il vaut mieux que vous utilisiez des préservatifs pendant quelques jours.

Juliette se demanda si toutes les femmes trompées du 8e arrondissement avaient pour stratégie, comme elle, de faire l'amour à leur mari tous les soirs.

Avant de ranger la feuille de soins, elle jeta un coup d'œil à l'en-tête. Dr Haddou. Encore raté.

Le soir, c'était la fête du quartier. Des tréteaux avaient été dressés devant l'école maternelle de la cité Lepage, sur la voie piétonne. Depuis le début du mois de juin, cela n'arrêtait pas. Entre les spectacles de fin d'année, la fête de l'école et les divers anniversaires, leur bande d'amis se retrouvait avec les enfants quasiment tous les soirs. Les pique-niques aux Buttes-Chaumont se succédaient et Juliette y participait seule avec Johann et Emma, le plus souvent, tandis qu'Olivier était retenu au journal — ou ailleurs. Elle essayait de ne pas se poser de questions sur son emploi du temps, se raccrochant à la frêle assurance qu'il lui avait donnée qu'il était déterminé à mettre un terme à sa liaison. Mais au fil des jours, à mesure qu'augmentait son impression de connaître personnellement chaque brin d'herbe des pelouses des Buttes-Chaumont, elle commençait à prendre ce parc en horreur.

Tout en marchant vers la cité Lepage, Juliette jeta un coup d'œil au passage de la Brie, une ruelle d'un mètre ou deux de large, bordée de façades noires, vétustes et branlantes. Quelques mois plus tôt, la mairie avait décidé de détruire ces immeubles et d'évacuer les familles, le plus souvent sans papiers, qui les occupaient illégalement. Tout le quartier, avec l'appui des institutrices de l'école, s'était mobilisé pour qu'elles soient relogées convenablement et que les enfants puissent terminer l'année scolaire dans des conditions correctes. Le passage semblait déserté mais au balcon du premier étage, du linge séchait encore. En se penchant par l'une des fenêtres et en tendant le bras, on devait pouvoir toucher l'immeuble d'en face et, en se dévissant la tête, apercevoir une tranchée de ciel bleu. Des sacs d'ordures étaient posés devant une porte, il faisait chaud. On se serait cru à Naples.

Flo l'attendait devant l'école avec Hector et Jeanne. Aussitôt qu'ils les aperçurent, Johann et Emma lâchèrent la main de leur mère et se mirent à courir vers leurs amis en piaillant. Juliette embrassa Florence et se laissa tomber sur les marches, abattue, prenant sur elle pour saluer d'un sourire les gens qui arrivaient, les bras chargés de boissons et de cochonnailles. Flo s'assit auprès d'elle et la regarda avec gentillesse.

Olivier ne vient pas?

Il est encore au journal, répondit Juliette avec un haussement d'épaules. Ou ailleurs. Il a beaucoup de meetings et de colloques, en ce moment.

Flo tenta de la rassurer. Après la débâcle du 21 avril, la gauche essayait de renaître de ses cendres. Il était normal que l'opposition profite du mouvement de protestation qui enflait pour lancer des offensives et des débats tous azimuts, en prévision des élections futures.

Tu as peur qu'il soit avec elle, c'est ça?

Juliette hésita.

Non, finit-elle par répondre. Il m'a dit qu'il voulait arrêter. Je le crois.

Quelques instants plus tard, Olivier arriva enfin. Pierre et Serge, un gobelet en carton plein de vin rouge à la main, l'accueillirent avec de grandes exclamations.

Comment ils vont, les socialos? demanda Pierre, qui était plutôt d'extrême gauche. Dis donc, tu bosses comme un fou, en ce moment!

Olivier souriait, apparemment détendu.

En tout cas, ça te réussit. Tu es beau comme un dieu. C'est une nouvelle chemise? demanda Serge.

136

Toujours assise sur les marches, Juliette l'observait de loin, se demandant s'il avait remarqué sa présence. Elle pensait : Au fond, toute cette histoire l'amuse. Il est content, un peu fier.

Lorsqu'elle se leva pour emmener Emma faire pipi dans un café voisin, elle entendit Olivier qui l'appelait et se retourna. Il courait vers elle, inquiet.

Où tu vas?

D'un mouvement du menton, elle désigna leur fille.

Emma a besoin d'aller aux toilettes.

Ah, soupira Olivier. J'ai cru que tu partais sans rien dire.

Elle haussa les épaules.

Mais non.

Chez eux, une fois les enfants couchés, elle lui parla des brûlures qui la torturaient depuis la veille.

Ça sabote un peu mon plan de te faire l'amour tous les jours, dit-elle. Et puis je ne peux pas m'empêcher de penser qu'il ne manquerait plus que tu m'aies ramené une saloperie.

Le fixant dans les yeux, elle ajouta : Tu as vraiment mis une capote?

Il soutint son regard, lui assura que oui.

Alors ce n'est sans doute rien, dit-elle. Un hasard. Une étrange coïncidence.

Une question lui trottait dans la tête.

Elle fait quoi, comme métier? C'est un métier, ça, conseillère municipale de Pantin? Présidente d'EEE? Non, ce n'est pas un métier. Théoriquement, elle est prof.

Normalienne. Tu m'as dit : ce n'est pas n'importe qui. Elle est normalienne. Si tu savais comme ça ne m'impressionne pas.

Je n'ai pas pu te dire ça. Pas comme ça. On dirait mon père.

Tu m'as dit : Ce n'est pas n'importe qui. Elle est normalienne.

Si c'est vrai, effectivement, si j'ai dit ça comme ça, c'est pitoyable.

Quand tu rentrais tard le soir, tu étais avec elle ?

Cela a dû arriver une fois.

Et combien de fois vous avez fait l'amour ?

Il rit un peu : Le compte est facile, tu l'as fait toi-même. Il y a la première fois, la dernière fois, et trois semaines entre les deux.

(Elle lui a dit le premier soir : comment peut-elle te demander de nous quitter, tu l'as vue combien de fois, six fois, dix fois…)

Combien ?

Mais je n'en sais rien, moi.

Tu viens de dire que le compte était facile à faire.

Si j'étais comme toi, je l'aurais déjà fait le compte, mais j'en suis incapable. Fais-le, toi. Dix fois ?

Dix fois, en quinze jours ouvrables, cela fait presque tous les jours.

Alors non, moins. Alors ce n'est pas dix fois.

Les images qu'elle a d'emblée refusées (ne me dis rien je ne veux pas savoir) se font de plus en plus présentes, obsédantes.

138

15

Le dermatologue qu'elle s'était finalement décidée à consulter — elle en avait plein les bottes des jumelles — la regarda avec gentillesse. Il avait téléphoné au labo pour avoir les premiers résultats des analyses. Il y avait un germe douteux, ils étaient en train de faire une culture.

Et donc, demanda Juliette, ça ne peut s'attraper que par voie sexuelle? Vous en êtes sûr?

Absolument, oui. Si cela se confirme, il faudrait mettre au courant vos partenaires, qu'ils se fassent traiter eux aussi.

Ses partenaires. Elle retint une exclamation sarcastique.

Quand Olivier rentra le soir, elle était devant la télé, en train de regarder un reportage sur la guerre qui se poursuivait en Irak. Il s'assit à côté d'elle et sans prêter attention à l'écran lui entoura les épaules de son bras tendrement.

C'est bien, ce que tu regardes?

Elle coupa le son et répondit, sans tourner la tête, les yeux fixés sur des tanks qui avançaient dans les faubourgs de Bagdad en ruine :

J'ai vu mon dermato, il a téléphoné au labo. Il y a un germe douteux, un soupçon de MST. Enfin ce n'est peut-être rien, il faut faire une culture, on saura vendredi.

139

Olivier resta un instant silencieux.

Ça me semble hallucinant, dit-il.

Si c'est ça, c'est un truc qui ne s'attrape que par voie sexuelle — je lui ai dit que tu avais eu une histoire mais que tu m'avais dit que tu t'étais protégé. Il m'a répondu peut-être pas suffisamment. En gros, si tu n'as pas mis une capote pour tout absolument tout, les contacts génito-buccaux, je ne vais pas te faire un dessin, ça suffit.

Il ne répondit pas. Elle soupira.

Donc, c'est possible.

Il marmonna : Oui, ce que tu dis, oui.

Sur l'écran il y eut une explosion. Des femmes et des enfants couraient, tentant de se mettre à l'abri. Elle sentit comme un trou d'air au creux du ventre.

Il rit un peu : Je ne sais pas, c'est juste invraisemblable, la probabilité que je te trompe multipliée par la probabilité que je chope quelque chose…

Il fait des statistiques, pensa-t-elle. Elle se sentait perdre pied peu à peu et il faisait des statistiques.

Elle lui demanda à nouveau quelque chose du genre : Mais comment tu as pu me faire ça, comment tu as pu ne pas me protéger ? Elle dit : Ta faculté de ne pas te sentir responsable m'impressionne. Ça me rappelle quand tu laisses la voiture ouverte toute la nuit dans la rue et que tu te fais piquer l'autoradio. Tu as toujours une bonne raison. Ce n'est jamais ta faute.

Son expression changea brusquement. Son sourire s'effaça, son visage se durcit, elle en sursauta presque. Il braqua sur elle un regard soudain résolument hostile.

Ah bon, ça te rappelle ça. Tu trouves que je ne me suis

pas senti responsable du coup de l'auto-radio. Eh bien si, figure-toi, je me sens responsable. Par ailleurs il y avait de vraies raisons pour lesquelles j'ai oublié la voiture dehors cette nuit-là, mais passons. Tu as d'autres exemples comme ça d'occasions où je ne me suis pas senti responsable ?

Elle tenta de répondre, il lui coupa la parole.

Tu ne cesses de te répéter en boucle cette malheureuse phrase que je t'ai dite : ça m'est arrivé. Mais j'ai dit ça comme ça, tu veux la vérité ? Je suis tout à fait responsable de ce qui m'est arrivé avec elle, extrêmement responsable, même, si tu tiens à le savoir. Et une autre chose que tu te répètes en boucle : tu as cédé à la première tentation, tu n'as jamais eu la moindre envie de me tromper pendant dix ans et à la première occasion boum, eh bien ça non plus ce n'est pas vrai. Bien sûr que si j'ai eu des tentations.

Sous cette avalanche de paroles elle vacilla un peu. Il lui disait le contraire de tout ce qu'il lui avait dit jusque-là, elle ne savait plus que penser, elle ne comprenait plus rien. Elle voulait, surtout, avant tout, arrêter ce flot de violence. Elle supplia. Il baissa le ton.

De toute façon il faut attendre vendredi, dit Olivier. Si ça se trouve il n'y a rien du tout.

La journée du lendemain à Galatea Networks se passa pour Juliette comme dans un brouillard. Olivier l'appela le matin pour Dieu sait quelle raison pratique, la voiture, les impôts, elle répondit par monosyllabes. Ça va? demanda-t-il. Pas terrible, répondit-elle.

Elle employa sa pause déjeuner à chercher sur Internet des renseignements sur les MST, essaya en vain de joindre Jean-Christophe. Mais il était en séminaire à Venise.

Le soir elle était si mal que Yolande, leur nounou, lui proposa de coucher les enfants à sa place. Elle accepta soulagée, alla embrasser ses petits. Tu es malade, Maman? Elle serra dans ses bras son petit garçon. Tu n'as pas de couche, ce soir, tu ne feras pas pipi au lit? Tu es grand, maintenant. Non, dit-il, et je ne viendrai pas dans ton lit.

Elle avala deux quarts de Lexomil et avant de sombrer écouta Yolande qui lisait une histoire aux enfants. Elle n'entendit pas la porte claquer mais Olivier, peu après, entra dans la chambre et s'assit près d'elle sur le lit. Elle fit semblant de dormir, les tranquillisants faisaient leur effet, elle était détendue, ne voulait pas retomber dans le drame. Elle voulait seulement dormir, couler dans le sommeil. Il se mit à pleurer à côté d'elle, bruyamment, dans le but évident de la réveiller. Elle garda les yeux clos. Alors il dit je t'aime, pleura plus fort, lui toucha la jambe. Elle ne pouvait plus faire semblant. Elle lui prit le bras. Pourquoi tu pleures? Je t'aime, répéta-t-il, je ne veux pas que tu sois malheureuse. Je n'ai pensé qu'à ça toute la journée. Elle ne dit rien, écouta. Elle se sentait bien, soudain, elle se serra contre lui, ils restèrent un moment enlacés. Puis il l'embrassa doucement sur les yeux. Je te laisse dormir. Pardon de t'avoir réveillée. Tu peux me réveiller quand tu veux pour me dire que tu m'aimes, répondit-elle. Un instant après elle sombra dans le sommeil.

Elle se réveilla le lendemain reposée, après une excellente nuit. Aucun enfant n'était venu se blottir contre elle dans leur lit, pour la première fois depuis longtemps, et même Olivier en se couchant ne l'avait pas réveillée. Ça tombait bien, le soir ils avaient prévu d'aller au théâtre. Comme chaque année, en septembre, ils avaient pris un abonnement à la Comédie-Française. Le dernier spectacle de la saison était *Esther*, de Racine.

À l'heure du déjeuner, elle décida de passer au labo. Tout en marchant sur le trottoir, elle se souvint très distinctement de la sensation qu'elle avait éprouvée dans la même situation vingt ans plus tôt, allant chercher les résultats des examens qu'elle avait faits par précaution, après son viol — pourquoi pensait-elle sans arrêt à cette histoire de viol, ces jours-ci? Par chance cette fois-là les résultats avaient été négatifs mais juste après, le sida avait fait son apparition, le sida qui en quelque sorte avait remis le sexe à sa juste place, une question de vie et de mort et tous ceux qui l'avaient oublié qui avaient osé comme elle traiter le sexe avec légèreté seraient punis, et la terreur ne l'avait plus quittée pendant des mois. Elle avait mis longtemps à trouver le courage de faire le test, craignant la justice immanente, pas tant à cause de son viol que de ses nombreux amants, persuadée au fond, merci Sainte-Euverte, que la punition divine allait s'abattre sur elle pour avoir été si facile, une fille de si mauvaise vie.

Franchissant les derniers mètres qui la séparaient du centre d'analyses médicales, elle s'étonnait de constater combien cette fois c'était différent. Cette fois, si elle était malade, ce ne serait pas sa faute — *sa faute sa faute sa faute* — et son inquiétude s'en trouvait considérablement allégée. Lorsqu'elle eut en main ses résultats d'examens, elle ouvrit grands les yeux. Ils étaient positifs, si on peut dire. Juliette avait chopé non pas une saloperie, mais trois : une mycose, une infection urinaire et un mycoplasme. Un peu sonnée, elle téléphona au dermato qui lui confirma ce qu'elle venait de lire et lui dit de passer dès que possible à son cabinet pour prendre une ordonnance de double antibiotique. Juliette promit de le faire plus tard dans la journée.

Dans un premier temps, elle éprouva une trouble satisfaction à cette manifestation tangible, clinique, du mal qui lui était fait. Plus moyen de botter en touche : elle était à présent une victime objective, indiscutable, dans cette histoire, Olivier allait devoir en convenir. Puis soudain, l'idée la traversa que si Olivier, contrairement à ses affirmations, n'avait pas mis de préservatif, V pouvait tout aussi bien être tombée enceinte de lui. Et elle se sentit glacée.

Lorsque de retour au bureau elle s'installa devant son ordinateur, elle trouva un mail d'Olivier :

De : Olivier B
À : Juliette
Envoyé : jeudi 19 juin 2003 12 : 14

Envie de te demander pardon
Te demander aussi d'avoir confiance,

144

Parce qu'on ne s'est pas perdus, parce qu'on a encore des tas de choses à partager, parce qu'il y a et qu'il y aura encore des preuves d'amour.
Olivier

Peu après il l'appela sur son poste fixe.
J'essaie de te joindre sans arrêt, dit-il. Alors ?
J'arrive à l'instant, répondit-elle. Je suis passée au labo. C'est positif. Donc il faut que tu te fasses examiner et qu'elle aussi se fasse soigner.
À l'autre bout du fil il y eut un instant de silence.
Bon, il va falloir prendre des antibios, c'est tout, non ?

Au même instant Pierre-Yves, l'un des informaticiens qui bossaient avec elle sur le projet Magellan, s'approcha de son bureau et resta debout, un peu en retrait, attendant qu'elle ait fini sa conversation. Elle abrégea et raccrocha rapidement.
Cinq minutes plus tard, après avoir répondu aux questions de Pierre-Yves, elle rappela Olivier :
Je voulais te dire, pas la peine de te précipiter pour appeler ta camarade de jeux et lui en parler, attends que je te donne le nom exact du truc.
Trop tard, je lui ai déjà téléphoné.
À nouveau elle éprouva une sensation de trou d'air dans l'estomac.
Et tu lui as dit quoi, tu ne sais même pas ce que c'est.
Je lui ai dit que tu avais une MST, je lui enverrai le nom du truc en texto. Il fallait que je lui dise, parce qu'elle voit son gynéco ce soir.
Et puis, très vite, il enchaîna.

145

On va toujours au théâtre ?
Elle soupira : Oui, bien sûr.

De : Juliette
À : Olivier B
Envoyé : Jeudi 19 juin 2003 15 : 08
Objet : truc

Le truc s'appelle UREAPLASMA UREALYTICUM et c'est un myco-plasme.

De : Juliette
À : Olivier B
Envoyé : Jeudi 19 juin 2003 15 : 21

Ce que j'aimerais c'est que tu lui envoies le nom du truc pour qu'elle se fasse soigner, et que tu lui demandes qu'elle disparaisse de ta vie — et de la mienne, par la même occasion.

De : Olivier B
À : Juliette
Envoyé : Jeudi 19 juin 2003 15 : 28
Objet : Re : truc

J'ai envoyé le nom du truc
Et j'ai redit que nous allions mal, toi et moi, et que je voulais mettre fin à nos contacts, même téléphoniques, pour recons-truire avec toi

146

De : Juliette
À : Olivier B
Envoyé : Jeudi 19 juin 2003 14 : 47
Objet : Re : Re : truc

Merci
Bisous

À 16 heures, elle entra en réunion sur le projet Magellan. L'affaire ne se présentait pas si bien qu'ils l'avaient cru de prime abord. Apparemment il y avait des concurrents sérieux sur le coup et sans attendre la réponse de Galatea Networks à leur appel d'offres, à laquelle Juliette travaillait depuis plusieurs semaines, les clients avaient modifié leur projet de manière substantielle. Des volets entiers de fonctionnalités avaient été supprimés, notamment celui sur lequel elle était sûre d'apporter les solutions les plus pertinentes. D'autres fonctionnalités importantes, en revanche, avaient été ajoutées, ce qui voulait dire que plus de la moitié du boulot était à refaire. Le chef de projet commercial, alter ego de Juliette sur le projet, avait assuré aux clients que cela ne posait aucun problème et qu'une nouvelle réponse serait rédigée dans les plus brefs délais. Juliette lui rentra dans le chou et la réunion dura plus longtemps que prévu. Elle en sortit très énervée. Il fallait qu'elle fonce au théâtre, elle n'aurait pas le temps de passer chez le dermatologue prendre son ordonnance.

Elle se pressa tellement qu'elle arriva place Colette avec une heure d'avance. Elle s'assit au café des

147

Colonnes, prit deux whiskies coup sur coup, fuma plusieurs cigarettes. Quelle que soit la manière dont allait se terminer cette histoire, le risque se précisait qu'elle en sorte alcoolique et pharmaco-dépendante pour le restant de ses jours. Si elle évitait le cancer du poumon, elle s'estimerait heureuse. Bizarrement cependant, le garçon qui vint prendre sa commande ne semblait pas s'apercevoir qu'il avait en face de lui une épave. Au contraire il s'empressait, l'appelait « Mademoiselle », badinait avec elle. Cela lui fit du bien. Elle se jeta un coup d'œil dans la glace qui tapissait le mur et son image la rassura un peu. Ça allait. Elle n'était pas au mieux de sa forme, bien sûr, mais vu les circonstances ça aurait pu être pire.

Le spectacle commençait à 20 h 30. À 20 heures elle se leva, paya ses consommations, et traversa la place. Olivier l'attendait avec les billets dans le hall du théâtre. Ils entrèrent dans la salle Richelieu et rejoignirent leurs places à l'orchestre. Olivier la guidait en lui tenant le bras et elle en fut bizarrement troublée. Chaque contact physique avec lui revêtait depuis quelque temps une signification nouvelle. Ou en tout cas perdue depuis longtemps.

Je ne sais rien de cette pièce, je n'ai même pas eu le temps de lire les critiques. Et toi ?

Je ne connais pas la pièce non plus, je sais que c'est une histoire biblique.

Olivier s'agita : on aurait dû acheter un programme, on ne va rien comprendre.

Juliette en fut agacée.

On devrait y arriver, tout de même. On n'a pas fait Normale sup, mais on n'est pas pour autant débiles.

Olivier lui jeta un regard en biais, s'enfonça dans son fauteuil et ne desserra plus les dents de tout le spectacle. Ils sortirent du théâtre à distance l'un de l'autre, comme des étrangers.

Un peu plus tard, de retour chez eux, calmés, dans la cuisine, ils reparlèrent de la saloperie sexuelle — ce sont les mots que Juliette employait.

Elle dit à Olivier : Maintenant bien sûr, ta camarade va te dire qu'elle n'a rien.

C'est déjà fait, répondit-il. Elle m'a dit que c'était impossible, qu'elle n'avait pas couché avec un homme depuis des années.

Ben voyons. Si c'est vrai, il faut que je fasse une communication à Rome. Je serais la première à avoir chopé une MST par immaculée conception.

Étrangement, Olivier ne semblait accorder aucun crédit aux déclarations de V, mais ne semblait pas non plus lui en tenir rigueur. Il rapportait ces propos comme il l'aurait fait d'un mot d'enfant, avec une sorte d'indulgence attendrie.

Devant une telle mauvaise foi, elle osa poser la question qui l'avait minée tout l'après-midi : Mais comment tu savais qu'elle allait voir son gynéco ce soir ?

Je lui avais déjà dit qu'il y avait un soupçon de MST.

Mais quand ? Je croyais que tu lui avais demandé de ne plus t'appeler.

149

Oui.

Elle t'a appelé?

Oui.

Et tu lui as parlé?

Oui.

C'était quand?

Je ne sais plus, il y a deux, trois jours.

Qu'est-ce que vous vous êtes dit?

C'était des trucs de boulot, et puis elle pendait sa cré-maillère — elle vient de s'installer dans un nouvel appartement. Elle voulait me parler des aménagements qu'elle avait faits, de la déco, tout ça, tu vois.

Elle voit très bien. Je n'en peux plus. Je m'effondre doucement à côté de toi et tu continues à badiner avec elle. Pourquoi ne me l'as-tu pas dit?

Ça n'avait aucune importance.

La nuit suivante, elle fit un rêve, un globe terrestre défoncé dans lequel les continents n'étaient plus à leur place, elle était sans doute au Groenland mais le Groen-land ne faisait plus partie du Grand Nord et ses contours ne ressemblaient à rien.

Au matin elle se retrouva à son poste, reprenant à zéro le projet Magellan.

Vers 11 heures le téléphone posé sur son bureau sonna et une voix féminine demanda à lui parler.

C'est moi, répondit-elle.

La personne au bout du fil se présenta comme si Juliette était supposée la connaître, mais ce qu'elle

150

entendit ne lui évoqua rien. Elle pensa à un membre de l'équipe en charge du projet Magellan dans l'entreprise cliente, qu'elle avait rencontré une fois mais dont elle n'avait pas retenu le nom.

Je ne sais pas bien comment me présenter, poursuivit la voix, c'est un peu délicat, je suis l'amie d'Olivier.

Ah, dit Juliette. Bien. Donnez-moi votre numéro, je vous rappelle depuis mon portable, ici dans mon bureau je ne peux pas parler, je suis en open space.

Elle détesta immédiatement sa voix. Plus que sa voix, son ton. Trop poli, faussement humble, un peu plaintif. Mais moins d'une minute plus tard, debout dans la cour, elle composa le numéro qu'elle avait noté sur un post-it. Elle n'attendit pas de savoir ce que l'autre avait à lui dire. Au lieu de ça elle se mit à parler, tout en regardant le décor qui l'entourait comme si elle le voyait pour la première fois. Les tables en teck et acier, avec leurs chaises assorties. La verrière qui abritait la cour, signée par l'architecte Wilmotte.

Je ne sais pas ce qu'Olivier vous a dit exactement de notre couple, dit-elle, ni ce que vous en avez conclu, mais nous nous aimons toujours lui et moi. D'ailleurs, nous faisons toujours l'amour. Sinon, je n'aurais pas attrapé ce machin.

Je sais, répondit l'autre. Il ne m'a pas dit le contraire.

Les pavés, la porte ouverte sur la cafétéria et les gens du marketing qui entrent dans la cour.

Je ne sais pas quel âge vous avez, dit Juliette, vous avez quel âge au fait?

Trente-trois ans.

Juliette fut étonnée. Olivier lui avait dit que V était beaucoup plus jeune que lui, il en parlait comme d'une presque encore étudiante. Elle en avait déduit que V devait avoir vingt-cinq, au maximum vingt-huit ans. Mais dans le monde politique, la notion de jeunesse excédait largement les critères habituels. Elle ressentit un pincement d'envie en se souvenant comme elle-même à trente ans se sentait déjà vieille. C'était juste avant qu'elle ne rencontre Olivier, elle sortait à peine du trou noir dans lequel l'avait plongée son viol et elle avait le sentiment que sa vie était finie, avant d'avoir commencé.

Elle reprit.

Trente-trois ans, bon, vous n'avez pas dix-huit ans, vous n'êtes pas une très jeune fille, vous avez quand même, normalement, une idée des risques que vous prenez en vous lançant dans une aventure avec un homme marié.

Vous vous trompez, répondit l'autre. Ce n'est pas du tout mon habitude.

Juliette soupira.

Je ne parlais pas forcément d'expériences person-nelles. Plutôt d'une certaine connaissance de la vie. Même sans l'avoir vécu soi-même, il suffit d'avoir ouvert quelques livres. C'est votre cas, je crois.

Je veux bien jouer le rôle de l'épouvantable séductrice si vous y tenez, répondit V sans relever la perfidie, mais ce n'est pas comme ça que les choses se sont passées. C'est lui qui est venu me chercher, figurez-vous.

Son ton était ferme, le ton de celle qui se contrôle mais ne se laisse pas marcher sur les pieds. Dans deux secondes elle va me dire qu'elle a des témoins, pensa Juliette. L'image la traversa d'un accident, d'un constat à l'amiable, de deux conductrices s'affrontant près d'une voiture endommagée. Sauf que c'était son couple dont il était question, son couple réduit en un petit tas de tôle, sérieusement amoché.

Je n'en doute pas, dit-elle pour couper court. Nul doute qu'Olivier dans cette histoire avait commis des erreurs de conduite, mais la question des torts, cruciale dans un accident de la route, lui semblait ici parfaitement secondaire. Je n'en doute pas, il faut être deux pour vivre une histoire d'amour. Mais pourquoi ne le laissez-vous pas tranquille, maintenant? Il vous a demandé de ne plus l'appeler, ou pas?

Il m'a demandé de ne pas l'appeler aujourd'hui, il n'a pas dit d'une manière générale.

Juliette se tut un instant, le temps d'absorber l'info. Soit c'était elle qui avait mal compris, soit Olivier n'avait pas été très clair.

Alors pourquoi l'avez-vous appelé encore tout à

l'heure, pourquoi continuez-vous à lui envoyer des messages?

Il ne m'a jamais demandé de ne plus lui envoyer de messages.

La conversation s'embourbait. Ne sachant plus quoi dire, Juliette se décida à lui demander la raison de son appel.

Olivier est malheureux, répondit-elle. Moi je l'aime assez pour accepter qu'il reste avec vous.

C'est très généreux de votre part, dit Juliette.

Mais laissez-le continuer à me voir.

Il ne me l'a pas demandé. Et vous ne nous laissez pas vraiment cette possibilité, je crois. Quand nous allons au cinéma ensemble vous faites une crise de nerfs.

Ça n'a rien à voir, dit-elle, ce jour-là, j'étais malade.

Pissignac, le chef de projet commercial, entrait dans la cour, en discussion animée avec un collègue. Juliette se réfugia dans le hall.

L'escalier monumental de Galatea Networks.

Le recoin du couloir derrière les toilettes.

Je ne veux pas que mon histoire avec Olivier se termine, dit V.

Moi non plus, je ne veux pas que mon histoire avec Olivier se termine, répondit Juliette.

Depuis combien de temps durait cette conversation?

154

Elle était à présent assise sur les marches de l'escalier.

Mais il n'est pas attaché au pied de mon lit, vous savez, dit Juliette. Il fait ce qu'il veut. On ne peut pas dire que je le surveille beaucoup.

Les grands tableaux contemporains suspendus dans le hall, la porte ouverte de la cafétéria. Chaque année le PDG de Galatea Networks, le fameux Madinier, commandait une œuvre d'art abstrait qu'il accrochait à la place d'honneur dans le hall. Il devait y trouver un avantage en termes de déduction fiscale. Juliette ne l'avait jamais bien regardée mais à force de la contempler, il lui sembla distinguer nettement un visage dans le coin inférieur droit de la toile. Il la fixait, les yeux exorbités.

Écoutez, vous êtes amoureuse, vous connaissez Olivier depuis un mois, soyons raisonnables, pour vous ce n'est qu'un possible, vous retomberez amoureuse dans six mois de quelqu'un d'autre, pour lui et pour moi, c'est notre vie, dix ans, deux enfants, fichez-nous la paix puisqu'il vous le demande. Des histoires d'amour vous pouvez en avoir mille autres.

La petite voix plaintive de V se durcit.

Mais des mariages. Des mariages de merde comme le vôtre. Il y en a des milliers, aussi.

Il y eut un long temps. Le visage s'était dissous à nouveau dans la toile, Juliette ne voyait plus que de grossières masses de couleur de plus en plus floues, des gouttes tombèrent sur sa main.

Bien, je vais arrêter là, je crois, je vais raccrocher, j'ai du travail.

Quinze minutes, ou une heure plus tard, ou deux, V rappela, cette fois sur le portable dont Juliette n'avait pas eu l'idée de masquer le numéro. Entre-temps, Juliette, avec son esprit d'escalier, avait pensé à tout ce qu'elle avait oublié de lui dire.

Elle lui coupa la parole d'entrée.

Écoutez, ce que je vous propose, c'est de cesser de l'appeler. Et si votre histoire est si importante que cela pour lui, si c'est vital, exceptionnel, irrésistible, il finira par revenir vers vous, c'est forcé. Mais laissez-le réfléchir, prendre sa décision tout seul.

L'autre l'interrompit. Depuis le coup de fil précédent, sa voix avait changé. Elle était plus aiguë, rapide, presque sifflante.

Il y a des choses que vous ne savez sans doute pas, dit-elle, et qu'il faudrait que vous sachiez. Est-ce qu'Olivier vous a dit qu'il y a trois jours il était venu chez moi, que nous avions fait l'amour, qu'il m'avait dit qu'il m'aimait?

Non, dit Juliette, effectivement non, il ne me l'a pas dit.

Eh bien il faut peut-être que vous le sachiez. Je comprends que vous soyez blessée, mais.

Bien sûr je suis blessée, mais, dit Juliette, vous cherchez quoi, au juste?

Elle tournait en rond sous le porche. Ses mains tremblaient.

Vous voulez me dégoûter de lui pour que je le jette et que vous récupériez les morceaux, c'est ça?

Pas du tout, répondit V. Seulement.

On va peut-être arrêter là, alors, la coupa Juliette, je

vais appeler Olivier et le laisser s'expliquer, ce sera un peu plus digne.

Les employés de Galatea Networks commençaient à sortir en petits groupes pour aller déjeuner. Juliette raccrocha, sortit dans la rue et appela Olivier. Elle était au bord de la crise de nerfs, courait presque à la recherche d'un coin de calme et criait au téléphone pour surmonter le boucan des voitures. À l'autre bout du fil Olivier criait lui aussi.

Ce n'est pas vrai, criait-il, ce n'est pas vrai je te le jure elle dit n'importe quoi.

Je te le jure, Juliette, crie Olivier, je ne sais pas pourquoi elle t'appelle pour te raconter ça, elle pète les plombs. D'une certaine façon c'est une bonne nouvelle, c'est qu'elle veut que ça se termine elle aussi, je ne vois pas d'autre explication. Fais-moi confiance, c'est bientôt fini, je le jure.

Juliette marcha jusqu'à un square près de l'église Saint-Augustin. Que les rues de Paris étaient bruyantes. Le vacarme autour d'elle était assourdissant, mais ce n'était rien à côté du chaos qui régnait dans sa tête.

Assise sur un banc, elle se décida à appeler Florence.

Il y a un de nous trois qui est fou, dit-elle. Elle, ou lui ou moi. Ou peut-être deux des trois, c'est possible.

Viens tout de suite, lui dit Flo, laisse tout tomber et viens à la maison. Je t'attends.

Je passe chez le dermato prendre l'ordonnance pour les antibios, et j'arrive.

Olivier la rappela peu après, il était inquiet, n'arrivait pas à la joindre au bureau, voulait savoir où elle se trouvait. Elle finit par le lui dire et un instant plus tard il était là. Ils s'assirent tous deux à une terrasse de café. Elle l'écoutait, le visage fermé.

C'est vrai, dit-il, j'ai fait l'amour avec elle mardi, elle m'a supplié toute la journée pour que je vienne voir son nouvel appartement, quand elle appelle je ne peux pas lui raccrocher au nez, je ne peux pas être violent. Je pensais que ce n'était pas important, que tu ne le saurais jamais. Mais je ne lui ai pas dit je t'aime. Je le lui ai dit, avant, mais pas ces derniers temps. Je lui ai dit si je te disais je t'aime, ça voudrait dire que je vais quitter ma femme et ce n'est pas le cas.

Mardi. Le jour où elle était chez le dermato. Pendant qu'elle apprenait qu'elle avait attrapé ce truc, que le dermato lui parlait de « ses partenaires », il était en train de coucher avec elle. Et c'est en revenant de chez elle, le soir, qu'il lui avait jeté tant d'agressivité au visage.

Je ne comprends pas pourquoi elle fait ça, dit-il. L'étape suivante c'est qu'elle va t'envoyer la lettre que je lui ai écrite d'Aubigny.

Qu'avait-il écrit dans cette lettre pour avoir aussi peur ? Elle peut me l'envoyer, je ne la lirai pas, dit Juliette.

Elle était devant le théâtre hier soir, poursuivit Olivier, elle nous attendait à la sortie pour te voir. J'avais passé trois heures au téléphone avec elle l'après-midi, elle a refait la même crise que le jour du cinéma.

Juliette resta silencieuse un long temps avant de se décider à commenter.

Elle a un problème avec le cinéma et le théâtre, cette femme. C'est bizarre. Ça ne la gêne pas qu'on fasse l'amour, mais qu'on aille ensemble au spectacle, visiblement, elle n'aime pas.

Il rit, rassuré de voir que Juliette retrouvait peu à peu son état normal. Elle enchaîna :

Et alors, le verdict? On n'était pas à notre mieux en sortant du théâtre.

Olivier souriait toujours, amusé.

Non, elle m'a dit qu'on n'allait pas du tout ensemble. Qu'elle n'était pas du tout impressionnée par ta beauté.

Juliette hocha la tête.

Et tu lui as répondu?

Il haussa les épaules. Rien, évidemment. Je n'ai pas pris ça autrement que comme des propos de femme jalouse.

Il avoua à Juliette qu'un soir, alors qu'il sortait de chez V pour rentrer à la maison, elle lui avait envoyé un texto : « Je voudrais qu'elle soit morte. »

Ce jour-là non plus, il n'avait pas répondu.

16

Le lendemain, samedi, avaient lieu les fameuses journées-débats de Bordeaux. Olivier avait demandé à un collègue de le remplacer le dimanche et décidé de faire l'aller-retour dans la journée du samedi. Lorsqu'elle apprit la nouvelle, V lui téléphona plusieurs fois, laissant des dizaines de messages auxquels il n'avait pas répondu. Il se contenta de lui envoyer un SMS pour lui dire qu'elle ne devait pas s'inquiéter, qu'il serait là le samedi après-midi comme prévu pour animer la table ronde à laquelle elle participait.

Juliette et lui ne dormirent pas beaucoup cette nuit là. Malgré plusieurs tentatives, Juliette n'avait pas réussi à convaincre Olivier de se déclarer malade et d'annuler purement et simplement son voyage. Le matin, il décida cependant, par précaution, de changer son horaire de départ et de ne pas prendre le train de 9 h 09, comme prévu. Victoire savait qu'il y avait sa place réservée avec d'autres journalistes et il était certain qu'elle l'attendait de pied ferme sur le quai de la gare.

Olivier vérifia l'horaire du train suivant sur Internet puis ils se firent un café et attendirent, les yeux fixés sur la pendule de la cuisine. À 9 h 12, le portable d'Olivier sonna. Il décrocha. V venait de remonter tout le train et avait constaté son absence. Elle était hors d'elle.
Olivier n'avait pas mis le haut-parleur mais elle devait hurler car à plus d'un mètre Juliette entendait une voix

distordue, sans pouvoir distinguer ses paroles. Olivier lui parlait calmement, avec gentillesse. C'était la première fois que Juliette l'entendait s'adresser à elle. Cela lui fit un effet étrange, et parfaitement désagréable.

J'ai changé mon billet, je suis à la maison... Si, bien sûr, j'y serai, ne t'inquiète pas... Je suis avec Juliette, en train de prendre un café... Non, elle ne vient pas avec moi.

Puis il y eut un blanc.

Elle fit à Olivier un geste interrogatif. À l'autre bout du fil, on voulait des explications. Olivier bafouillait, mal à l'aise.

Écoute, il s'est passé des choses très violentes, hier...

Elle le regarda s'empêtrer, ne pas dire les mots qu'elle, Juliette, aurait voulu entendre. C'est fini, par exemple, je ne veux plus te voir, arrête de m'appeler, des phrases comme ça elle pouvait lui en souffler des dizaines, s'il manquait d'inspiration, des phrases très simples, qui régleraient tout. Pourquoi étaient-elles si difficiles à prononcer ?

Il finit par raccrocher, puis se leva pour partir à la gare. Elle le retint par le bras, appelle-moi de là-bas. Il la serra tendrement contre lui, ne t'inquiète pas, il ne peut rien se passer, il y aura quatre cents personnes dans la salle.

Quand Juliette l'appela un peu plus tard, il était dans le train. Une idée venait de la traverser.

Elle ne sait pas que tu reprends le train ce soir, si ? Elle pense que tu passes la nuit là-bas.

Mais si, elle le sait, bien sûr que si.

Quand, comment le lui avait-il dit ? Mystère. Mais Juliette commençait à s'habituer à ne pas poser trop de questions et à parer au plus urgent.

Je sais qu'elle va essayer de te faire rater ton train. Je le sais, elle va tout faire pour que tu restes coincé la nuit à Bordeaux, je t'en prie, ne te laisse pas avoir.

Ne t'inquiète pas, il n'y a aucun risque, de toute façon j'ai déjà un message d'insultes sur mon répondeur.

Qu'est-ce qu'elle dit ?

Oh… Vous êtes vraiment un couple à vomir, ce genre de choses.

Le soir, c'était la Fête de la musique. Juliette sortit avec ses enfants rejoindre Florence et Paul à une terrasse de café. Un peu plus tard, Stéphane et Sylvia les rejoignirent. Depuis le matin Juliette n'avait eu aucune nouvelle d'Olivier. Elle le rappela vers 20 heures pour lui dire où elle était. À cette heure-là, normalement, il aurait dû être dans le train. Mais son portable était toujours coupé. Elle sentit l'angoisse monter.

Ce n'est pas normal, murmura-t-elle à Florence. S'il était dans le train, il m'aurait déjà envoyé un texto.

Près d'eux un groupe jouait des chansons des Rolling Stones dans une épouvantable cacophonie. Johann se suspendait à sa jambe en pleurnichant et Emma aussi était crevée. Elle décida de rentrer. À peine avait-elle refermé la porte qu'Olivier l'appela. Il les cherchait, elle et les enfants. Il eut l'air soulagé de la trouver chez eux et quelques instants après ils étaient assis tous deux au salon. Son train, dit-il, avait simplement eu du retard.

Il raconta, les tables rondes qui s'enchaînaient, V qui s'était assise près de lui, lui avait demandé pardon.
Pardon de quoi?
Du message qu'elle m'avait laissé le matin, je suppose.

Il le lui fit écouter. Ça donnait quelque chose du genre :
Je te souhaite bonne chance avec ta petite bonne femme, elle t'a bien remis sous clé, au moins j'aurai servi à vous rapprocher, je te souhaite dans cinq ans ou dix ans de retrouver un amour comme celui que je t'offrais, de liberté, de confiance.
Tu parles, pensa Juliette.

Il lui avait répondu, bien sûr, qu'il lui pardonnait, que ce n'était pas la question.
Puis, comme prévu, V avait essayé par tous les moyens de l'empêcher de rentrer à Paris.

C'était affreux, dit Olivier. Elle m'a suivi à la gare, elle pleurait, elle a pris un billet à la borne et elle est montée avec moi dans le train. J'ai fait le voyage avec elle dans mes bras, c'était le seul moyen pour l'empêcher de hurler. À l'arrivée à Paris, j'ai dû m'enfuir en courant, littéralement, puis je me suis arrêté et je l'ai attendue. Quand elle est arrivée à ma hauteur, elle s'est accrochée

163

à moi alors j'ai recommencé à courir. C'était affreux. Mais qu'est-ce que je pouvais faire? demanda-t-il. Je ne peux tout de même pas la brutaliser physiquement.

À cet instant son téléphone se mit à sonner. Il se prit la tête dans les mains.

Elle n'arrête pas, dit-il, je n'en peux plus.

La sonnerie continuait, inlassablement, s'interrompait un instant lorsque l'appel basculait sur la messagerie, puis reprenait. Olivier mit son téléphone en mode silencieux. Mais posé sur la table, l'appareil était agité de soubresauts comme un animal pris au piège, refusant d'être réduit au silence. Il continuait à émettre des grondements sourds, rageurs et menaçants. Olivier finit par l'éteindre carrément. Aussitôt celui de Juliette prit le relais.

C'est elle, dit Olivier. Ne décroche pas, s'il te plaît.

Juliette se sentait de plus en plus oppressée. Évidemment, après leur conversation téléphonique, V avait mis son numéro en mémoire. Olivier la regardait, inquiet.

Juliette, je te jure que pendant tout le voyage je pensais à toi, je la tenais dans mes bras en pensant que je pourrais te dire la vérité. Il fallait que je la calme, je ne pouvais pas faire autrement.

Je suppose.

Il prit une grande inspiration.

Il y a une autre chose qu'il faut que tu saches, après ce sera fini, après ce sera tout. Elle est venue à Aubigny.

Le soir de mon arrivée elle m'a appelé elle m'a dit je suis sur l'autoroute j'ai crié non j'étais en train de coucher

Johann. Il m'a demandé pourquoi tu cries, Papa? C'était un cauchemar. Elle est arrivée plus tard, tu m'as rappelé comme je te l'avais demandé, c'était affreux, tu te souviens, j'étais essoufflé, j'ai mis cinq minutes à retrouver ma respiration, elle était dans le jardin, je ne voulais pas écourter notre conversation, j'avais peur qu'elle entre à tout instant dans la maison, que tu saches qu'elle était là.

Juliette se souvenait, oui. Elle était encore sous le choc de ce qui s'était passé dans le RER, elle avait téléphoné pour dire bonsoir à Johann, il lui avait demandé de le rappeler plus tard, il avait mis très longtemps à répondre, il était essoufflé.

Qu'est-ce que je pouvais faire, dit-il. Je l'ai enveloppée dans une couverture je l'ai portée dans la chambre du haut, on a fait l'amour, elle voulait dormir avec moi dans notre chambre, je lui ai dit que c'était impossible, que Johann allait venir dans notre lit, que je ne voulais pas qu'il la trouve avec moi. Elle disait que ce n'était pas grave, que les enfants peuvent tout comprendre. Elle veut passer une nuit avec moi, c'est son obsession. Le matin je suis parti tôt à la mer avant qu'elle se réveille, j'ai mis Johann dans la voiture et je suis parti comme un voleur, ensuite je lui ai téléphoné et j'ai exigé qu'elle s'en aille avant mon retour.

Que voulais-tu que je fasse, dit-il.

Tout le corps de Juliette s'est contracté, sa peau s'est hérissée à la pensée de son petit garçon trouvant une autre femme qu'elle dans le lit de son père. Elle imagine

Johann encore à demi endormi, arrivant de sa chambre sans bruit, trottinant sur ses petites jambes, ô son petit lapin, soulevant le drap d'un geste automatique, comme il l'a fait tant de fois, et puis son regard effaré qui s'agrandit en découvrant un corps de femme inconnu, un corps qui n'est pas celui de sa mère, nu évidemment, et pourquoi pas son sexe, tant qu'à faire, pour peu qu'elle dorme en chien de fusil, son sexe au niveau de ses yeux, tandis qu'elle, Juliette, prend toujours soin depuis qu'elle a des enfants de mettre une culotte pour dormir. Ou pire, il fait trop noir pour qu'il se rende compte qu'il y a quelque chose de bizarre, ou bien il a gardé les yeux fermés, il escalade le lit sans se poser de question, c'est le roi de l'escalade son petit bonhomme, il se hisse, et hop, il se couche contre l'autre, contre ses seins, et d'un coup il ne reconnaît pas leur forme ni l'odeur de sa mère, il a un sursaut, il ne sait plus où il est, ni qui il est, son monde vacille et l'autre se met à rire, elle trouve ça rigolo, la tête qu'il fait, elle ose dire que ce n'est pas grave, que les enfants peuvent tout comprendre. Juliette a des envies de meurtre.

Si c'était arrivé, dit-elle, ç'aurait été fini entre nous.

Je sais, répond Olivier. Et elle aussi le sait, sans doute. C'est pour cela qu'elle le voulait si fort.

Qu'est-ce que tu as fait, alors?

Je suis resté avec elle là-haut, pas longtemps, je me suis levé très tôt, dès qu'elle s'est endormie je te dis je me suis enfui, j'ai pris Johann et je me suis enfui comme un voleur.

166

Elle se repasse le film. Johann seul à l'étage dans sa petite chambre, dans la campagne silencieuse, qui se lève et trouve le lit de son père vide, même pas défait, toutes les lumières sont éteintes, il est tout seul dans cette maison vide, son père est parti sans lui, l'a abandonné, elle sait si bien l'effet que ça fait, soudain, de ne plus avoir de père, de se sentir tout seul, abandonné, il hurle d'angoisse, et pour un peu elle se mettrait à crier elle aussi, elle a du mal à se retenir de pleurer.

Olivier la serre contre lui, la couvre de baisers, la rassure comme si elle était son enfant, soudain, comme il ne l'a jamais fait. Leur amour va mal mais il leur reste ça, celui si fort qu'ils ont tous les deux pour Johann, pour Emma, cet amour qu'ils partagent, qui est l'enfant de leur amour à eux et que jamais, jamais, l'autre ne pourra lui prendre.

Ce n'est pas arrivé, Juliette. Johann ne s'est pas réveillé. Je suis descendu le voir plusieurs fois, j'avais laissé toutes les portes ouvertes, exprès. S'il avait crié, je l'aurais entendu.

Elle se calme dans ses bras. Ils sont allongés sur le lit, enlacés, sursautent ensemble à chaque bruit de porte. Elle n'a pas notre adresse, tu es sûr ? Non, dit-il. J'en suis sûr.

Dehors on entend toujours de la musique.

Tu crois qu'elle t'a suivi ?

J'en suis sûr, répète-t-il. Elle nous cherche, quelque part, elle sait que j'habite vers Stalingrad. Elle doit nous chercher à toutes les terrasses de café.

Leurs deux portables sont éteints. Il faudrait dormir. Ils dorment.

Juliette se réveille en panique un peu plus tard dans la nuit, elle caresse Olivier pour le réveiller, il est en érection tout de suite, qu'est-ce qui t'arrive, chérie, pourquoi tu ne dors pas. Ils font l'amour dans un demi-sommeil, ça la brûle affreusement et en même temps c'est doux, c'est doux comme dans un rêve. Ils finissent par jouir tous deux au même instant, tranquillement, en silence, et s'en trouvent quelque peu apaisés.

On n'a jamais fait si bien l'amour, dit Olivier.

Juliette le regarde, surprise.

Au début, tout de même, non ?

Même pas. Tu me fais l'amour comme à un amant. Et ce que je veux te dire, parce que peut-être tu te poses la question : je ne pense jamais à elle dans ces moments-là. Jamais.

Elle le croit, évidemment. D'autant plus aisément que jamais la question ne l'avait jusqu'ici effleurée.

Puis ils tentent de se rendormir, leurs deux corps emboîtés dans leur position favorite, en chien de fusil tous les deux, elle collée à son dos, l'entourant de son bras. Derrière les rideaux épais elle devine que c'est déjà presque l'aube. Mais elle n'entend pas la respiration habituelle d'Olivier dans son sommeil. Peut-être écoute-t-il lui aussi les battements de son cœur, immobile, les yeux grands ouverts dans l'obscurité qui se dissipe peu à peu.

17

Juliette savait, bien sûr, qu'Olivier lui mentait. Elle n'était pas stupide. Elle l'avait pressenti en le voyant à l'œuvre devant leurs amis aux Buttes-Chaumont, le jour où il avait annulé son voyage à Rome. Elle en avait eu la confirmation plus tard, lorsque V l'avait appelée à son travail, puis à nouveau quand Olivier lui avait raconté la nuit qu'elle avait passée à Aubigny. Elle savait qu'Olivier n'était pas aussi clair qu'il essayait de le paraître, que sa détermination à rompre avec V n'était pas aussi entière qu'il le disait à sa femme. Elle savait que les hommes comme lui ont du mal à trancher dans le vif, qu'ils aiment à se ménager des options, des positions de repli, des voies de secours, qu'ils s'engagent rarement sur le plan amoureux sans garder grandes ouvertes plusieurs issues possibles. Au cas où. Pour ne pas se retrouver comme un con. Olivier lui avait dit un soir : J'ai peur. Peur de finir par vous perdre toutes les deux. Juliette ne l'avait pas rassuré. C'était effectivement un risque.

Elle savait qu'il continuait à lui mentir, mais elle ne savait pas à quel point. Elle était comme au bord d'un lac gelé, dont elle contemplait la surface. Gelé à l'évidence mais sur quelle épaisseur, difficile de deviner. Rien ne permet de dire s'il s'agit d'une mince et traître pellicule ou d'une banquise aussi solide que la terre ferme, si on peut faire confiance, avancer un pied, puis l'autre, sans que la glace cède, s'aventurer sans crainte de couler à pic, instantanément frigorifiée, engloutie dans des eaux hypocrites. Dans le doute, Juliette progressait en s'accrochant aux branches qui surplombaient la rive, aux détails intangibles, solides, qui prouvaient qu'Olivier ne la menait pas complètement en bateau. Le fait d'avoir changé l'horaire de son train pour Bordeaux. Le fait qu'il n'ait pas répondu, le soir de la Fête de la musique, aux douze mille appels de V. Son téléphone portable, depuis qu'elle l'avait vu tournoyer sur la table de la cuisine, agité de soubresauts, agonisant avec des cris sourds, lui était devenu sympathique. Elle le voyait comme un allié, désormais.

Le lendemain de la Fête de la musique Olivier fit écouter à Juliette la dizaine de messages que V avait laissés la veille sur son répondeur. Entendus bout à bout, entrecoupés de bips et d'une voix synthétique qui indiquait l'heure de l'appel, ils témoignaient d'un sens aigu de la progression dramatique, illustrant de manière saisissante les ravages de la passion amoureuse sur certains esprits fragiles. La bande sonore aurait fait un bon format court radiophonique d'une vingtaine de minutes, un peu dans le style de *La voix humaine*, de Cocteau. On aurait pu l'intituler : « Chronique d'un pétage de plombs annoncé». Cela commençait plutôt sobrement par un « Appelle-moi s'il te plaît », puis cela montait crescendo, avec des « Je t'en supplie », des « Tu ne peux pas me faire ça », des cris, des râles, un bip, puis le silence. Le dernier appel remontait à 6 heures du matin.

Olivier guettait sa réaction. Il ne se rendait apparemment pas compte de la violence que c'était pour Juliette de se trouver ainsi jetée dans l'intimité de son mari avec V. Elle étouffait, luttait contre la sensation soudain d'être coincée dans leur histoire, prise dans leur étreinte, de se débattre entre leurs bras emmêlés. Mais peut-être était-ce vraiment déjà fini entre eux, auquel cas Olivier la poussait plutôt au milieu du champ de bataille, du no man's land qui séparait des lignes désormais ennemies. À cette pensée elle se sentit un peu soulagée — l'indifférence apparente d'Olivier, le fait même qu'il lui fasse écouter ces messages semblant confirmer qu'il avait choisi son camp, pris de manière ferme et définitive la décision de rompre.

Qu'est-ce que tu vas faire ? demanda-t-elle.

Rien, répondit Olivier. Je n'ai pas l'intention de l'appeler, si c'est là ta question.

Au même instant, comme en réponse à cette déclaration, un SMS arriva sur son portable — « Je t'en prie. Rien n'est pire pour moi que ton silence » —, accentuant l'impression angoissante que V était avec eux dans la pièce, cachée dans un recoin, derrière la porte, sous la table, à l'affût.

Olivier réfléchit, puis se mit à pianoter sur son téléphone. Juliette se leva pour se refaire un café. Lorsqu'elle se rassit à la table, Olivier lui montra le texte qu'il venait d'envoyer.

« Il faut arrêter de te faire mal. » Tu n'as pas dit il faut arrêter, dit-elle.

Il ne répondit pas. Elle se tut un instant, buvant son café en silence.

Est-ce que tu lui as déjà dit que tu m'aimais? demanda-t-elle.

Oui, répondit-il.

Comment tu le lui as dit?

Il hésita.

Je lui ai dit que je ne pouvais pas aimer deux femmes à la fois.

Juliette hocha la tête.

Donc tu ne lui as pas dit que tu m'aimais.

Olivier soupira. Juliette eut le sentiment très clair qu'à cet instant précis il n'était plus bien sûr d'aimer ni l'une ni l'autre, et qu'il aurait donné beaucoup, au lieu de cette discussion, pour être avec ses potes au café ou avec ses enfants à la pêche.

Pendant qu'elle allait à la piscine avec Johann et Emma, Olivier se rendit au journal afin d'aider l'équipe web à mettre en ligne les vidéos des débats de la veille. Quand il revint il était blanc. Il tenta de prétendre que tout allait bien, qu'il n'avait pas de nouvelles de V, juste reçu un mail. Mais tout son comportement démentait ses propos et sous le regard perçant de Juliette, il ne tarda pas à craquer. Comme il aurait pu s'y attendre, V était venue au journal.

Je suis tombé sur elle en arrivant, elle m'attendait sur le trottoir devant l'entrée. Elle était bourrée de médicaments, elle faisait peur à voir. Il ne s'agit plus de sentiment amoureux, là, tu comprends? On est passé à autre chose. C'est une loque, vraiment. On a parlé un peu, quelques minutes, à peine, et elle s'est effondrée à nouveau, comme le soir où je t'ai appelée, celui du cinéma, une crise d'épilepsie c'est ce qu'elle m'avait dit, en tout cas c'est impressionnant. Elle m'a demandé d'appeler sur son portable un copain à elle, un certain Tristan, celui que j'avais croisé chez elle le premier soir. Il est arrivé presque aussitôt. Il m'a jeté un vrai regard de haine, il m'a dit que déjà cette nuit il l'avait récupérée place Stalingrad, elle était tombée dans les pommes, il l'a ramenée chez elle en taxi, il a dû revenir ce matin récupérer sa moto qu'il avait laissée devant le Jaurès.

Un temps.

En fait, ce ne sont pas des crises d'épilepsie, d'après lui, seulement des crises d'angoisse très violentes, il n'y a rien à faire, pas vraiment de danger, il faut attendre que ça passe. Elle prend des médicaments, elle est en congé maladie depuis deux ans, elle ne me l'avait pas dit, bien sûr.

Il ne manquait plus que ça, pense Juliette.
Il a l'air de quoi, ce Tristan?
Bien, répond Olivier. Pas franchement sympathique, mais raisonnable. Je lui ai dit que j'aimerais avoir une conversation avec lui. On a pris rendez-vous demain matin, dans un café, et puis il l'a ramenée chez elle.

Juliette hoche la tête. À nouveau un long temps. Olivier se mord les lèvres, fait craquer ses doigts, anxieux.

Tu aurais vu comment il m'a regardé. Comme si j'étais un bourreau, un nazi. Je me comporte si mal que ça, avec elle ? J'ai l'impression d'être le pire des salauds.

Mais non, répond Juliette.

Il la regarde par en dessous, avec un air de doute.

Sur ce coup-là, je ne suis pas sûr de te faire confiance. Tristan m'aidera peut-être à y voir plus clair.

Espérons, dit Juliette, qui a les jointures des doigts toutes blanches à force de serrer les poings, qui se retient pour ne pas hurler et qui en elle-même pense non mais c'est quoi cette pathologie, cette pathologie exactement.

Non, parce que ça m'intéresse ça m'intéresse même beaucoup c'est quoi cette pathologie qui fait que tout le monde vous plaint que carrément tout vous est permis qu'on a envers vous une indulgence insensée qu'on peut labourer le parquet avec ses dents faire des crises de nerfs dans la rue siéger dans un conseil municipal et harceler les gens au téléphone mener une carrière politique aux frais de l'Éducation nationale congé maladie mon cul que tout le monde trouve ça très bien que tout le monde est bluffé que l'on est un exemple pour toutes les femmes une icône de la gauche une figure de proue du nouveau féminisme si c'est ça moi aussi je suis malade ah non tu ne vas pas t'y mettre toi aussi si parfaitement malade, malade de chagrin mais ça tout le monde s'en fout il faut que je me calme respire ma vieille voilà maintenant souffle encore respire souffle encore voilà tiens bon ma vieille calme-toi tu es en train de devenir dingue.

18

L'ami de V arriva à leur rendez-vous avec quelques minutes de retard, son casque de moto sous le bras, et s'arrêta au seuil du café pour parcourir la salle du regard avant de se diriger vers Olivier, l'air mauvais. Sans être un colosse, il avait une carrure impressionnante et tandis qu'il se débarrassait de son blouson à coques de protection intégrées pour le poser sur la chaise, il dégageait une telle hostilité qu'Olivier ne put s'empêcher d'imaginer avec une certaine appréhension un affrontement physique avec lui, si d'aventure la conversation tournait mal.

À son grand soulagement Tristan se montra plutôt compréhensif. Il écouta sans surprise Olivier lui raconter comment V l'avait poursuivi en Normandie, puis dans le train qui le ramenait de Bordeaux, comment elle l'avait attendu au pied de son immeuble, lui téléphonant sans cesse malgré ses supplications, refusant d'admettre sa décision de rompre.

C'est vraiment ça que vous voulez? demanda Tristan. Rompre?

Il fixait sur Olivier un regard perçant, d'un noir intense. Celui-ci hésita à peine.

Oui, dit-il.

Tristan resta sans réaction un instant, puis hocha la tête avec quelque chose qu'Olivier interpréta comme de l'incrédulité, mais qui pouvait être aussi de la pitié, ou de la consternation.

Est-ce que vous avez été clair avec elle? demanda Tristan.

Je crois, répondit Olivier.

Tristan lui fit alors répéter les mots exacts qu'il avait prononcés, insistant, s'il était sûr de sa décision, sur la nécessité absolue de ne pas laisser percer dans ce qu'il disait à V la moindre ambiguïté, de ne faire montre d'aucune hésitation, faute de quoi elle ne manquerait pas de s'engouffrer dans la faille et de reprendre l'offensive. Olivier de son côté tentait de lui expliquer son désarroi face à la fragilité de V, la tendresse qu'il éprouvait pour elle, et combien il lui était difficile de ce fait d'employer des mots inévitablement brutaux, surtout lorsqu'il voyait les réactions d'hystérie que ses tentatives jusqu'ici plutôt timides avaient déjà provoquées. Mais Tristan balaya ces objections d'un revers de main. Olivier était fasciné par son assurance, qui laissait supposer une grande expérience de ce genre de situations avec V. Il ne put s'empêcher, au bout de quelques minutes, de lui demander si c'était le cas. Tristan ne répondit pas. Au lieu de ça, il lui montra son téléphone portable qu'il avait posé sur la table et sur lequel venait d'arriver un texto de V : « Il faut qu'il m'aime. J'en ai besoin. »

À ce moment du récit qu'Olivier fit de la scène à Juliette le soir même, celle-ci se raidit. Besoin. Elle détestait ce mot. Le besoin n'avait rien à voir avec l'amour. L'idée même de besoin physique à assouvir, lorsqu'il s'agissait de sexe, la révulsait. Elle n'admettait quant à elle que le désir, qui pouvait parfois être violent, mais le désir n'exigeait rien, le désir lorsqu'il était comblé ne suscitait qu'émerveillement, gratitude, au contraire du besoin qui était revendicatif, hargneux, qui allait de pair avec le droit, le droit qu'on croyait avoir sur les autres, comme si l'amour pouvait jamais être autre chose qu'un cadeau, un miracle entre deux êtres.

À quoi tu penses ? demanda Olivier.

À rien, répondit Juliette. Comment ça s'est fini ?

Je t'ai à peu près tout dit. J'étais surpris qu'elle lui envoie ce texto, je ne savais pas qu'elle était au courant de notre rendez-vous.

Tu crois qu'il était en service commandé ?

Peut-être. En tout cas, pour finir, il m'a dit qu'à ma place il n'hésiterait pas. Il est marié lui aussi, il a trois enfants, mais il est amoureux de V depuis des années, il larguerait tout à la seconde si seulement elle voulait bien de lui.

C'était si énorme que Juliette ne put s'empêcher de rire.

Tu as trouvé l'interlocuteur idéal, on dirait.

Olivier ne sourit pas.

Ce qui est sûr, dit-il, c'est que j'ai compris ce matin qu'elle ne se raisonnerait pas toute seule. Il faudrait que je le fasse et j'en suis incapable, ce serait comme la pousser dans le vide.

À bout de ressources, Juliette avait cherché les coordonnées d'un centre de thérapie familiale et convaincu Olivier de l'y accompagner pour un rendez-vous. Ils s'y rendirent ensemble le lendemain, à l'heure du déjeuner.

La thérapeute était une femme plutôt jeune et sympathique, qui les fit entrer dans une pièce dépouillée, meublée dans un style d'inspiration zen apaisant, et d'une propreté impeccable. Elle s'installa avec eux dans des fauteuils blancs autour d'une petite table ronde en verre sur laquelle était posé un soliflore contenant une orchidée et, tour à tour, leur demanda d'expliquer la raison de leur démarche.

Olivier parla le premier et, en réponse à la première question que lui posa la psychologue, réaffirma qu'il ne voulait pas quitter Juliette. Il dit aussi :

Je me suis dit que j'avais le droit de vivre cette histoire.

Le droit? répéta la thérapeute en haussant les sourcils. Le droit, c'est un mot très fort. Qui vous a donné ce droit?

Il hésita. Je ne sais pas. Je me suis dit que j'avais le droit, que tout le monde le faisait.

Pourquoi en avez-vous parlé à votre femme?

Un temps.

Ça m'a soulagé, je crois.

Est-ce que ce n'était pas une façon de lui demander de vous protéger de cette histoire?

À nouveau il hésita, dit que peut-être, oui.

Quand ce fut le tour de Juliette de parler, elle décrivit le coup de téléphone de V, et se figea en entendant la thérapeute déclarer :

Je me sens pleine de compassion pour cette jeune femme.

Avait-elle bien entendu? La psy était pleine de com-

178

passion pour l'Autre. Pour elle, évidemment, pas du tout. Juliette, comme toujours, n'avait aucun droit à la compassion. Mais non. Elle avait mal compris. La thérapeute répéta : Je VOUS sens pleine de compassion pour cette jeune femme.

Olivier s'étonna, cette remarque lui paraissait incongrue.

Pourtant c'est vrai, reconnut Juliette après un silence. Je la comprends, je crois. Je retrouve chez elle des choses de moi, il y a dix ans. Elle ne m'est pas étrangère.

Un peu plus tard, elle ajouta : Je suis impressionnée de voir à quel point Olivier ne m'a pas protégée dans cette histoire. À quel point il ne m'a jamais protégée.

C'est vous qui le protégez, approuva la thérapeute. Vous le protégez, vous protégez vos enfants, vous protégez cette jeune femme. Et vous, qui vous protège ?

Personne, dit Juliette. Je crois que c'est pour ça, cette fameuse phrase que j'ai dite un jour : je ne suis pas sûre d'avoir envie de vieillir avec toi. À trente ans, ça ne me dérangeait pas plus que ça, j'étais forte. En vieillissant, les besoins changent. Peut-être que j'aurai envie que quelqu'un prenne soin de moi, un jour.

Après la séance, un peu apaisés, ils se quittèrent sur le trottoir pour retourner bosser. Olivier la serra contre lui et lui fit un long baiser amoureux.

Je vais l'appeler, dit Olivier. Je crois que cette séance m'a aidé à élaborer un discours un peu plus clair.

Tu as eu des nouvelles, depuis ce matin? demanda Juliette.

Toute la matinée j'ai senti mon téléphone vibrer dans ma poche. Je dois avoir dix-huit messages.

En arrivant le lendemain matin à Galatea, encore sur le trottoir devant l'entrée, elle lui téléphona.

Je voulais te dire un truc très important : si jamais un jour dans une semaine dans six mois tu devais coucher à nouveau avec elle, si jamais, je t'en supplie, ne la laisse pas choisir de tomber enceinte ou pas. Une femme comme elle peut tout faire pour s'attacher un homme. Je sais que tu ne crois pas cela possible mais moi je sais qu'elle est prête à tout.

Il répondit : Je n'ai plus l'intention de coucher avec elle. Mais j'ai compris.

Plus tard dans la journée Juliette tenta à nouveau de joindre Olivier, sans succès. Son téléphone était occupé sans arrêt. Quand enfin elle parvint à lui parler, elle lui demanda s'il avait des nouvelles de V et il se contenta d'un sobre :

J'ai eu un mail — tout va bien.

Le soir à 20 heures il n'avait toujours pas appelé comme il le faisait d'habitude, pour lui dire vers quelle heure il rentrerait. Elle s'effondra soudain d'angoisse, affolée qu'il n'ait toujours pas compris la nécessité de ne pas la laisser ainsi sans nouvelles.

Elle appela Flo, en larmes.

Quand il arriva enfin, il la regarda surpris.

Je ne pensais pas te trouver dans cet état, je croyais au contraire rentrer tôt, dit-il

C'est l'enfer, dit-elle.
Il soupira.
Ça avance, je t'assure.

Il s'approcha pour la prendre dans ses bras mais elle le repoussa, se leva pour aller prendre un mouchoir, il s'éloigna, blessé. Elle regretta aussitôt son geste, le chercha du regard. Il était effondré dans un fauteuil du salon.
Je sais que c'est l'enfer, dit-il. Je sais. Après c'est l'histoire de prendre soin... Mais ce que je fais en ce moment essayer d'arrêter, lui dire que c'est fini, c'est prendre soin de toi, aussi. C'est vrai.
Elle se moucha et vint s'asseoir près de lui, la tête basse.
Comment tu as pu nous faire ça? dit-elle. Puis elle ajouta, misérable : C'était vraiment si exceptionnel, avec elle?

Il haussa les épaules, fatigué.
Je ne sais pas quoi te répondre. Nous deux aussi, on a vécu ensemble des moments exceptionnels.
C'est vrai, dit-elle. Ne serait-ce que la naissance de nos enfants.
Oui. Notre mariage, aussi.
Elle le regarda, étonnée. Jamais elle n'avait imaginé que le fait de se marier ait été si important pour lui.
Oui, notre mariage.

181

Après un temps elle reprit :

On avance, mais on est tombés dans un tel trou, il y a tant à remonter pour retrouver la confiance.

Elle hésita à lui demander à nouveau s'il avait eu des nouvelles de V aujourd'hui, hésita encore, et finit par murmurer lentement, à voix basse :

Au point où nous en sommes, dis-moi la vérité. Si tu veux vraiment prendre soin de moi je veux savoir ce qui se passe avec elle, les faits et aussi ce que tu lui dis, car les paroles sont des actes à présent. Ça ne me fait pas plaisir crois-moi, crois-moi je préférerais ne pas avoir à l'entendre, mais je te le demande, sinon tes mensonges finiront par me rendre folle.

Il resta silencieux, les yeux perdus dans le vide.

Puis lâcha à regret que V lui avait envoyé deux mails. Le premier qui disait OK j'ai compris c'est fini mais il faut que je puisse te parler au téléphone. Le second un peu plus tard (ou l'inverse ?) qui disait sa colère, tu as ce que tu voulais, tu vas pouvoir réparer ton petit machin avec ta femme.

Chaque mot semblait lui coûter, être pour lui une torture. Juliette l'observait, perplexe.

Elle dit, de toute façon nous n'avons pas le choix de rester ensemble et que tu continues à la voir, même si nous en étions capables, nous, étant donné ses réactions à elle ce ne serait pas possible tu es d'accord? Il était d'accord, mais semblait toujours aussi accablé. Juliette lui prit la main. Elle n'imaginait pas que, dans le moment même où elle le suppliait de lui dire la vérité, Olivier continuait à lui mentir. De plus en plus mal, il sentait sur lui le regard de sa femme qui le scrutait. Il avait déjeuné avec Victoire et avant qu'ils se séparent, quelques heures plus tôt, elle lui avait donné un exemplaire de *La femme rompue*, de Simone de Beauvoir, dans la collection Folio. Il l'avait feuilleté, en avait lu quelques pages. L'histoire d'un homme marié qui a une liaison et finit par quitter sa femme, comme quoi certains le font, comme quoi c'est possible, avait dit V. Il couvrit ses yeux de ses deux mains, pour ne plus voir le regard troublé que Juliette posait sur lui.

19

Juliette comptait les jours qui les séparaient des vacances. Après plusieurs étés pluvieux en Normandie, elle éprouvait un intense besoin de soleil. Elle avait posé ses vacances dès le mois de février à Galatea, où la gestion des plannings entre les différents chefs de projet était toujours un véritable casse-tête, l'entreprise ne fermant pas au mois d'août. Pour finir elle avait accepté de prendre ses congés en deux fois, et ils avaient prévu de partir dès le début du mois de juillet en Italie pour une quinzaine de jours. Elle avait loué une maison au bord de la mer, dans cette partie de la Toscane maritime plus abordable que les luxueuses villas avec piscine du Chianti, surtout les deux premières semaines de juillet — de toute façon, avec deux enfants de l'âge de Johann et d'Emma, les piscines privées, sécurisées ou non, étaient son cauchemar. Pas question de se lever en sursaut de son transat, le cœur battant la chamade, cherchant des yeux l'un ou l'autre, ni de vérifier quinze fois par jour qu'Olivier et elle avaient bien fermé le portillon d'accès au bassin. Elle avait choisi la maison sur Internet, une vieille bâtisse en pierre au confort sommaire mais qui semblait pleine de charme, entourée d'oliviers. Elle adorait les oliviers, son mari en plaisantait parfois, disant que c'était son prénom avant tout qui, chez lui, l'avait séduite. Elle souriait, se gardant bien de le contredire.

On était le 24 juin. Dans un peu plus d'une semaine, pensait Juliette, ils seraient loin de Paris, loin de V, et l'étau qui lui enserrait le cœur se relâcherait un peu, même si elle savait que rien ne serait gagné pour autant. La veille elle avait dit à Florence, désabusée : Il ne choisira jamais, je le sais, il attendra que l'une d'entre nous, elle ou moi, finisse par lâcher prise. Devant son air sceptique, elle avait insisté : Olivier est comme ça, il l'a toujours été. Il se laisse choisir. Il reste avec celle qui s'accroche le plus. Elle avait eu un petit mouvement du menton, l'air de dire tu verras, puis elle s'était tue, le visage fermé.

Olivier ce jour-là ne travaillait pas. C'était le premier jour des soldes. Il avait le projet d'aller s'acheter des chemises. Il ne faisait pour ainsi dire jamais de shopping, une fois par an grand maximum, et mis à part les cadeaux qu'elle lui faisait de temps en temps (des pulls en général, confortables et très doux, contre lesquels elle aimait se lover), Juliette ne s'occupait pas de sa garde-robe. Il n'avait plus rien à se mettre. Ensuite il irait rendre visite à son frère qui avait été hospitalisé quelques jours plus tôt dans une clinique privée des Yvelines, suite à un accident de moto. Il appela Juliette à son bureau en fin de matinée pour l'informer de ce projet, et mentionna au passage que depuis plusieurs heures V tentait sans discontinuer de le joindre. De guerre lasse il avait fini par répondre et avait menti pour s'en défaire, prétendant qu'il était absent de Paris pour la journée.

Lorsque Juliette reçut l'appel d'Olivier, elle se trouvait à la cafétéria avec Joséphine, une collègue de la DRH, à qui elle venait de raconter toute l'histoire. C'était étrange, pas du tout dans le caractère de Juliette, ce besoin soudain de parler, de se confier à quelqu'un pour qui elle éprouvait certes de la sympathie mais qui ne faisait pas vraiment partie de ses intimes. Joséphine d'ailleurs avait l'air surpris et Juliette s'en rendait compte mais elle n'y pouvait rien, c'était comme un trop-plein, ça débordait, les mots coulaient tout seuls, sans violence aucune, calmement, et l'ironie toujours. On lui demandait : Ça va ? Elle répondait : Moyen, mon mari me trompe, d'un ton égal, guettant chez l'autre le tressaillement qui ne manquait jamais de se produire. Bien sûr il y entrait une part de provocation, comme avec le médecin l'autre jour. Le choix des mots n'y était pas étranger. Ce n'était pas ses mots à elle, ça s'entendait tout de suite. Elle aurait pu dire ça ne va pas fort avec mon mec, ou même j'ai des problèmes de couple, ça lui aurait plus ressemblé que ces mots-là qui sonnaient comme le courrier du cœur d'un magazine bon marché. Mais peut-être cela la rassurait-il, l'étonnement qu'elle lisait dans les yeux de ses interlocuteurs, peut-être que ça la confirmait dans l'impression que cette histoire n'était pas vraiment la sienne, que ce genre de vaudeville appartenait à une autre époque, un autre milieu, qu'on le lui faisait jouer à son corps défendant, qu'il ne faisait pas du tout partie de son répertoire, pas étonnant qu'elle s'y sente à chier, elle était une erreur de casting absolu, quelqu'un allait bien finir par s'en rendre compte. Lorsque son téléphone sonna elle s'interrompit au milieu d'une phrase pour prendre l'appel, écouta et, après un bref instant de stupéfaction, raccrocha.

C'était lui, dit-elle. Tu parles de passion.

Joséphine eut un regard interrogateur, mais n'osa pas poser de question. D'ailleurs ce n'était pas nécessaire, Juliette poursuivait déjà.

L'autre n'arrête pas de l'appeler, elle veut à tout prix qu'il aille la voir et lui me dit qu'il n'ira pas, qu'il est aux Galeries Lafayette, que c'est les soldes et qu'il en a marre, qu'il aimerait bien s'acheter quelques fringues.

Joséphine écarquilla les yeux.

Je croyais qu'il était amoureux d'elle.

Juliette retourna la paume de sa main gauche vers le ciel, dans un geste d'ignorance.

Moi aussi. Mais bon, d'un autre côté, c'est vrai qu'il a besoin de chemises.

Irrésistiblement, l'hilarité montait et bientôt elle ne parvint plus à contenir un fou rire nerveux. Elle s'empressa de poser sa tasse sur le bar pour ne pas la renverser, si secouée de rire qu'elle en pleurait. Enfin elle se calma et s'essuya les yeux. Joséphine la regardait, interloquée.

Tu es drôlement costaud, dit-elle. Je t'admire.

Juliette accepta gracieusement le compliment. Son ego n'était pas à la fête ces jours-ci, c'était toujours bon à prendre. L'admiration de Joséphine fit de la pause déjeuner un doux moment de gloire qu'elle passa dans un institut de beauté à se faire poser du vernis sur les ongles de pieds en prévision des vacances. Puis elle se remit au boulot un peu détendue. Olivier l'appela dans l'après-midi au moment de prendre le train pour aller voir son frère, puis trois heures plus tard, à nouveau, afin de l'informer qu'il était à Versailles, qu'il attendait le prochain départ pour Saint-Lazare et qu'il n'avait plus beaucoup de batterie. Sa voix était cette fois différente, presque blanche, et Juliette qui avait développé depuis peu une oreille extraordinairement sensible aux infimes variations de timbre ou de modulation dans le ton de son mari s'alarma aussitôt.

Ça ne va pas? Ton frère?

Non, rien à voir. C'est elle. J'ai peur. Il vaudrait peut-être mieux que j'aille la voir, finalement.

Instantanément le cœur de Juliette se mit à cogner dans sa poitrine. Elle se tut, attendant la suite.

Ce connard de Tristan m'a appelé. Il dit que je ne peux pas lui faire ça, la traiter comme je le fais. Que s'il lui arrive quelque chose il m'en tiendra pour responsable.

Il semblait paniqué, criait presque. Derrière lui elle

entendait le vacarme de la gare, qui contrastait avec l'atmosphère studieuse qui régnait dans les bureaux de Galatea.

Juliette jeta un regard autour d'elle. Son voisin immédiat pianotait sur son clavier, les yeux rivés à son écran et un casque sur les oreilles. Deux mètres plus loin, deux de ses collègues discutaient à mi-voix, penchés sur le même document. Elle fit tourner légèrement son fauteuil dans le sens opposé à eux, colla le combiné à ses lèvres, mit sa main gauche devant sa bouche pour faire écran de son mieux et parlant le plus doucement possible, assez fort cependant pour qu'Olivier l'entende, elle concentra dans sa voix toute la persuasion dont elle était capable.

N'y va pas, lui dit-elle, et elle sentit, ennuyée, à cause de toutes ces contraintes, que sa voix sonnait faux, pas franche, elle reconnut la voix qu'elle prenait quand elle lisait des contes le soir à ses enfants, quand elle faisait le serpent, ou la sirène, ou la sorcière déguisée en fée. Elle paniqua à l'idée de ne pas parvenir à convaincre Olivier, se le figura au milieu du tumulte des trains, perdu, ballotté entre les hurlements de V, les vociférations de Tristan et la voix artificiellement doucereuse de sa femme, mais poursuivit néanmoins, avec l'énergie du désespoir.

N'y va pas, je t'en supplie. Cela n'arrangera rien, au contraire, ce sera pire. Viens ici en descendant du train. Ou je vais t'attendre à Saint-Lazare, si tu veux.

Il la coupa.

Je n'ai plus de batterie, je te laisse.

Elle garda un instant le combiné contre son oreille, écoutant la tonalité « occupé ». Lui avait-il raccroché au nez ou son portable s'était-il brutalement éteint ? Elle penchait, hélas, pour la première hypothèse. Elle regarda sa montre. 18 h 45. Hésita à peine une seconde. Se leva, prit son sac et quitta son bureau, laissant son ordinateur allumé, ses documents en désordre. Elle s'enfuit sans prévenir personne.

Elle dévala l'escalier.

Dans la rue elle courait, courait comme si sa vie en dépendait, courait vers la bouche de métro la plus proche. De Villiers, la ligne était directe sur Saint-Lazare.

Pissignac, avec qui elle avait une réunion programmée à 19 heures, l'attendit pendant plus de vingt minutes. Il demanda à ses collègues où elle était passée. Comme personne n'en savait rien, il fulmina et se laissa aller devant témoins à des propos ouvertement misogynes, avant de partir furieux. Vers 21 heures, le dernier chef de projet encore présent ôta son casque, éteignit son poste de travail. Au moment de partir, il hésita sur le seuil puis contempla l'open space à présent désert. Il s'approcha du bureau de Juliette et, s'efforçant par discrétion de ne pas regarder le contenu de la boîte mails restée ouverte, enregistra les fichiers en cours, puis éteignit l'ordinateur.

À Saint-Lazare, Juliette attendit Olivier en vain. C'était ridicule et elle le savait, c'était même pitoyable, à quarante ans, après dix ans de mariage, cette course dans le métro puis dans la gare, pour trouver la bonne voie, et ensuite l'attente, en larmes, les trains qui se succèdent, cent fois une silhouette aperçue, le cœur qui bat, un élan esquissé qui retombe. Cent fois ressortir son portable, essayer à nouveau de le joindre, tomber sur la messagerie, raccrocher dès la première syllabe. Elle court de long en large, parle à voix haute, sanglote. Les gens lui jettent des coups d'œil gênés en passant auprès d'elle, les plus compatissants l'abordent : Ça ne va pas, mademoiselle ? Est-ce qu'on peut vous aider ? Elle fait non de la tête, note au passage qu'on l'appelle toujours mademoiselle, c'est bon signe, répond Merci, ça va aller. C'est ridicule mais la bonne nouvelle, ce qui la sauve du malheur total, c'est que personne ne lui donne quarante ans et d'ailleurs c'est la vérité, à cet instant dans sa tête elle en a vingt ou quinze ou même cinq, dans sa tête en cet instant elle est une jeune fiancée, une petite fille. On ne le dit pas assez mais un âge n'en chasse pas un autre, tous les âges qu'on a vécus coexistent à l'intérieur de soi, ils s'empilent, et l'un prend le dessus au hasard des circonstances. Au final tout cela n'a qu'un rapport très vague avec le temps qui nous sépare de notre naissance, cette histoire d'âge, enfin c'est ce qu'il lui semble.

Quoi qu'il en soit, Olivier n'arrive pas. L'attendre sur ce quai ne rime plus à grand-chose. Au bout d'un long moment, même pour Juliette, même dans le sale état où elle se trouve, cela devient une évidence. Elle ne parvient pas à comprendre comment il a pu lui échapper, mais c'est un fait. L'heure de pointe est passée, les trains à l'arrivée se font de plus en plus rares, la foule dans la gare se disperse, on est déjà le soir. À cette heure Olivier est déjà chez V, ou en route pour s'y rendre, elle peut se rouler par terre, hurler comme une hystérique, cela n'y changera rien. Elle le voit bien dans les yeux des passants, que c'est ce qu'ils pensent d'elle, ouh là là, se disent-ils, encore une hystérique. Comme quoi, V n'a pas le monopole, c'est à cet instant seulement qu'elle y pense. Elle pourrait peut-être même la battre sur ce terrain- là, si elle le voulait. Rien n'est plus facile après tout. Il suffit de ne plus penser à rien, de faire le vide dans son cerveau, de s'abandonner à l'angoisse qui vous mord le ventre. Il faut juste oublier qu'on a deux petits enfants qui vous attendent à la maison, qui comptent sur vous, pour qui on est le centre de l'univers. Seulement cela, Juliette est incapable de le faire très longtemps, ne pas penser à ses petits, et de surcroît elle commence à en avoir marre des regards navrés que les gens posent sur elle. Alors elle décide de se calmer, de remballer l'hystérie, de s'adosser à un pilier et d'allumer une cigarette.

Elle fume sans penser à rien, la tête lourde d'avoir tant pleuré, les muscles douloureux comme après une cuite. Elle dégrise doucement, redescend dans sa vie.

Elle est tout à fait calme à présent. Elle se sent comme quand tout est fini. Elle sait qu'elle a perdu.

Elle compose le numéro de la maison pour appeler la nounou.

20

Sitôt que Juliette l'avait appelé, Jean-Christophe avait enfourché son scooter et avait foncé vers Saint-Lazare. Elle lui était tombée dans les bras, lui avait expliqué la situation et l'avait supplié de l'emmener dîner quelque part. Au téléphone, la nounou avait fini par accepter de rester garder les enfants jusqu'à minuit, pas davantage. À son ton contraint, Juliette avait bien senti que cela ne l'arrangeait pas du tout. Mais pour une fois, elle n'avait eu aucun scrupule à abuser de sa gentillesse et à lui forcer la main. Si fort soit l'amour qu'elle éprouvait pour ses enfants, elle se sentait incapable à cette minute de rentrer leur lire des histoires de princes charmants tandis qu'Olivier s'envoyait en l'air avec V.

Jean-Christophe, comme elle aurait pu s'y attendre, avait choisi le restaurant le plus branché et sans doute le plus cher du quartier. Il finissait de passer commande et choisissait le vin quand le portable de Juliette sonna. Olivier venait d'arriver chez eux et s'étonnait de ne pas la trouver à la maison. Elle ressentit durant un bref instant un intense soulagement, tout en demandant à voix haute comment elle avait pu le manquer. Il lui expliqua sèchement qu'il s'était trompé de train, en avait pris un autre qui arrivait à Montparnasse. Sa voix était toujours aussi tendue. Il n'était repassé à la maison que pour recharger son téléphone. Il voulait savoir si elle allait rentrer bientôt, s'il pouvait libérer Yolande qui visiblement faisait la gueule.

Juliette hésita.

Bien sûr, répondit-elle. Dis-lui qu'elle peut partir. Maintenant que tu es là.

Il soupira, excédé.

Ne fais pas semblant de ne pas comprendre, dit-il. Je ne peux pas rester.

Je ne vois pas pourquoi, répondit-elle.

Il faut que j'aille voir V. J'ai peur qu'elle fasse une connerie.

Depuis qu'il lui avait avoué sa liaison, Olivier avait respecté sans murmurer le code imposé par Juliette, s'interdisant de prononcer devant elle le prénom de V, se contentant de la désigner, quand il y était obligé et comme le faisait sa femme, par sa seule initiale. Le plus souvent ce n'était même pas nécessaire, un simple « elle » suffisait. Juliette s'étonna intérieurement que même en cet instant de crise, alors qu'elle le sentait au bord de l'explosion, il continuât de respecter cet accord tacite.

N'y va pas, dit-elle, les yeux fixés sur Jean-Christophe qui regardait au-delà d'elle, impassible, en apparence absorbé dans la contemplation des photographies accrochées au mur qui lui faisait face.

La seconde d'après, elle sursauta et écarta instinctivement le combiné de son oreille. À l'autre bout du fil, Olivier s'était mis à hurler.

Dis-moi ce que je dois faire, alors, dis-le-moi, puisque

tu es si sûre de toi. Tu sais, si elle se fout en l'air, ce sera fini aussi, nous deux.

Il sembla à Juliette que, bien que son téléphone ne soit pas en mode haut-parleur, les cris d'Olivier devaient s'entendre jusqu'à la table voisine. Jean-Christophe pour sa part n'en avait pas perdu un mot. Il avait cessé de feindre la discrétion et, le menton posé sur sa main, il observait Juliette avec attention, indéchiffrable.

Juliette ferma les yeux.

Je veux que cet enfer s'arrête, articula-t-elle.

Olivier garda le silence un instant, puis répondit, plus calmement :

Je t'avais prévenue qu'il me faudrait du temps.

N'y va pas, répéta Juliette.

La réponse d'Olivier claqua comme une menace.

OK, fit-il, durement.

Puis il raccrocha.

Juliette reposa son portable sur la table. Elle se sentait mal. Haussant les sourcils, elle quêta l'approbation de Jean-Christophe.

Non ?…

Jean-Christophe haussa les épaules.

Si. Sans doute.

C'est tout ? Sans doute ?

Tu peux aussi le laisser y aller. D'après ce que je perçois de cette jeune femme, s'il te quitte pour elle, ton mari risque vite de s'en mordre les doigts et de revenir ramper à tes pieds.

194

Juliette secoua la tête, pas convaincue. Elle hésitait, cependant. Elle-même avait fait une tentative de suicide plus ou moins bidon, au sortir de l'adolescence, après avoir vu son amoureux de l'époque embrasser l'une de ses meilleures amies. En représailles, elle avait avalé devant lui tous les médicaments qui lui tombaient sous la main jusqu'à ce que, renonçant à l'en empêcher, il appelle le SAMU puis commence à faire de même. À eux deux ils avaient vidé le contenu entier de la pharmacie, pilules contraceptives incluses, avant l'arrivée des pompiers. Tout ça s'était terminé par un double lavage d'estomac et le lendemain, ils avaient fait l'amour dans un petit lit d'hôpital, avant de se faire virer par une infirmière scandalisée. Plutôt un bon souvenir, avec le recul.

Mais bon, elle avait vingt ans.

Et si elle se fout vraiment en l'air ?
Jean-Christophe sourit, attendri par tant de naïveté.
Elle ne se foutra pas en l'air. S'il y a une chose dont je suis sûr, c'est bien de ça.
Comment tu peux le savoir ?
Les gens qui se suicident n'en parlent pas constamment. Un beau jour ils le font, c'est tout.

Il baissa les yeux. Il ne souriait plus, d'un coup, et Juliette se souvint brutalement que lorsqu'il était adolescent, bien avant qu'ils se connaissent, sa mère s'était donné la mort. Il l'avait trouvée pendue en revenant du lycée. Elle s'en voulut d'avoir abordé avec lui, sans précaution, un sujet aussi sensible, et cherche vainement ce qu'elle pourrait dire pour se rattraper. Mais Jean-Christophe s'était déjà remis à sourire, avec une désinvolture à peine teintée d'amertume.

Juliette hésitait toujours. Elle tripotait son téléphone, angoissée.

Qui me dit qu'elle ne va pas faire une connerie rien que pour lui faire peur? Si j'empêche Olivier d'aller la voir et qu'elle avale un tube de médocs dans la foulée, il va me détester.

C'est sûr, approuva Jean-Christophe.

Juliette réfléchit encore un instant, puis elle reprit son téléphone et composa le numéro de la maison. Olivier décrocha aussitôt, après une demi-sonnerie à peine, ce qui donna à Juliette la désagréable impression qu'il escomptait son appel.

Oui? énonça-t-il d'une voix aimable, qui tranchait avec le ton du coup de fil précédent. La certitude manifeste qu'il avait d'avoir gagné la partie énerva Juliette.

Alors, qu'est-ce que tu fais? lui demanda-t-elle, froidement.

Je ne sais pas, répondit-il. Pourquoi tu me rappelles?

Elle est au pied du mur.

Juliette garde le silence un instant, perdue. À l'autre bout du fil, Olivier attend patiemment. Elle se remet à parler avec lenteur. Les mots sont coincés quelque part

196

entre son cerveau et sa bouche, ils ont du mal à franchir ses lèvres.

Tu sais que si tu vas la voir, chaque seconde que tu passeras près d'elle sera un enfer pour moi?

Olivier se radoucit encore. Il la sent sur le point de lâcher prise et il n'est plus son ennemi, soudain, il redevient son compagnon, son amant, celui qui partage ses peines.

Mais oui, répond-il tendrement, entourant de son bras les épaules de Juliette par la seule magie de sa voix. Bien sûr que je le sais.

Elle se force à continuer.

Et qu'est-ce que tu vas faire, là-bas? Tu vas lui faire l'amour?

Il hésite.

Non, dit-il. Elle voudra, c'est certain, elle fera tout ce qu'il faut pour, mais non. Et puis malades, en plus. Non. J'essaierai juste de la calmer.

Cette conversation est surréaliste. Juliette fixe la nappe, son portable écrasé contre son oreille, de l'autre main elle se masse le front. Ses mains tremblent. Elle imagine les heures devant elle si elle cède et d'un coup réalise : il me demande la permission d'aller voir cette fille et je suis en train de la lui donner.

Elle entrevoit en un éclair l'enchaînement des choses. Elle voit les conséquences du mot qu'elle va dire, en toute clarté, à des kilomètres et des années de distance.

C'est dingue cette clairvoyance soudain, elle se découvre médium, elle a des visions, des flashes.

V échevelée, en larmes, qui s'accroche à Olivier comme une naufragée à une planche, se jette sur lui, l'embrasse, lui déboutonne sa chemise. Lui qui résiste, résiste, et finit bien sûr par céder. Car ce n'est qu'un homme, après tout, et les hommes, c'est connu, ne peuvent pas résister, c'est dans leur nature de prendre une femelle qui s'offre, c'est comme ça, plus fort qu'eux. Et puis l'excitation des larmes. Ils font donc l'amour. Sans capote, au point où ils en sont. La capote fait tache dans le tableau des amants maudits, de la passion qui consume. Dans un mois, V, enceinte. Un enfant d'Olivier et de V pour toujours dans leur vie, dans celle de Johann et d'Emma.

Quoi qu'il se passe par ailleurs, quelles que soient les décisions qu'ils puissent prendre. L'irréparable.

Non, dit-elle.

Au bout du fil, silence.

Elle prend une grande inspiration, lève les yeux vers Jean-Christophe et répète, fermement:

Non. Écoute-moi. Je vais dîner avec Jean-Christophe et toi, tu vas rester à la maison avec les enfants.

Bon, dit alors Olivier d'une voix douce et presque sans timbre, une voix qui fait peur. Alors je vais dire à Yolande de partir, je vais appeler V et lui dire que tu ne rentres pas, que je ne peux pas laisser les enfants seuls. Remarque, ça me donne une excellente raison de ne pas aller la voir.

Voilà. Très bien.

Mais elle risque de se pointer ici, je te préviens.

Juliette prend sur elle pour ignorer la menace, fait semblant de ne rien trouver de bizarre à son ton. Elle promet simplement de rentrer avant minuit et raccroche.

Alea jacta est.

Les dés sont jetés.

Et à la guerre comme à la guerre.

Dès le début, dès la toute première phrase d'Olivier au téléphone — j'ai une histoire avec une fille, je lui ai dit que j'allais au cinéma avec toi elle s'est mise à hurler — Juliette a senti confusément se profiler derrière tout ça un combat, un combat que V menait contre elle. Elle sent que l'autre veut lui faire endosser un personnage qui n'a rien à voir avec elle, la petite-bourgeoise coincée la bobonne qui ne fait l'amour qu'en position du missionnaire la forte en maths qui ignore tout forcément de la passion mais elle ne va pas se laisser faire c'est une question de fierté, chacun met sa fierté où il veut et si sa fierté à elle c'est d'avoir eu trente amants d'avoir été violée abandonnée avortée et de ne vouloir la compassion de personne c'est son droit le plus strict personne ne peut l'en empêcher. Et plus ça va plus l'impression se précise, ça commence même à l'agacer sérieux cette certitude qu'a V de sa supériorité, la supériorité de son École normale, la supériorité de sa

199

carrière de son amour de ses souffrances la supériorité de son viol.

Elle pense à la guerre comme à la guerre mais c'est une façon de parler ce combat-là n'a rien d'humain c'est la lutte de deux femelles, une curée, un carnage, elle le sent bien que V veut la déchiqueter, la mettre en pièces — je voudrais qu'elle soit morte — et elle-même franchement en a autant à son service la nature intrinsèquement pacifique de la femme laissez-moi rire, des femelles avant tout et quand elles ont des petits c'est pire, quand elles ont des petits c'est là qu'elles deviennent dangereuses, c'est là qu'elles ont la rage, c'est là qu'elles peuvent tuer.

Juliette sourit à Jean-Christophe. À présent que la décision est prise, elle se sent plus légère. Le serveur apporte leurs plats. Elle attaque le sien avec appétit.

Elle rappelle cependant un peu plus tard, histoire de vérifier (certes, en tant que père elle lui fait totalement confiance, mais) :

a) qu'Olivier ne s'est pas débrouillé pour convaincre Yolande de rester

b) ou même qu'il ne s'est pas barré une fois les enfants endormis.

Ces derniers temps, elle n'est plus sûre de si bien le connaître.

C'est lui qui décroche. Yolande est rentrée chez elle.

200

Parfait, dit Juliette. Et elle ajoute : Je voulais juste m'assurer qu'il y avait bien quelqu'un avec les enfants.

Il ne relève pas la provocation. Il enchaîne :
Je viens de rappeler chez V. Ça ne répond plus. Elle doit être couchée.

Elle raccroche sans plus de commentaire. Le reste de la soirée avec Jean-Christophe se passe presque gaiement. Ils parlent, s'attardent à table. Jean-Christophe qui est en scooter boit peu, alors elle descend presque toute la bouteille seule. À la fin du dîner elle rit aux éclats et le regarde avec reconnaissance, lui qui la connaît si bien mais qui ne la juge pas, qui ne lui a jamais fait de mal. Dans des moments pareils l'amitié semble d'une qualité si supérieure à l'amour, et surtout à la passion amoureuse, qu'on se demande vraiment pourquoi les gens s'acharnent à vivre en couple.

Lorsqu'ils quittent le restaurant, Juliette n'a toujours aucune envie de rentrer chez elle, alors Jean-Christophe lui fait faire un tour dans Paris en scooter, il conduit vite et bien, avec des accélérations rapides, elle l'entoure de ses bras et se serre fort contre son dos, elle sent ses muscles et ses os, la chaleur d'un corps adulte et palpitant contre le sien, sans aucune arrière-pensée sexuelle, c'est fou comme c'est apaisant. Elle regarde les rues qui défilent, le vent caresse ses jambes nues. Elle est bien, comme elle ne l'a pas été depuis plusieurs semaines.

Quand elle met la clé dans la serrure de son appartement il est minuit moins une.

Les lumières de l'entrée sont allumées mais elle ne voit pas Olivier. Il doit être en train de lire dans le salon. Elle va directement dans la cuisine pour prendre son antibiotique, se sert un verre d'eau à l'évier. Quand elle se retourne Olivier est dans l'encadrement de la porte. Il fait la tête que font les acteurs dans les films quand le gentil héros pour se défendre ou par accident vient de commettre un meurtre et qu'il va vers sa femme, hébété, le couteau plein de sang encore à la main. Il ne dit rien. Elle non plus. Elle ne veut pas poser de question. Alors il va s'effondrer dans le fauteuil de l'entrée, met son visage dans ses mains avant de relever la tête et de la regarder. Elle l'a suivi jusqu'au seuil de la cuisine et attend en buvant son verre d'eau à petites gorgées. Elle observe son mari avec distance, d'un œil critique, et juge sa prestation un peu trop théâtrale. Elle n'a plus peur de ce qu'il va lui annoncer. Et même, elle a l'impression délicieuse qu'elle s'en fout, qu'elle est prête à tout entendre.

Elle est venue, dit-il.

Elle ne tressaille pas. Le regarde fixement.

Elle a frappé, j'étais en train de coucher les enfants, j'ai regardé par l'œil de la porte, elle était sur le palier. J'ai téléphoné à Tristan, il attendait dans une voiture en bas, il a dit je n'ai rien pu faire pour l'en empêcher. Je voulais qu'elle arrête de frapper alors j'ai entrouvert, à peine, je lui ai demandé de rester là le temps que Johann et Emma s'endorment, elle s'est laissée tomber sur le paillasson. Ensuite elle est entrée, je l'ai assise dans ce fauteuil — il montre le fauteuil sous lui, celui en lin naturel qui est le préféré de Juliette, son cadeau d'anniversaire, elle se l'est fait offrir parce que c'était le seul moyen de convaincre Olivier de l'acheter, il le trouvait trop cher — elle n'est pas allée plus loin que l'entrée je te le jure.

Il la regarde d'un air suppliant et plein de reproche, elle continue à se taire et son silence ne dit rien qui vaille. Il s'énerve.

Qu'est-ce que je pouvais faire d'autre, dis-le-moi ! Son psy l'a appelée sur son portable pendant qu'elle était ici, il l'a engueulée, mais elle n'était pas en état de l'entendre, elle a jeté son portable par terre. Pour finir Tristan est monté, il a dit ça suffit maintenant, je suis descendu avec eux pour l'aider à la mettre dans la voiture — j'ai laissé les enfants seuls, cinq minutes à peine. Dès qu'on a été dans la rue on l'a lâchée, elle a essayé de se jeter sous une voiture devant nos yeux.

Juliette écoute.
Tu l'as fait entrer ici alors que les enfants dormaient, dit-elle d'une voix égale.

Il prend son air exaspéré.
Qu'est-ce que tu voulais que je fasse, Juliette. Tu as

entendu ce que je t'ai dit? Elle s'est jetée sous une voiture DEVANT MES YEUX.

Devant tes yeux, bien sûr, soupire-t-elle, soudain épuisée, très calme. La prochaine fois qu'elle vient ici, je te préviens, j'appelle les flics.

Il la regarde comme si elle avait prononcé une obscénité. Ça ne va pas, non mais tu t'entends, tu entends ce que tu dis?

Elle se lève.

Je suis sérieuse. Maintenant c'est chacun pour soi, chacun sauve sa peau. Je vais me coucher, j'ai mon entretien annuel avec Chatel demain.

Elle se dirige vers la chambre. Il la suit.

Elle répète sans hausser le ton : Olivier, je veux vraiment dormir.

Il la regarde avec son air de bête traquée. Je ne comprends pas comment tu peux me traiter comme ça. Qu'est-ce que je t'ai fait?

Elle ricane faiblement.

Ce que tu m'as fait.

21

Juliette appela Florence dans l'après-midi du lendemain. Elle avait limité les dégâts lors de son entretien avec son DG, mais elle se sentait épuisée. Chatel, racontat-elle à Florence, avait gardé comme toujours la porte de son bureau grande ouverte pendant toute la durée de leur tête-à-tête, ça l'horripilait cette impression qu'il avait peur d'elle, comme si elle était une panthère prête à bouffer son dompteur, tandis qu'avec Pissignac il s'enfermait pendant des heures pour lui dire Dieu savait quoi.

Florence riait. Juliette lui demanda si Paul voudrait bien lui renouveler son ordonnance de Lexomil, et aussi si elle pouvait venir se reposer un peu chez eux en fin de journée, en sortant du boulot. Florence lui répondit, bien sûr, de passer quand elle le voulait.

La nuit précédente, après leur discussion, Olivier avait quitté leur chambre en claquant la porte. Il avait dormi tout habillé sur le canapé du salon. Au matin elle lui avait dit :
J'ai réfléchi. En ce qui me concerne cette histoire est terminée. Je ne veux plus en entendre parler. Donc je voudrais que tu prennes quelques affaires, que tu partes de la maison et que tu ne reviennes que quand tout sera fini. Quand je pourrai être sûre que cette fille ne va pas débarquer chez moi dès que j'aurai le dos tourné.

Il avait répondu, l'air fermé :
Je ne comprends vraiment pas pourquoi tu réagis comme ça. Pourquoi maintenant, je veux dire. Ce que j'ai fait hier, c'était dans la continuité de ce que je fais depuis des jours et des jours pour que ça s'arrête. Tu sais, on n'a pas batifolé.

Sans doute, avait-elle répondu. Mais ça m'est égal. Je

t'ai toujours dit que j'avais des limites, que je ne les connaissais pas moi-même. Eh bien voilà, c'était là. Maintenant je dis stop. Chacun pour soi. Moi je protège mes enfants, et je me protège aussi désormais puisque personne ne le fait pour moi.

Il avait répondu, glacial :

Très bien, si c'est ce que tu veux. Je peux quand même faire déjeuner les enfants ou il faut que je parte tout de suite ?

En sortant de Galatea ce jour-là pour se rendre chez Florence, Juliette n'eut pas la force de s'enfoncer dans le métro. Elle prit un taxi. Elle avait perdu six kilos en trois semaines, elle avait les joues creuses, les yeux cernés. Paul qui était venu la saluer entre deux consultations marqua un temps d'arrêt en la voyant. Elle lui demanda s'il voulait bien lui refaire une ordonnance d'anxiolytiques. Il hésita et s'assit en face d'elle, préoccupé.

Vous en êtes où, avec Olivier ? lui demanda-t-il.

Je vois les choses plus clairement, il me semble, répondit-elle. Ce n'est pas qu'une histoire de jalousie. Ma conviction est que cette fille est folle et malfaisante. Je veux qu'elle disparaisse de ma vie. Et lui aussi, si elle est toujours dans la sienne. Je me sens soulagée, maintenant que ma décision est prise.

C'est vrai. Tu as l'air de te sentir mieux, approuva Florence.

Paul la regarda comme si elle était cinglée. Elle soutint son regard.

Je t'assure, insista-t-elle, elle a meilleure mine.

206

Il renonça à la contredire et se contenta de secouer la tête de droite à gauche, imperceptiblement. Juliette, elle, décocha à Florence un vrai sourire, le premier depuis son arrivée. Son visage retrouva aussitôt un peu de vie et de douceur, ce qui conforta Florence dans sa théorie du pouvoir performatif des mots, à laquelle Paul qui avait fait douze ans de psychanalyse refusait évidemment d'adhérer.

Aussitôt il contre-attaqua.

Maintenant il va falloir te reprendre physiquement. Tu fais peur à voir.

Juliette perdit son sourire. Des larmes montèrent à ses yeux. Florence jeta à Paul un regard sévère. Il se tut, penaud, reconnaissant sa défaite.

Tu as eu des nouvelles d'Olivier, depuis ce matin?

Juliette eut un haussement d'épaules désabusé.

J'ai reçu un SMS en arrivant au bureau : « Fais-moi confiance. Je te rappelle cet après-midi. Ma vie c'est toi. » Et depuis tout à l'heure il n'arrête pas d'appeler. Je viens de couper mon téléphone.

Tu veux aller t'allonger un peu? proposa Florence.

Je veux bien, répondit Juliette en se levant docilement. J'ai l'impression qu'il y a des semaines que je n'ai pas fermé l'œil, je n'en peux plus.

À peine s'était-elle étendue sur leur lit qu'elle s'assoupit. La sonnerie du téléphone fixe la réveilla. Elle essaya de se rendormir en vain, puis se résigna à se lever et rejoignit Florence et Paul au salon.

C'était Olivier, lui dit Paul. Il voulait savoir si par hasard tu étais ici. Je lui ai dit que tu te reposais.

Juliette soupira. Au même instant la sonnette de l'entrée retentit.

J'y vais, dit Paul.

C'était à nouveau Olivier, cette fois en chair et en os. Il sourit à Paul de cet air à la fois gêné et un peu fier qu'il arborait depuis le début de cette histoire en face des gens qu'il savait être au courant. Paul ne lui rendit pas son sourire et se contenta de lui serrer la main, puis s'effaça pour le laisser entrer. Florence se dirigea vers eux et embrassa Olivier sur la joue, avant de se souvenir opportunément d'un truc urgent qui l'appelait dans la cuisine. Paul, quant à lui, avait déjà disparu.

Olivier resta debout un instant en silence devant Juliette qui, assise sur le canapé, n'avait pas bougé. Avec un haussement d'épaules résigné, elle lui désigna la place auprès d'elle.

Assois-toi.

Il obtempéra, gardant un silence que Juliette jugea vite ridicule et qu'elle se força à briser.

Alors, tu en es où ?
Tu veux que je te raconte ?
Puisque tu es là.

Il raconta. Il avait vu V le matin, lui avait donné rendez-vous dans un square. C'est en marchant vers ce rendez-vous, crut-il utile de préciser, qu'il avait rédigé ce

208

texto à l'intention de Juliette — « Fais-moi confiance, ma vie c'est toi » — avant d'éteindre son portable pour quelques heures, de peur qu'elle ne cherche à le joindre.

À cet instant du récit, Juliette eut un petit soupir, qu'Olivier ne sembla pas remarquer. Ou s'il le remarqua, il n'en comprit pas la raison.

Avec V, ils avaient parlé longuement, calmement. C'était vraiment bien, dit-il, malgré le fait que ça avait mal commencé.

Pourquoi mal commencé ? demanda Juliette.

Juste avant, j'avais téléphoné à Tristan pour lui demander s'il avait le numéro de téléphone de son psy. Ce connard n'a rien trouvé de mieux que d'appeler V pour lui dire que je voulais la faire interner.

Pas une mauvaise idée, dit Juliette.

Olivier ignora l'interruption. Lors de cette discussion il avait été plus clair avec V, affirma-t-il, que jamais auparavant, lui redisant qu'avec Juliette, dix ans plus tôt, et quoi que V s'obstinât à imaginer, ç'avait été aussi une vraie rencontre.

Juliette le coupa à nouveau. Comme toujours, elle soupesait chacun de ses mots à lui, bien qu'elle sût parfaitement à quel point cela l'exaspérait.

« Quoi qu'elle s'obstine » ? Pourquoi ? Qu'est-ce qu'elle s'imagine ?

Je n'en sais rien. Mais je suppose qu'elle croit que toi et moi, c'était un peu un mariage de raison.

Génial, dit Juliette. Continue.

Je lui ai redit que ma vie c'était toi, qu'on avait construit des choses ensemble et que je ne voulais pas perdre ça. On a passé en revue les moments où j'avais déconné, où j'avais été irresponsable, quand on — quand j'avais planifié ce voyage à Rome, quand j'avais dit des choses, ou que je l'avais laissée en dire, qui avaient pu lui faire supposer que bien que j'aie toujours dit que je n'étais pas en train de quitter ma femme, c'était quand même une issue possible.

Par exemple ? demanda Juliette, pensant à cette phrase que V avait dite : « Je voudrais qu'elle soit morte », et qu'Olivier n'avait pas relevée.

Par exemple quand elle disait : Je n'ai jamais été aussi heureuse.

Tu lui répondais : Moi non plus ?

Non, je ne lui ai pas dit ça. Non, je ne pense pas lui avoir jamais dit ça. Mais c'est vrai que dans les premiers élans amoureux j'ai dû lui dire que je retrouvais des choses que je n'avais pas vécues depuis très longtemps, oui, ça c'est vrai.

Elle hoche la tête en silence, triste d'une tristesse infinie.

Et puis aussi, le fait que je t'en aie parlé si vite, elle m'a dit que ça lui avait donné l'impression que je n'étais pas le genre de mec qui a une maîtresse pendant des années mais qui ne quitte jamais sa femme.

Il hésite un peu avant de poursuivre.

Je lui ai dit aussi que j'avais pu lui dire des choses que je ne lui dirais plus maintenant, à propos de sexe, notamment.

Ah, dit Juliette.

On a constaté tous les deux ces dernières fois qu'on a fait l'amour que ça n'avait jamais été aussi bien entre nous.

Non, pas tous les deux, pense Juliette. Moi, je n'ai pas constaté ça. Mais elle a l'habitude qu'il croie savoir mieux qu'elle ce qu'elle ressent.

Même au début? demande-t-elle, à nouveau.
Non, jamais, répond Olivier. Je le lui ai dit… (hésitation, à nouveau. Il bafouille)… Je lui ai dit que ces derniers jours avec toi aussi ç'avait été… (inaudible)… que toi aussi tu pouvais… (inaudible)… Bref, je lui ai dit que la semaine prochaine elle aussi pouvait tomber sur un type avec qui ce serait aussi formidable.
Juliette n'a rien compris, pourtant ça a de l'importance, elle essaie en vain de lui faire répéter. Elle se rend bien compte de l'effort surhumain que c'est pour Olivier de parler de ça, il a l'air excédé.
Oui, enfin, que ça pouvait se trouver, quoi.

Elle renonce.
Et donc?
Et donc, on est tombés d'accord qu'il fallait laisser passer du temps. Elle a effacé mon numéro de son portable sous mes yeux. (Comme en écho une phrase revient à Juliette : Elle s'est jetée sous une voiture DEVANT MES YEUX ! Quel théâtre, lui dira Flo plus tard — et c'est vrai que V doit avoir le numéro d'Olivier en 379 exemplaires minimum dans ses textos et son journal des appels.)

Combien de temps ? demande Juliette. Pour toujours ?

Non, répond Olivier, on n'a pas dit pour toujours. Ça semblait clair qu'il s'agissait de laisser passer l'été mais on ne s'est pas donné rendez-vous en septembre non plus. Maintenant la question est : je ne sais pas si je dois faire suspendre ma ligne ou pas.

Juliette a un petit gloussement de surprise.

C'est un peu radical, non ? dit-elle.

Olivier fait craquer ses doigts, nerveusement.

Oui, mais bon ce serait un signal clair. Enfin je ne sais pas. On verra.

Un temps.

À part ça elle m'a montré ses analyses. Donc, elle a bien le truc, là, le machin, comme toi…

Le contraire m'eût étonnée, dit Juliette.

… et elle est HIV négative.

Enfin une bonne nouvelle.

Olivier la regarde perplexe, ne sachant trop que penser de son attitude. Elle lui sourit. Il reprend, encouragé :

Tu comptes faire quoi, maintenant ? Tu vas rentrer à la maison ?

Bien sûr. Embrasser mes petits lapins.

Bon, alors je vais passer prendre des affaires et puis chercher un hôtel. Ça va encore creuser le déficit, mais au point où j'en suis.

Va chez un copain.

Je n'ai pas de copain, dit-il.

Stéphane.

Olivier secoue la tête.

212

Je n'ai aucune envie de lui en parler.

OK, alors l'hôtel, répond-elle, bien que ne sachant plus très bien à quoi tout ça rime.

Tout de même, la perspective qu'il ne soit pas à la maison quand elle va rentrer la soulage.

Quand il fut parti elle sortit à son tour avec Florence boire un verre en terrasse.

Il n'a pas compris, dit Flo. Il ne va pas comprendre. Et il n'est pas capable de dire « Je ne comprends pas ». Paul et moi on t'a écoutée tous les jours, ce que tu dis est clair, c'est très clair. Paul, quand il lui a parlé, a essayé de lui dire des choses, il a dit oui et à la fin il disait le contraire — et Paul m'a dit qu'il comprenait ce que tu voulais dire quand tu disais qu'il ne t'écoutait pas, qu'il ne t'entendait pas.

Juliette acquiesçait sombrement.

Quand est-ce que sa mère est morte, déjà? demanda Flo.

L'année avant notre mariage.

Hon, hon, fit-elle. En plus, tu es devenue mère, ça change beaucoup de choses, pour les hommes.

22

Olivier n'était pas parti.

Quand Juliette était rentrée chez elle le soir, il semblait avoir respecté sa promesse. Le tiroir qui contenait ses chaussettes et ses sous-vêtements était resté entrouvert et le petit sac de voyage bleu avait disparu.

Juliette avait passé la soirée seule avec ses enfants, calme et disponible pour la première fois depuis des semaines. Avec Emma ravie, elle avait joué aux sept familles tandis que Johann, lové contre elle, suçant son pouce, s'endormait sur ses genoux.

Puis elle s'était couchée et endormie comme une masse. Pendant la nuit elle s'était réveillée plusieurs fois en sursaut, avec l'impression d'entendre des bruits dans l'appartement. Elle s'était forcée à ne pas bouger. Les bruits provenaient sûrement de l'appartement du dessus ou du dessous, cet immeuble était tellement sonore. Elle n'avait plus l'habitude de dormir seule, voilà tout.

Au matin Olivier entra dans la chambre, en peignoir, le sourire aux lèvres et un mug à la main, lui apportant son café comme si de rien n'était. Elle le contempla ahurie. Il stoppa net.
Tu n'as pas eu mon message ?
Non.
Je te disais que je serais là pour le petit déj' des enfants

ce matin. J'ai attendu que tu sois couchée pour rentrer, j'ai dormi sur le canapé. J'avais beau faire, je ne voyais pas bien pourquoi je ne devais pas être là. Cette fois V a compris. Il n'y a plus aucun danger qu'elle recommence.

Elle ne fit pas de commentaire et prit son café en le remerciant, sans émettre d'objection. Il pouvait rester, cela n'avait aucune importance, elle avait décidé d'aller passer le week-end chez une de ses amies d'enfance, en Bretagne. Elle passerait juste à la maison prendre les enfants en sortant du travail, avant de partir pour la gare.

Ça fait des mois qu'Élisabeth m'invite et tu ne peux pas l'encadrer. Du coup je ne la vois plus jamais.

Olivier eut l'air contrarié mais ne protesta pas, sentant qu'il avait peu de chances de la faire changer d'avis. De toutes les copines de Juliette, Élisabeth était effectivement celle qu'il aimait le moins. Il la trouvait sèche et mordante, égocentrique, et son homosexualité affichée le mettait mal à l'aise. Élisabeth par ailleurs lui rendait largement l'antipathie qu'il éprouvait pour elle et s'en cachait à peine. Il s'alarma de l'influence que leurs conversations pourraient avoir sur Juliette. Celle-ci haussa les épaules.

Ne t'inquiète pas, je n'ai pas l'intention de lui parler de nos histoires. Je sais déjà ce qu'elle en penserait et je n'ai pas envie de l'entendre.

215

Elle passa dans la petite maison de granit de son amie Élisabeth un week-end suspendu, hors du temps, qu'elle vécut comme un aperçu de ce que serait son existence si Olivier et elle finissaient par se séparer. Élisabeth n'avait pas d'enfant. Elle enseignait le français dans un collège du Morbihan et vivait seule au milieu de ses livres et de ses chats. Elle était très bavarde, très intelligente et très drôle — méchamment drôle. Étendues sur des chaises longues dans son jardin fleuri, Juliette et elle eurent de longues conversations sur des sujets variés bien que tournant tous autour d'un même thème — la vie d'Élisabeth, les amours d'Élisabeth, les élèves et les collègues de travail d'Élisabeth — entrecoupées de marches sur les sentiers côtiers. Le prénom d'Olivier ne fut pas mentionné une seule fois, et en conséquence, Juliette retrouva une insouciance et une gaieté depuis longtemps perdues. Elle rit beaucoup. Quant à Emma et Johann, ils passèrent un week-end inoubliable grâce à la présence des chatons que Minette, l'une des chattes qu'Élisabeth avait adoptées, venait de mettre au monde.

Le dimanche soir, ils arrivèrent à Paris très tard, après un voyage de plus de huit heures. La gare de Laval était en feu. Tous les trains avaient été détournés sur Nantes. Lorsqu'ils descendirent enfin sur le quai, les petits morts de fatigue ne tenaient plus debout. Juliette eut toutes les peines du monde à les traîner jusqu'à un taxi pour rentrer à la maison. Olivier les attendait, très énervé. Elle lui avait envoyé un texto pour le prévenir de leur retard. Il lui avait laissé plusieurs messages en lui demandant où ils étaient, proposant d'aller en voiture les chercher, mais elle ne les avait entendus qu'une fois arrivée à Montparnasse. Lorsque le taxi s'arrêta devant leur immeuble Olivier était sur le trottoir. Tandis que Juliette payait le chauffeur il ouvrit la portière et s'empara d'Emma endormie sur la banquette. Puis il saisit la valise et ensemble ils montèrent l'escalier, Juliette portant Johann dans ses bras.

Lorsque enfin les enfants furent couchés, Juliette se laissa tomber sur le canapé du salon, épuisée.

Et toi, ton week-end?
Olivier semblait toujours stressé. Il eut un geste de la main pour éluder la question.
Presque rien.
Presque?
Elle m'a appelé deux fois aujourd'hui. La deuxième fois je venais d'apprendre que les trains étaient détournés, je ne savais pas où tu étais avec les enfants, j'attendais que tu me rappelles, je ne voulais pas bloquer la ligne. Elle l'a très mal pris, elle a cru que j'inventais n'importe quoi.

Juliette resta un instant silencieuse. Puis elle expliqua calmement à Olivier ce qui s'était passé en elle depuis le mercredi soir précédent, puisqu'il ne semblait pas en avoir une idée très claire.
Maintenant, tu comprends, ce n'est plus simplement une histoire entre elle et toi. J'ai compté, depuis une semaine il n'y a pas un jour où elle ne se soit immiscée dans ma vie, dans mon intimité, elle nous suit au théâtre,

elle m'appelle au bureau, elle vient chez nous, elle est allée à Aubigny…

Je sais, dit-il. Et tu as raison, ce n'est pas admissible. D'ailleurs, si elle continue, je le lui ferai savoir. J'ai bien compris comme ça le fait que tu me demandes de partir. Si c'est nécessaire, je suis prêt à m'installer ailleurs demain jusqu'à notre départ en Toscane. (Il eut une brève hésitation.) Enfin, s'il est toujours certain que nous partons en Toscane ?

Juliette, durant le week-end, avait réfléchi à la question.

Oui, répondit-elle, cela me semble certain. À moins bien sûr qu'il ne se passe d'ici là des événements exceptionnels, que je ne peux même pas envisager.

Cette réponse ne parut pas rassurer Olivier. Il se mordillait les ongles.

En théorie il n'y en a plus que pour vingt-quatre heures.

Vingt-quatre heures ?

Elle part en vacances mardi.

Mmmm, fit Juliette. En théorie. Qu'est-ce qu'elle te voulait, ce soir ?

Que j'aille la voir chez elle. Évidemment.

Évidemment.

Juliette sentit une onde de panique l'envahir.

Elle doit être en période d'ovulation.

Elle ne plaisantait pas. Elle poursuivit, gravement :

Olivier. Si tu la revois d'ici notre départ. Ne fais pas l'amour avec elle. Elle veut se faire faire un enfant, j'en suis sûre. Je sais que tu ne crois pas cela possible, mais tu ne sais pas de quoi sont capables certaines femmes. Fais confiance à mon instinct. J'en suis sûre.

Je sais, répondit Olivier à sa grande surprise. Elle veut un enfant de moi. Elle me l'a déjà dit plusieurs fois.

Juliette se cacha le visage dans les mains. Pourvu qu'il ne soit pas trop tard, pensait-elle.

Olivier lui passa un bras autour des épaules, la força à le regarder.

N'aie pas peur, Juliette. Moi aussi j'ai réfléchi ce week-end. Je suis très clair sur certaines choses : je ne veux plus qu'on se voie, elle et moi, pour le moment. Encore moins que nous couchions ensemble. Mais je sais aussi que je ne veux pas et que je ne peux pas être brutal, ou violent avec elle. Je crois que je connais les mots qui arrêteraient tout, mais je ne les dirai pas, même si cela doit prendre plus de temps. Elle est fragile, je dois la ménager. Si j'ai eu ces deux ou trois jours de « répit » — c'est un peu insultant vis-à-vis d'elle de dire les choses comme ça, mais bon — je sais que c'est parce que j'ai parlé avec elle jeudi matin. Je suis plutôt confiant, je pense que dans deux mois les choses auront changé pour elle, pour moi aussi.

Tu crois ?

J'en suis sûr. En plus de la déception amoureuse, il y a aussi, pour elle, l'humiliation. Cela lui passera.

Elle hocha la tête.

Si tu le dis. Allons nous coucher.

Ils se levèrent tous deux et se dirigèrent vers leur chambre. Sur le seuil, elle l'arrêta.

Pourquoi tu ne veux pas me quitter? Ce serait tellement plus simple.

Il sourit, taquin.

C'est vrai. Par lâcheté peut-être?

Peut-être, répondit-elle, sérieusement.

Mais non, je ne crois pas. Parce que j'aime ma vie avec
toi, parce que je crois que nous avons encore des choses
à faire ensemble.

Il sourit encore, ironique : Peut-être que j'aime ma
femme, après tout. C'est possible.

Ils n'en avaient l'intention ni l'un ni l'autre mais
aussitôt dans leur lit, poussés par quelque chose qui
n'était pas du désir, mais qu'ils n'auraient pas su
nommer, ils se mirent à faire l'amour. Ensuite elle se
sentit triste. Elle avait envie de pleurer. Sachant qu'elle
ne dormirait pas, elle tendit la main vers sa boîte de
Lexomil.

Olivier fronça les sourcils.

C'est bien la peine de faire l'amour, dit-il.

Elle n'avait pas joui, le lui dit.

Pourquoi? demanda-t-il.

Je n'en sais rien, mentit-elle. Mais ce n'est pas grave,
c'était bien quand même, je jouirai la prochaine fois.

C'est pour ça que tu es triste? dit-il.

Non, répondit-elle. J'étais triste avant. Cela fait un
moment que je suis triste.

Olivier était tendre, comme toujours après l'amour.
Encore un des griefs de Juliette contre lui, car cette ten-

220

dresse achetée par le sexe ne valait à ses yeux pas grand-chose. Elle la voyait comme purement mécanique, une forme à peine améliorée de reconnaissance animale. En quoi elle avait tort, peut-être, comme Olivier avait tort de croire que les mots d'amour ne comptaient que lorsqu'ils étaient spontanés.

Ce serait plus facile pour moi si j'avais l'impression que tu m'aimais, finit-elle par avouer.

Mais je t'aime, Juliette.

Je ne sais pas. Tu ne me le dis jamais.

Je te l'ai dit, là.

D'un air convaincu, je veux dire.

Tu as l'impression que je ne t'aime pas?

Oui, souvent. Tu me donnes pas mal de preuves d'amour et en même temps tu me donnes souvent l'impression que tu ne m'aimes pas.

Il fixa le plafond, pensif.

C'est drôle. Elle me dit exactement le contraire. Elle ne doute pas une seconde que je l'aime, elle. Elle me reproche seulement de ne pas lui en donner la preuve.

Juliette ne répondit pas. Il se tourna vers elle pour la regarder, et vit qu'elle s'était endormie.

23

Le lendemain soir, lundi, Olivier rentra à la maison épuisé et livide. Lui aussi, physiquement, commençait à accuser le coup. V l'avait harcelé au téléphone toute la journée, exigeant qu'ils se voient, menaçant de parler de nouveau à sa femme. J'ai gardé tous tes SMS, avait-elle dit. Il y a des mots, des gestes qui engagent. C'est trop facile de faire comme s'ils n'avaient jamais existé. Olivier n'était parvenu à la calmer qu'en lui fixant rendez-vous pour le lendemain.

Tiens donc. Elle ne part plus en vacances? demanda Juliette, l'air de ne pas y toucher — c'était facile, mais elle ne put résister.

Elle a repoussé son départ. Elle ne s'en va que mercredi, finalement.

Juliette secoua la tête. Elle s'y attendait.
Inutile de compter là-dessus. Elle ne partira pas tant que tu seras à Paris.

Olivier se prit la tête dans les mains, angoissé.
J'ai peur, dit-il. Je le sens mal. Ça va être l'horreur jusqu'à notre départ.

Juliette réfléchit un instant.

Tu as des rendez-vous prévus pour le boulot cette semaine? demanda-t-elle.
Il secoua la tête.
Non, rien.
Pars, dit-elle. Pars demain matin avec les enfants, je te rejoindrai dès que je le pourrai.

C'est pas con, répondit-il après un instant de réflexion.

Ils passèrent la soirée à organiser la fuite. L'« exfiltration », disaient-ils, histoire de détendre un peu l'atmosphère. Juliette était très calme, lui avait l'air perdu, s'en remettait à elle. Juste après avoir fait cette proposition, elle était allée dans la salle de bains pour se laver les mains. Il l'avait suivie, s'était assis sur le bord de la baignoire, recroquevillé.

Je ne sais pas, avait-il murmuré.

Appelle Thierry, dit-elle, sentant qu'il attendait qu'elle lui force un peu la main.

Je ne sais pas, répéta-t-il. Tu es décidée ?

C'était une question bizarre. Elle l'étudia un moment avant de répondre.

« Décidée » ? Je ne décide pas grand-chose, dans cette histoire. Mais je suis convaincue, oui. C'est comme désamorcer une bombe. Il y a un risque mais quoi qu'il arrive cela arriverait plus tard et ce serait sans doute pire. Au moins, en faisant ça, tu te mets à l'abri d'un nouveau chantage.

Il hocha la tête, partit dans la chambre et en revint à peine une minute plus tard.

Thierry n'était pas là ? demanda-t-elle.

Si, c'est fait.

Déjà ? Qu'est-ce que tu lui as dit ?

Qu'il fallait que je m'en aille, que sinon ça allait être le drame. Il m'a dit bien sûr, bien sûr, écoute, si tu as besoin de parler… Je crois qu'il est assez impressionné par toute cette histoire.

Elle soupira de soulagement, l'entraîna vers la chambre.
Viens faire l'amour.
Je ne sais pas si j'en ai très envie, objecta-t-il.
Peu importe, insista-t-elle, tu n'as besoin de t'occuper
de rien. Tu peux même penser à elle si tu veux, je m'en
fous.

Quand ils furent allongés sur le lit elle le caressa avec
précaution, prête à se faire repousser. Mais comme
d'habitude, comme toujours, et c'était chaque fois pour
elle aussi stupéfiant, quand après quelques caresses elle
osa s'approcher de son sexe, il bandait. Les antibioti-
ques avaient été efficaces, les brûlures n'étaient plus
qu'un mauvais souvenir et ils firent l'amour comme
jamais, du moins pour elle, elle jouit, lui en elle, sans
pouvoir se rappeler la dernière fois où cela avait été aussi
fort. Après elle le serra contre elle, lui caressa les cheveux, souriante.
Dormons, dit-elle. Demain nous nous lèverons tôt
pour faire les bagages.

Quand elle se réveilla vers 6 heures, il était déjà debout
et remplissait sa valise. Elle avait eu peur que la nuit
n'ait changé sa décision, mais non, il semblait plus que
jamais pressé de partir. Elle l'aida à terminer les bagages
avec énergie et efficacité, leva les enfants dans la bonne
humeur. Il lui avait fallu à peine cinq minutes la veille
pour trouver une chambre d'hôtel pour trois personnes,
en Bourgogne — suffisamment loin de Paris pour éviter
des dérapages.

À 8 h 25 elle embrassa les enfants dans la voiture, à 8 h 30 Olivier et eux étaient partis. Juliette remonta se changer pour aller bosser. D'après le plan qu'ils avaient établi, Olivier devait appeler V quand il serait déjà loin de Paris, pour annuler le rendez-vous qu'il lui avait donné la veille. Après beaucoup d'hésitations, il avait pris son portable, et une carte de téléphone. La carte, c'était pour pouvoir téléphoner à V d'une cabine, tout en lui affirmant qu'il n'avait pas emporté son mobile en vacances de façon délibérée, afin d'être injoignable. Il prétendrait que Juliette était avec lui, qu'ils étaient partis tous ensemble vingt-quatre heures plus tôt que son départ à elle — pas de quoi en faire une histoire, avait dit Juliette. Olivier avait approuvé, nerveux.

Au travail, ce jour-là, Juliette se montra d'une efficacité redoutable. Elle proposa à son alter ego commercial de déjeuner avec elle. Dès son arrivée, anticipant un appel de vérification de V, elle avait pris la précaution de demander à la fille du standard, ainsi qu'à ses voisins d'open space, de dire à toute personne inconnue qui voudrait lui parler qu'elle était partie en congé le matin même. Je suis harcelée, avait-elle dit d'un air sombre. Personne n'avait osé lui demander plus d'explications.

Vers 11 heures, Olivier l'appela d'une cabine téléphonique, détendu. Comme prévu, il avait éteint son portable. Il venait de parler avec V, ça s'était bien passé. Elle avait semblé prise de court, lui avait seulement fait promettre de la rappeler plus tard. Ils étaient près de Nemours.

Je ne reste pas longtemps, dit Olivier à Juliette, les enfants sont dans la voiture au soleil. J'ai déjà passé une heure au téléphone tout à l'heure, ils en ont marre.

Juliette raccrocha, sur le moment soulagée. Puis elle se mit à réfléchir et se sentit de plus en plus inquiète. Une heure au téléphone, tout de même. Et en plus, V s'était montrée raisonnable. C'était, du point de vue de Juliette, une mauvaise nouvelle. Depuis un moment déjà, elle avait acquis la confuse certitude qu'Olivier ne s'en sortirait pas sans drame. Si V acceptait la séparation des vacances, cela voulait dire que tout recommencerait à la rentrée. Olivier serait conforté dans la pensée que continuer à lui parler, à la voir, était la seule méthode pour mettre fin à leur histoire en douceur. Cela signifiait des coups de fil depuis la Toscane, des discussions interminables et pour Juliette un enfer au lieu de la parenthèse espérée, à redouter un revirement d'Olivier toujours possible.

Elle se remit au travail avec acharnement, et informa ses collègues que pour des raisons familiales elle partirait en congé le soir même. Elle employa son heure de pause déjeuner à travailler efficacement avec ce cher Pissignac, faisant le point sur les dossiers en cours, lui donnant avec une bonne volonté extrême tous les éléments techniques dont il aurait besoin pour se faire mousser en son absence. C'est fou ce qu'elle était efficace, aujourd'hui, pensa-t-elle. Elle avait peur à chaque instant que V débarque dans le bureau. Pour une raison inconnue d'elle, Olivier avait avoué au téléphone à V qu'il était seul avec les enfants, que leur mère ne les rejoindrait que le lendemain. De ce fait, le sac qu'avait préparé Juliette le matin afin de brouiller les pistes, pensant aller dormir ailleurs, sachant V capable de faire le guet devant leur immeuble afin de vérifier qu'ils étaient bien partis, était devenu inutile.

Olivier la rappela à 16 heures, toujours d'une cabine. Ils étaient arrivés à l'hôtel. Les choses commençaient à se gâter. Il avait rappelé V comme promis et s'en mordait les doigts. Elle était partie en vrille, avait hurlé il ne savait plus quoi au sujet de sa femme. Ne décroche pas ton téléphone dans les minutes qui viennent, avait-il dit, je pense qu'elle va t'appeler. Elle demanda à parler un peu aux enfants, mais il y avait du bruit dehors, ils ne l'entendaient pas bien. Emma lui dit : on te rappellera plus tard de l'hôtel.

Durant toute la journée les nuages s'étaient amassés dans le ciel, la chaleur était devenue de plus en plus lourde. Vers 19 heures, le tonnerre se mit à gronder et l'orage explosa. Des trombes d'eau se déversèrent sur Paris. Après avoir expédié les dernières affaires courantes, Juliette sortit des bureaux de Galatea, rasant les murs, cachée derrière son parapluie. Elle avait peur de rentrer chez elle, regardait toutes les femmes dans la rue, imaginant V dans chacune d'entre elles. Elle détestait se sentir ainsi en situation de faiblesse. Non seulement V savait où Juliette habitait, où elle travaillait, mais elle la connaissait physiquement, tandis qu'elle, Juliette, n'en ayant jamais eu la moindre curiosité, n'avait aucune idée de ce à quoi ressemblait ce qu'il fallait bien nommer sa rivale. Elle avait dit un jour à Olivier, l'air de rien, en passant, elle est sûrement très jolie — je ne sais pas, avait-il répondu, je ne suis pas sûr qu'elle soit vraiment belle, elle fait de l'effet, disons. Elle regardait autour d'elle. Une rousse. Un scooter. Une fois dans le métro elle se sentit un peu en sécurité.

Vingt minutes plus tard, elle descendit de la rame et stationna un peu sur le quai de la station Jaurès, n'osant pas sortir dans la rue. Puis elle eut l'idée d'appeler Yolande qui était venue malgré l'absence des enfants comme tous les soirs, afin de mettre en ordre l'appartement avant leur départ. Elle lui demanda de la rejoindre au café situé juste en face de la bouche de métro. Ensuite elle prit son courage à deux mains, courut jusqu'au bout du quai, monta les escaliers quatre à quatre, déboucha dans la rue et fonça tête baissée s'asseoir dans le bar, dos à la vitre. À Yolande qui ne tarda pas à la rejoindre, un peu surprise, elle offrit de prendre un kir avec elle pour fêter les vacances. Tout en buvant elle ne dit rien et tout, lâcha des pensées équivoques, se comportant comme si la nounou était au courant depuis longtemps de ses affres conjugales. Yolande écoutait avec sympathie. Je suis désolée, disait-elle. Mais vous avez raison de vous battre. Il ne faut pas tout accepter, avec les hommes. Juliette resta pensive. Combien de personnes, depuis le début de cette histoire, lui avaient dit : Il ne faut pas tout accepter ? Je sentais bien que vous n'étiez pas dans votre assiette, poursuivait Yolande. Il faut faire attention aux enfants, eux aussi sentent les choses. Je ne sais pas si vous avez remarqué, Emma est différente depuis quelques jours. Non, répondit Juliette, je n'ai rien vu. Moi si, répliqua Yolande. Elle est tendue, inquiète, elle ne veut plus me dire ni bonjour ni au revoir.

Après deux kirs Yolande voulut prendre le métro et rentrer chez elle. Juliette la retint, la supplia, avant de partir, de la raccompagner jusqu'à l'appartement. Yolande obtempéra. En chemin, elles ne croisèrent personne, et Juliette, se confondant en excuses, permit enfin à Yolande de s'en aller. Une fois sa porte refermée, le verrou mis, elle s'assit à la table de la cuisine et appela l'hôtel. Olivier avait sa voix tendue des mauvaises heures. Nous sommes tous couchés, dit-il. Je voudrais qu'ils s'endorment, ensuite je te rappelle mais je ne resterai pas longtemps.

Appelle-moi dès que tu peux, dit-elle, je voudrais savoir ce qui se passe, je m'inquiète.

Peu après son portable se mit à sonner. Deux fois. Numéro appelant inconnu. Elle ne décrocha pas. Au lieu de ça elle appela Florence depuis le fixe, afin de la tenir au courant des derniers événements. Mais elle s'excusa bientôt de devoir raccrocher car son mobile sonnait à nouveau. Elle le laissa s'époumoner une douzaine de fois dans le vide. Cette fois, on laissa un message. C'était le fameux Tristan, poli, sirupeux, s'excusant de l'incongruité de son appel — je ne sais pas bien comment me présenter, c'est un peu délicat — non, ça, c'était V qui l'avait dit lorsqu'elle avait appelé Juliette chez Galatea, lui disait je suis un ami de Victoire S..., ma démarche vous semblera sans doute incongrue mais auriez-vous l'obligeance de me rappeler s'il vous plaît c'est important je vous en serai très reconnaissant. Va te faire foutre, pensa Juliette, passablement alcoolisée. Allez vous faire foutre tous les deux. Comment ce sombre crétin cet abruti ce sale type peut-il imaginer une seule seconde que j'ai la moindre intention de lui parler ?

Elle mangea le melon que Yolande lui avait préparé, se servit de nouveaux kirs — non ce n'était pas de l'alcoolisme, seulement de l'autodéfense. Au téléphone elle avait dit à Flo de manière décousue, incohérente, je suis prête à tout tu sais, je suis prête à me prostituer pour éviter que cette fille ne lui fasse un enfant, pour que Johann et Emma n'aient jamais à passer un week-end en compagnie de cette folle. Sa voix était pâteuse, le lien entre ses enfants et la prostitution pas très clair, mais on peut supposer que toute cette période pendant laquelle elle avait fait l'amour à Olivier sans réel désir, de manière délibérée, volontaire, utilisant le plaisir qu'elle savait lui donner comme une arme dans la guerre qui l'opposait à V, avait laissé des traces. Pour ce qui est d'Olivier et moi, continuait-elle, on verra, je ne sais même plus si je l'aime encore, parfois j'ai l'impression que je le déteste.

Soudain son portable et le combiné du téléphone fixe, posés côte à côte sur la table, se mirent à sonner en même temps. Juliette resta deux secondes tétanisée à les regarder, la main en l'air, hésitante, planant au-dessus des deux téléphones. Elle était comme hypnotisée. Le portable affichait : numéro appelant inconnu. Le fixe était un modèle plus ancien. Il ne comportait pas d'indicateur d'appel. Décrocher, ne pas décrocher ? Et si oui, lequel? Cela évoquait un jeu, l'une de ces énigmes que Juliette aimait à poser dans le temps à ses amies de pensionnat. Elle trouvait ça enfantin. Il suffisait d'un peu de logique. La majorité de ses camarades donnait sa langue au chat.

Un condamné à mort est enfermé dans une pièce à deux portes. L'une des portes mène à l'échafaud, l'autre à la liberté. Devant chacune des portes, il y a un gardien. L'un de ces gardiens ment toujours, l'autre dit toujours la vérité, mais le prisonnier ne sait pas lequel est lequel. Il a le droit de poser une question à l'un des gardiens avant de pousser l'une des portes. Que doit-il demander pour échapper à la mort?

Après avoir réfléchi une seconde, Juliette se décida. Sa main s'abattit fermement sur le combiné du fixe. Ils étaient sur liste rouge et jusqu'ici, par quel miracle? V ne semblait pas avoir réussi à obtenir le numéro de téléphone de leur domicile.

Elle entendit la terreur dans la voix d'Olivier.

Dis-moi quand tu arrives demain, envoie-moi un SMS. J'allume mon portable au compte-gouttes, je ne veux pas qu'elle se rende compte que je l'utilise. C'est la catastrophe. Je l'ai encore rappelée. Ça s'est très mal passé. Maintenant Tristan me laisse des messages, il l'a ramassée une fois de plus sur la voie publique. Je suis terrorisé. Je fais le mort. Je ne reste pas au téléphone.

Juliette bénit le ciel qu'il soit à quatre cents kilomètres de Paris, coincé avec les enfants, qu'il ne pouvait tout de même pas abandonner là-bas.

Tu as eu des messages, d'elle ou de lui ? demanda-t-il.

Je ne les ai pas écoutés, mentit-elle. J'ai un train pour Mâcon vers 10 heures, mais je ne sais pas s'il y a encore des places.

Dijon c'est bien aussi, dit-il. Envoie-moi un SMS avec le lieu et l'heure de ton arrivée, j'y serai.

Son ton faisait peur. Elle avait envie de lui dire, comme la veille, que ce n'était pas sa faute, elle qui jusqu'alors lui reprochait de ne pas se sentir responsable. Ce n'est pas ta faute, mon amour, tu n'y es pour rien si tu es tombé sur une folle, ça existe je sais on t'a toujours dit le contraire mais c'est parce qu'on n'a pas le droit de le dire, c'est interdit complètement interdit et pourtant c'est vrai, toutes les femmes ne sont pas forcément gentilles, il y en a des méchantes aussi, des mauvaises, ce n'est pas la majorité bien sûr mais il y en a quand même, plein, partout, et les folles alors n'en parlons pas, des folles il y en a encore plus, les folles ça court les rues, ça pullule, je peux t'en parler tu sais, moi-même je l'ai été avant de te connaître, folle, des fois.

Son portable sonna à nouveau. Cette fois c'était sûrement V. Qu'elle crève, pensa Juliette. Et elle se rendit compte avec un peu d'effarement qu'elle le pensait, vraiment. Une semaine auparavant — une semaine ? il lui semblait qu'il y avait des mois — , Olivier lui avait dit : S'il lui arrive quelque chose ce sera fini entre nous, et elle avait eu peur. Maintenant cela lui était égal. Qu'elle crève. Qu'Olivier la haïsse, elle, Juliette, pour la vie, qu'ils divorcent. Mais qu'Emma, que Johann ne passent jamais un week-end avec cette femme.

Il était tard. Elle avait sommeil, alla se coucher. Elle

ferait ses bagages demain. Elle était ivre morte, de toute façon.

Qu'avait dit V, déjà? Les enfants sont capables de tout comprendre. Moyennant quoi Dieu seul savait ce qu'Emma avait pu entendre le soir où V était venue à la maison. Les enfants sont capables de tout comprendre. De quel droit cette femme décidait-elle de ce que ses enfants pouvaient et devaient comprendre? Elle sentait en elle monter la haine et se découvrait louve. Tiens, c'est donc ça, se dit-elle, avant de sombrer dans ce qui ressemblait autant à un coma éthylique qu'à un véritable sommeil.

C'était donc ça.

L'instinct maternel.

TROISIÈME PARTIE

24

Olivier éteignit son portable, sortit la tête de la couette sous laquelle il s'était enfoui pour étouffer ses chuchotements et regarda autour de lui. Il ruisselait de sueur. Il distingua dans la pénombre le visage paisible de Johann, couché à ses côtés dans le lit à deux places. Dans le petit lit voisin, Emma lui tournait le dos, mais elle était immobile et semblait assoupie elle aussi.

Il avait eu un mal de chien à les endormir. Ils réclamaient une histoire et, dans la précipitation du départ, Juliette et lui avaient oublié de mettre dans leur sac leurs livres d'enfants. Olivier s'était creusé la tête en vain. Tous les contes de fées dont il aurait dû se souvenir avaient disparu de son cerveau, encombré qu'il était par des pensées qui n'étaient, elles, pas du tout racontables. Il s'était rabattu sur les chansons. Il avait fredonné les petits poissons dans l'eau nagent nagent nagent et jamais on n'a vu jamais on ne verra la famille Tortue courir après les rats. Mais cela n'avait pas suffi. À bout d'inspiration, il avait éteint toutes les lumières et décrété, d'autorité, le silence. Allongé près de ses enfants dans le noir, les yeux grands ouverts, il avait attendu longtemps qu'ils cessent de s'agiter. Quand leurs respirations, enfin, étaient devenues régulières, il s'était astreint à patienter encore un peu puis, avec mille précautions, s'était enfoncé entièrement sous la couette, malgré la chaleur, avait rallumé son téléphone portable et écouté sa messagerie. Après quoi, il avait appelé Juliette en chuchotant.

C'était un cauchemar.

Il vient d'avoir tour à tour au téléphone deux femmes en larmes, l'une hurlante, en furie, l'autre rendue presque muette par la souffrance qu'elle essaie en vain de lui cacher, de contenir. Il se demande, sidéré, comment ils en sont arrivés là, comment il a pu, lui, déclencher un tel cataclysme.

Il ne se sent pas coupable pour autant.

Il pense que tout ça est la faute de Juliette, la faute de cette phrase qu'elle lui a dite un jour : Je ne suis pas sûre de vouloir vieillir avec toi. Il pense qu'à l'instant où elle a dit ça, elle lui a manqué. Elle qui le connaît mieux que personne lui a manqué à lui, qui a toujours eu en elle, en son amour, une confiance absolue. La trahison a commencé là. C'est ce qu'il pense.

Il en veut à Juliette.

Car Olivier pour garder l'équilibre a besoin de se refléter dans les yeux d'une femme, Juliette le sait très bien. Elle aurait pu prévoir que privé de son regard à elle il allait se sentir tomber, être pris de vertige, se raccrocher au premier regard venu comme on saisit une branche, pour arrêter la chute, pour y prendre appui et tenter de se rétablir.

Mais Juliette n'avait rien vu venir.

La MST avait été la goutte qui avait fait déborder le vase. Quand Olivier avait dit à Juliette elle dit que c'est toi qui me l'as filée Juliette s'était mise à rire, elle avait pris son visage dans ses mains, s'était cogné la tête contre la table, puis elle s'était levée et elle était allée chercher tous les papiers le dossier médical les tests prénuptiaux, les analyses qu'elle avait faites chaque fois qu'elle avait été enceinte, elle les avait balancés devant lui, les lui avait jetés à la figure elle devenait dingue elle aussi d'un seul coup, et là il s'était dit qu'il devenait urgent d'arrêter cette histoire avec Victoire, que ça allait mal finir.

Il se demandait comment faisaient les autres, quelque chose de si léger au départ, les proportions que ça prenait, il ne comprenait pas comment c'était possible.

Emma s'agitait dans son sommeil. Elle geignait doucement. Olivier soupira, ouvrit les yeux et se leva avec précaution pour ne pas réveiller Johann. Il franchit les deux pas qui le séparaient du lit de sa fille et se pencha au-dessus d'elle. La lumière d'un réverbère filtrait à travers les rideaux, éclairant son visage. Emma ne bougeait plus. Elle dormait, la bouche entrouverte, une mèche de cheveux collée par la transpiration à son front. Comme chaque fois qu'il la regardait dans son sommeil, il fut atteint au cœur, bouleversé par la beauté de sa fille.

Il voulut écarter la mèche de cheveux de son front, effleura son visage, sentit son souffle sur le dos de sa main. Soudain la pensée le traversa qu'à cette heure Victoire était peut-être enceinte de lui. Il frissonna, ferma les yeux, se redressa et retourna vers son lit.

Une fois recouché, ses yeux grands ouverts fixés sur le plafond, il tenta de maîtriser l'angoisse qu'il sentait l'envahir et refit des calculs. Sa dernière relation sexuelle avec Victoire remontait au 18 juin — il y avait à peine quinze jours.

En théorie, il avait été prudent. Chaque fois qu'ils avaient fait l'amour, Victoire et lui, il avait mis un préservatif — Victoire en avait une boîte chez elle, dans la table de nuit. Elle l'avait sortie la première fois alors qu'au sommet de l'excitation, les préliminaires déjà bien avancés, il s'était excusé avec un peu de gêne de devoir s'interrompre, faute d'équipement adéquat, car tout cela était pour lui inattendu, totalement non prémédité, et il n'avait pas pour habitude de se trimbaler avec des capotes sur lui. Étendue sur le lit, à demi nue, elle avait jeté son bras au-dessus de sa tête sans cesser de l'embrasser, ouvert le tiroir en aveugle et balancé la boîte sur le lit, tout en prenant soin de lui préciser que, par ailleurs, elle prenait la pilule. Sur le moment, cela lui avait semblé naturel. À présent, il se demandait pourquoi. Pourquoi Victoire prenait-elle la pilule alors qu'elle n'avait avant lui, affirmait-elle, pas eu de relation avec un homme depuis des mois, voire des années? Même si elle avait menti sur ce point, ou préféré passer sous silence quelques rencontres occasionnelles, l'utilisation de préservatifs n'était-elle pas censée la protéger non seulement du sida, mais aussi d'une grossesse non désirée? Sans parler de cette histoire de MST qui — bien qu'il ait fait de son mieux pour le cacher à Juliette — jetait indiscutablement une ombre sur la relation de confiance absolue qu'avait entretenue Olivier jusque-là avec les préservatifs, à défaut de l'avoir encore établie avec Victoire.

Ombre légère, certes, mais persistante.

Ombre qui, dans l'obscurité relative de cette chambre d'hôtel mâconnaise, traversée à intervalles irréguliers par les lumières des phares des voitures qui remontaient l'avenue, s'allongeait jusqu'à prendre des proportions sinistres.

Avec une terreur grandissante, il se souvint d'histoires que racontait Stéphane, qui raffolait de ce type d'anecdotes. Selon lui, certaines femmes prêtes à tout pour se faire faire un enfant sans l'accord de leur partenaire perçaient les préservatifs d'invisibles trous d'épingle avant de les remettre, ni vu ni connu, dans leur emballage.

Devant l'air sceptique de son auditoire, Stéphane en rajoutait sur l'authenticité de l'info : il la tenait d'un gynécologue de ses amis, qui avait mis au point la technique pour une de ses patientes et conseillait même une certaine marque dont les étuis individuels étaient les plus faciles à ouvrir et à refermer sans trace. Lui-même, assurait Stéphane — évidemment ce genre de conversation n'avait lieu que lorsqu'ils étaient entre hommes —, lui-même, donc, n'utilisait que des préservatifs dont la traçabilité directe depuis la pharmacie ne faisait aucun doute, et il conseillait vigoureusement à tous ses amis d'en faire autant. Il recommandait aussi, une fois l'acte consommé, de ne jamais abandonner l'objet sur place, mais de le jeter soi-même dans la cuvette des toilettes, et si ce n'était pas possible, de l'emporter avec soi. Et il sortait de sa poche un article découpé dans un quotidien régional, qui relatait, au hasard des minutes d'un procès criminel, comment une femme s'était inséminée en s'enfonçant un préservatif fraîchement utilisé dans le vagin, juste après le départ de son amant. Autour de Stéphane, ses potes échangeaient des regards médusés, partagés entre l'envie de rire et l'incrédulité. N'importe quoi, disait l'un. C'est possible, ça ? s'effarait un autre. Seul Paul, qui dans l'exercice de son métier entendait beaucoup de choses, ne disait rien.

Olivier, quant à lui, haussait les épaules en souriant. Il n'était pas d'un naturel méfiant. De la part de Juliette, évidemment, un tel comportement aurait été impensable. Mais même avant son mariage, il n'avait jamais été confronté à ce type de femmes manipulatrices, malhonnêtes, que décrivait Stéphane. Il était certain qu'elles n'existaient que dans les imaginations machistes, résurgence des peurs ancestrales que la sexualité féminine éveillait chez l'homme et qui avaient conduit au cours des siècles à toutes les horreurs que l'on sait, de la chasse aux sorcières au tchador en passant par l'excision.

Pourtant, ces derniers jours, un doute s'était insinué en lui.

La dernière fois qu'il avait vu Victoire, il avait insisté pour que leur rencontre n'ait pas lieu chez elle, mais à l'extérieur, dans un square. Elle avait tout fait pour qu'il change d'avis, sans succès, et Olivier avait été surpris de la facilité avec laquelle il lui avait pour la première fois résisté. Bien qu'il n'y ait pas cru sur le moment, il avait en tête les mises en garde de Juliette. Par ailleurs, depuis qu'il avait vu Victoire défigurée par la rage et la douleur, mêlant les menaces aux supplications, vomissant des insultes envers sa femme, hurlant et gesticulant sous les regards éberlués des passants, son désir pour elle avait considérablement diminué. Même ce jour où, tandis qu'elle semblait revenue à peu près à son état normal, ils avaient discuté en marchant dans le square, malgré tous les efforts qu'elle faisait, se collant à lui, pour le convaincre de la suivre dans son appartement, la lueur d'affolement, pour ne pas dire de folie, qu'il percevait à présent dans ses yeux avait découragé chez lui toute pulsion érotique, en dépit de la tendresse qu'il gardait pour elle et qui, insensiblement, commençait à se teinter de pitié.

Il devait se rendre à l'évidence : l'incendie qui avait embrasé ses sens, pendant les quelques semaines qu'avait duré sa relation avec Victoire, était en passe de s'éteindre.

Un incendie, c'était le mot. Violent, dévastateur. Le plaisir qu'il avait ressenti à faire l'amour avec elle, les premières fois, l'avait laissé incrédule et quelque peu perplexe. Était-il vraiment dû à la personne de Victoire ou un simple effet secondaire de ce sentiment de transgression, nouveau pour lui, qu'il éprouvait à tromper sa femme ? À moins que la paternité, le passage de la quarantaine, la frustration accumulée durant ces derniers mois auprès d'une Juliette si lointaine n'aient provoqué en lui cette mue qui lui faisait ressentir la moindre caresse, et même la jouissance, d'une manière plus aiguë que jamais auparavant. C'était, pensait Olivier, allongé dans le noir, cherchant en vain le sommeil, comme si quelque chose s'était déchiré en lui, et Victoire bien sûr s'était engouffrée dans la brèche, n'ayant d'ailleurs jamais douté de son pouvoir érotique, avide de l'exercer sur lui. De son côté, pour le flatter peut-être, elle affirmait n'avoir connu avec aucun autre homme ce qu'elle éprouvait dans ses bras, et n'hésitait pas, pendant l'amour, à le manifester d'une façon qui mettait Olivier un peu mal à l'aise, tout en ajoutant à son excitation.

Il le regrettait à présent mais, sous l'effet de ces sensations inconnues, il s'était, verbalement, un peu laissé aller. Les paroles d'amour qu'elle exigeait de lui avaient coulé toutes seules, les déclarations, les serments, tous ces mots que Victoire avait envie d'entendre, que toutes les femmes ont toujours envie d'entendre et qu'il ne leur avait jusque-là concédés, y compris à Juliette, qu'avec une grande réticence, étaient sortis sans retenue de ses lèvres, s'ébrouant gaiement avec l'enthousiasme et la maladresse de jeunes chiots restés enfermés trop longtemps. Olivier les avait laissés gambader avec une indulgence d'autant plus amusée que Victoire savait très bien qu'il n'était pas libre, qu'il se sentait protégé par le lien qui l'unissait à Juliette, et pensait se livrer pour la première fois de sa vie sans risque, en toute impunité, à la douce ivresse des élucubrations amoureuses, assuré qu'il était que ces mots resteraient sans conséquence. Lorsqu'il avait réalisé son erreur, qu'il avait sifflé les chiots pour les faire rentrer à la niche, il était déjà trop tard. Victoire était certaine d'être la femme de sa vie, et riait de ses atermoiements, de ce qu'elle nommait ses moratoires, convaincue qu'elle était de le tenir, au moins par les sens, ce qui n'était pas tout à fait faux, ou du moins ne l'avait pas été tout à fait au début de leur his- toire, sauf que.

Sauf que, pensa Olivier en se retournant à nouveau dans son lit.

Quand il s'était décidé à parler à Juliette, au retour d'Aubigny, Juliette lui avait sauté dessus — désolé mais c'était le mot, on ne pouvait pas dire ça autrement — et là, bizarrement, ç'avait été la même chose, enfin pas la même chose car avec deux femmes différentes l'amour physique, forcément, est toujours différent, mais le plaisir qu'il avait éprouvé avec elle avait été aussi fort, encore plus fort peut-être, que celui qu'il avait connu avec Victoire, c'était vraiment étrange, pourtant Juliette n'avait rien fait de spécial, c'était la même Juliette, elle n'avait même pas l'air de trouver que quelque chose avait changé dans leur manière de faire l'amour c'est dire, donc il lui fallait bien admettre que c'était lui qui avait changé, que quelque chose s'était déchiré en effet, grâce à Victoire peut-être, mais déchiré en lui, déchiré pour de bon et dans ces conditions, compte tenu de ce fait nouveau, de ce fait tout à fait troublant, il ne voyait plus bien pourquoi, quoi qu'il ait pu dire ou laisser entendre à Victoire, il aurait dû quitter sa femme, d'autant plus qu'il l'aimait toujours, il en était de plus en plus convaincu, en tout cas il aimait faire l'amour avec elle, il aimait leurs enfants et leur vie ensemble, ce qui n'était déjà pas mal, quoi qu'en dise Victoire, c'était déjà beaucoup, cependant que d'un autre côté Victoire et ses crises qu'il fallait bien nommer d'hystérie lui faisaient de plus en plus peur.

Voilà où il en était.

Et c'est ce qu'il avait tenté d'expliquer à Victoire, avec le plus de délicatesse possible, lors de leur dernière rencontre, espérant encore, contre toute vraisemblance, qu'elle finirait par se montrer raisonnable et capable de le comprendre.

Ce qui n'avait pas été le cas, loin de là.

Chacune de ses tentatives pour rompre avait tourné au drame. Loin de lui faciliter les choses, Victoire s'accrochait à lui, se débattait, se tordait de douleur. Il avait l'impression de devoir égorger un agneau, lui qui ne supportait pas la violence, qui avait horreur du sang. Comme un agneau, de surcroît, elle le regardait de ses yeux clairs remplis de larmes, suppliants, sans le moindre reproche, retournant toute sa violence contre elle et surtout contre sa femme, de qui venait tout le mal, sa petite bonne femme qui ne l'aimait pas, ne l'avait jamais aimé, qui ne le méritait pas, qui se servait de l'amour qu'il éprouvait envers ses enfants pour le tenir, pour le mettre sous clé, ce qui rendait plus difficile encore pour Olivier de planter le couteau, de renoncer à cette image idéale de lui que Victoire lui tendait, qu'il voyait se refléter dans ses yeux, dont il allait devoir se séparer en même temps que d'avec elle et qui lui manquait déjà.

Pourtant, il allait bien falloir en finir.

Insensiblement le sommeil commençait à le gagner. Il s'y enfonçait avec soulagement, se berçant de l'illusion consolante que les dernières semaines pourraient être magiquement effacées, que tout cela pourrait n'avoir été qu'un mauvais rêve. Quand tout à coup la pensée le réveilla que si par extraordinaire Victoire — mais non, c'est impossible — si Victoire avait réussi à tomber enceinte de lui — non, non, mon Dieu faites que non, par pitié — les dégâts seraient irréversibles, les dégâts seraient incommensurables, catastrophiques, un tsunami dont il voyait mal comment il pourrait en réchapper.

Il ouvrit les yeux, angoissé, son cœur cognant à tout rompre dans sa poitrine.

Il regarda sa montre. 3 heures. À nouveau il plongea sous la couette, alluma son portable et écouta sa messagerie. Pas de nouveau message. Rien de neuf depuis que Tristan, quelques heures plus tôt, l'avait agoni d'injures, disant qu'il avait empêché Victoire, d'extrême justesse, de mettre fin à ses jours, qu'elle gisait à présent à demi inconsciente sur le trottoir, et qu'il attendait le SAMU.

Il hésita à le rappeler, se décida à n'en rien faire, avec le sentiment très enfoui de se comporter en vrai salopard, à une profondeur heureusement inaccessible à sa conscience. Il éteignit son téléphone, sortit de la couette, se rallongea sur le dos, oppressé, les yeux fixés sur les rais de lumière qui zébraient le plafond, et renonçant à dormir, il se mit à attendre le matin.

25

Son TGV arriva à Mâcon vers midi. Juliette avait tenté d'appeler Olivier au moment de monter dans le train mais son portable était toujours éteint — il l'allumait avec parcimonie et uniquement pour consulter ses messages. Elle patienta un bon moment dans une gare TGV déserte en rase campagne. Enfin Olivier arriva. Dès qu'ils aperçurent leur mère, Johann et Emma coururent vers elle avec de grands cris. Elle les serra dans ses bras.

Puis ils se mirent à la recherche d'un restaurant pour déjeuner, échouèrent dans une pizzeria au bord de la Saône. Dans la voiture, surveillant ses mots en présence des enfants, Olivier s'était contenté de dire à Juliette qu'il n'avait pas eu de messages de V ni de Tristan depuis 21 h 15 la veille. Après quoi ils n'évoquèrent plus le sujet jusqu'au soir.

Ils arrivèrent à Annecy en fin de journée, allèrent se promener au bord du lac où ils s'assirent pour boire un verre en terrasse. Tandis que les enfants jouaient, Olivier raconta enfin à Juliette ses conversations téléphoniques de la veille avec V. Lors du premier coup de fil, il lui avait annoncé qu'il avait quitté Paris, et elle avait ri. C'est après une discussion avec ta femme que tu as eu cette idée? avait-elle demandé. Il avait promis de la rappeler un peu plus tard, c'était une erreur, une vraie connerie, soupira Olivier, car il avait alors compris que dans l'esprit de V ils allaient se revoir dès son retour de Toscane. Quand il lui avait dit que non, que pour lui il s'agissait au moins de laisser passer l'été, Victoire s'était effondrée.

Alors c'est fini, c'est ça? avait-elle hurlé.

Je n'arrive pas à le dire, dis-le, toi, avait-il répondu.

C'est ça que tu veux, que je le dise, tu attends que moi je dise que c'est fini?

Ce serait bien, avait-il articulé avec difficulté. (Il était parvenu à se persuader qu'en laissant à V, au moins formellement, l'initiative de la rupture, il lui épargnerait l'humiliation et lui rendrait ainsi les choses plus faciles.)

La conversation s'était terminée là-dessus. Après, elle lui avait laissé des messages, rappelle-moi, je t'en supplie, puis Tristan à son tour. Ensuite Tristan avait cherché à joindre Juliette — elle vérifia sur son portable l'heure de l'appel, 21 h 15. Après cela, plus rien. Olivier avait l'air tendu à l'extrême, mais d'un autre côté, rien ne l'aurait empêché d'appeler, lui, pour prendre des nouvelles de V. Donc au fond, pensa Juliette, il ne devait pas être si inquiet que ça. Et de fait, une bonne partie de l'angoisse nocturne qui avait étreint Olivier s'était dissipée avec le jour.

J'espère qu'elle s'est calmée, dit-il. J'espère qu'elle va partir en vacances demain. Elle doit aller travailler le concours de l'ENA dans le Midi avec un copain étudiant, qui est aussi amoureux d'elle, d'après ce qu'elle m'a laissé entendre.

Décidément, dit Juliette. Elle a des amis, sinon?

Ils restèrent silencieux un instant, regardant la surface polie et miroitante du lac. Il était encore tôt dans la saison, ils étaient presque seuls sur la rive.

En tout cas j'ai compris, dit Olivier, la différence. Entre dire : « Il faut arrêter c'est impossible », ce que j'ai dit, et dire ce que je ne peux pas dire : « C'est fini. » Je ne peux pas.

À nouveau Juliette se demanda pourquoi c'était si difficile, mais elle s'abstint de tout commentaire.

Alors?

Alors j'ai le projet d'une lettre qu'elle trouverait à son retour.

Qui dirait?

Il faut que je trouve les mots, qui expliqueraient, en gros, pourquoi c'est impossible, tout en rendant justice à notre histoire.

Juliette n'était pas sûre d'avoir bien compris.

À votre histoire, ou à notre histoire?

Notre histoire, oui, chaque fois que j'essaie de lui expliquer, elle dit, alors ce qui s'est passé entre nous c'était rien? Je dois lui dire que non, que ce n'était pas rien.

Juliette n'insista pas. Mieux valait s'en tenir à l'idée générale qu'il avait toujours l'intention de rompre, et ne pas s'appesantir sur des détails pénibles.

Et si malgré la lettre elle t'appelle, qu'elle veut te voir?

Je lui dirai que c'est impossible, j'imagine.

Impossible, toujours. Pas « je ne veux pas ». Non. Des circonstances indépendantes de ma volonté rendent notre histoire impossible.

Le soir, une fois seuls dans leur chambre, les enfants endormis, Olivier alluma son portable et consulta sa messagerie. Toujours rien.

De quatre choses l'une, dit Juliette, qui commençait à trouver bizarre, elle aussi, ce soudain silence.

251

De quatre choses l'une :

Soit il lui est arrivé quelque chose hier soir, elle est à l'hosto dans le coma ou je ne sais quoi, mais je n'y crois pas une seconde. L'ami Tristan ne se serait pas privé de te le faire savoir.

Soit tu as été très convaincant et ils pensent tous les deux que non seulement tu as laissé ton portable à la maison, mais que tu n'écoutes même pas tes messages.

Soit elle pense que tu es un salaud elle a lâché l'affaire nous n'entendrons plus parler d'elle mais ça m'étonnerait beaucoup hélas.

Soit elle a décidé de te faire flipper dans l'espoir que tu la rappelles.

Personnellement, je penche pour la quatrième hypothèse.

J'ai repensé à ce que tu m'as dit tout à l'heure, continua Juliette, et je suis curieuse de savoir comment tu vas lui faire comprendre que c'est impossible entre vous. Parce que c'est assez possible, en fait, si on regarde les choses de manière objective. C'est même tout à fait banal, la fin d'un mariage, ça arrive tous les jours. Surtout si dans le même temps ton principal souci est de rendre justice à votre histoire. Personnellement, il me semble qu'elle n'a pas le moindre doute sur le caractère exceptionnel et remarquable de votre histoire. En revanche, il s'agirait peut-être, si tu veux qu'elle comprenne, de rendre justice à NOTRE histoire à NOUS. Finalement, que croit-elle au juste?

Elle croit que je ne te quitte pas par manque de courage, sans doute. À cause de mon éducation catho, aussi.

Juliette rit.

Ton côté catho? Tu lui as dit qu'on ne s'était pas mariés à l'église, que nos enfants n'étaient même pas baptisés?

Olivier haussa les épaules.

De toute façon la vérité, tu le sais bien, c'est qu'elle n'est pas impossible du tout, votre histoire. Il vaudrait mieux que tu arrêtes de lui dire ça. Sinon, ça va repartir à notre retour.

Tu as raison. Il ne faut pas que ça recommence, dit Olivier. Il faut que j'arrive à lui dire que c'est fini. Mais je n'y arrive pas. Je ne peux pas me dire que je ne la verrai plus. Parce que c'est quelqu'un d'important dans ma vie.

Sage, sage, ô ma douleur. Juliette se força mentalement à bercer l'enfant qu'elle avait été dans ses bras et revint à son obsession.

Tu as couché avec elle depuis la fameuse visite de son appartement?

Non. Non, mais ça, à la limite, ce n'est pas un problème. C'est presque anodin.

C'est tout sauf anodin, c'est comme ça qu'on fait les enfants.

Olivier ferma les yeux.

Je sais, Juliette.

Le lendemain, il n'y avait toujours aucune nouvelle de V. Juliette passa la journée dans l'attente d'un geste, d'un mot tendre. Le soir dans leur chambre elle pleura doucement en attendant Olivier, qui était descendu à la voiture. À quoi bon s'acharner, pensait-elle, cette froideur, cette absence de tendresse, c'était si loin de l'amour dont elle avait rêvé. Le mari fait le mariage, la femme fait la famille. Où avait-elle lu cette phrase? Depuis quelques jours cette maxime stupide lui revenait sans cesse, la torturait douloureusement. Elle se dit à nouveau, pour la millième fois : qu'il s'en aille, après tout. Mais impossible d'imaginer le triomphe de l'Autre, impossible surtout de l'imaginer embrasser Johann et Emma. Olivier lui avait dit la veille en riant que V, sans les connaître, aimait déjà beaucoup leurs enfants. L'estomac de Juliette s'était noué.

Elle pleurait toujours quand Olivier revint. Histoire de gratter la plaie et de souffrir encore davantage, elle courut au choc frontal en le faisant reparler du caractère selon lui « exceptionnel » de cette relation. Il lui redit, c'est vrai, je n'avais jamais connu ce que j'ai connu là, à quarante-six ans, un tel abandon, une plongée dans la tendresse, un élan à dire je t'aime. Elle poussa un cri, se remit à sangloter. Il se leva furieux, fit deux pas vers la porte de la chambre, revint.

Je ne te parle plus, dit-il. Je ne parle plus avec toi.

Mais il y a dix ans, nous avons été amoureux, aussi, non ? Ça n'avait rien à voir ? C'était rien ?

Mais non, dit-il, mais si, peut-être, sûrement, je ne me rappelle pas que ça ait été la même chose mais c'est sûrement mon amnésie qui fait ça.

Plus tard, un peu calmé, il lui dit : Toi, tu es LA rencontre. Celle dont tout a découlé, le mariage, les enfants. Je dis juste que cette rencontre-là, avec elle, celle-là, à quarante-six ans, dans la clandestinité, l'interdit, je ne crois pas avoir jamais rien vécu de similaire, c'est tout.

Abandon, a-t-il dit. Il aurait dit violence, il aurait dit lutte, irrésistible. Il n'a dit qu'abandon. Il ne s'est même pas défendu, n'a pas pensé au mal qu'il allait lui faire un seul instant.

Ils vont se coucher mais Juliette ne peut pas dormir. La pensée l'obsède qu'il ne se souvient pas d'avoir été amoureux d'elle. Et surtout que peut-être la vérité qu'elle s'acharne à ne pas voir est là : il ne l'a jamais aimée. Que ce qu'elle prenait pour une difficulté à exprimer ses sentiments n'était qu'un vrai manque d'amour — que cet amour-là, pour lui, peut-être, est le premier.

Elle se lève pour aller chercher un autre somnifère dans la salle de bains. Qu'est-ce que tu fais ? demande-t-il.

Je prends un somnifère.

Je croyais que tu en avais déjà pris un.

J'ai pris un quart de Lexomil, ça ne suffit pas. Je prends un truc pour vraiment dormir.

Il la suit et s'assied sur le bord de la baignoire, furieux.
C'est bien la peine. Mais pourquoi je fais ça alors, pourquoi je suis là, pourquoi je lui fais ça à elle.

Elle lui dit : Je repense juste à ce que tu m'as dit, que tu ne te souvenais pas d'avoir été amoureux de moi, j'ai du mal.
Je n'ai jamais dit ça.
Il soupire.
J'en ai marre.

Allons dormir, dit Juliette.

La nuit fut longue.

Le jour d'après ils ne parlèrent plus de rien.

C'était plus prudent.

Dans la voiture, en route vers l'Italie, ils écoutèrent des CD d'histoires enregistrées pour les enfants. Y repensant le soir, Juliette se rendit compte que, durant les longues heures qu'avaient duré le trajet, Johann avait ouvert la bouche trois fois.

La première, pour dire : J'aime bien le gratin de pâtes.
La deuxième : Quand on sera rentrés à la maison de Paris, on pourra mettre *Winnie l'ourson*?
La troisième, Juliette avait oublié.

26

Depuis un bon moment la voiture traversait un paysage désolé dans lequel les friches industrielles alternaient avec des zones d'habitations hideuses. Juliette coula un regard inquiet vers Olivier qui, tout en conduisant, tourna le visage vers elle, sarcastique.

Tu es sûre de ton choix, pour cette maison ?

Elle se renfonça dans son siège et fixa à nouveau la route en se mordillant les ongles. Comme d'habitude Olivier ne s'était occupé de rien et lui avait fait confiance pour la location. Après tout c'était elle qui voulait partir au soleil. Quand ils trouvèrent enfin la maison où la propriétaire les attendait, elle respira. La bâtisse était isolée au bout d'un long chemin de terre, elle était simple mais propre, avec un jardin bien plus grand qu'elle ne l'avait imaginé. Des fenêtres du premier, ils avaient vue sur la campagne qui s'étendait au pied d'un village perché sur une colline. Avant de les apercevoir, ils entendirent les clochettes des moutons, qui vaquaient alentour en liberté.

Quand la propriétaire partit, le soleil commençait à descendre. Les enfants avaient faim. Ils décidèrent d'aller dîner au village avant de défaire leurs bagages. Au moment de quitter la maison, le téléphone portable de Juliette sonna, un numéro en 04, inconnu d'elle. Elle ne décrocha pas et sortit dans le jardin, le visage fermé.

Qui c'était? demanda Olivier.

Ta copine, j'imagine, répondit-elle sèchement.

Olivier fit une moue incrédule.

Qu'est-ce qui te fait penser ça?

Tu m'as bien dit qu'elle allait du côté de Nice bosser l'ENA, un numéro en 04, je n'en connais pas beaucoup.

Pourquoi elle n'aurait pas appelé depuis son portable? objecta-t-il, avant de compléter lui-même, ah oui, pour que tu ne reconnaisses pas son numéro.

Après un silence, il ajouta : Elle n'a pas laissé de message?

Preuve s'il en était besoin que sa conviction était faite.

Non, répondit Juliette, V n'avait pas laissé de message. N'empêche, la soirée était foutue.

Tout va recommencer à notre retour à Paris, dit-elle à Olivier. J'en suis sûre.

Je ne pense pas, répondit-il. C'est impossible.

Les jours qui suivirent se déroulèrent tous selon le même rituel. Dans la journée, ils jouaient avec les enfants, allaient à la plage ou visitaient la région. Puis le soir, sous la tonnelle, une fois Johann et Emma couchés, ils parlaient.

Olivier, sous la tonnelle, était son prisonnier.

Juliette abusait de la situation en pleine conscience. Elle le torturait à sa guise des soirées entières, le lapi-

dant de questions que dans le passé il n'aurait pas tolé-
rées plus d'une minute avant de partir en vrille. Il ne
pouvait plus s'y soustraire et, au fond de lui, y trouvait
un certain soulagement.

Sous la tonnelle, Juliette tissait autour de lui sa toile
de mots.

Sous la tonnelle, Olivier se laissait faire.

Le premier soir, il lui dit :
J'étais vraiment convaincu que tu ne m'aimais plus.
Un jour j'ai même pleuré en constatant le vide qui avait
grandi entre nous.
Je n'ai jamais cessé de t'aimer, répondit-elle, mais je
n'étais pas heureuse, je ne savais pas comment te le dire.
Puisque parler ne servait à rien. J'ai dû penser que seule
la peur de me perdre pourrait te faire réagir. Ça a
marché, tu vois.

Après un instant elle ajouta :
Pas tout à fait comme je l'espérais, mais presque.

Dans des moments comme celui-là, il arrive à Juliette
de penser que tout est pour le mieux, même si l'issue de
cette histoire qu'ils sont en train d'écrire lui semble toujours incertaine.
Alors, elle continue à fouiller.
Elle fouille, elle fouille, avec ses mots comme des
petites pelles, des petites pioches.

Est-ce que tu ne crois pas, demande-t-elle, qu'à un moment un amour devient unique parce qu'on l'a choisi, est-ce que tu ne crois pas qu'on décide d'aimer, de continuer à aimer, de ne plus aimer ? Est-ce que tu es d'accord qu'il y a une part de volonté dans l'amour ?

Oui, je suis d'accord avec ça, je crois, répond-il. Sinon je ne serais pas ici avec toi.

Ensuite, ils faisaient l'amour. Ce n'était plus, de la part de Juliette, une stratégie. Elle avait parlé de prostitution mais, en vérité, elle avait repris goût au plaisir que savait si bien lui donner Olivier. Bien sûr, c'était elle qui toujours faisait les premiers pas, esquissait les premiers gestes. Mais elle commençait à entrevoir que, comme souvent dans un couple, ce qu'elle reprochait à Olivier était cela même qui l'avait séduite en lui. En l'occurrence, sa relative passivité lui permettait de laisser monter son désir, de décider de son rythme, et le sentir peu à peu s'animer sous ses caresses lui procurait une sensation de puissance qui culminait, immanquablement, dans un plaisir d'une rare intensité. Une nuit, étendue près de lui dans la plénitude d'après l'amour, elle en plaisanta.

Pourquoi ce n'est jamais toi qui prends l'initiative ? Il faut toujours que ce soit moi qui m'y colle.

Il avait souri, moqueur.

Mais c'était bien quand même, ça valait le coup.

C'était très bien, avait-elle répondu.

Alors c'est toujours ça de pris.

C'était toujours ça de pris.

Les journées se passaient moins bien. Olivier était constamment à la limite de l'agacement, avec elle comme avec les enfants qui — ce n'était sans doute pas un hasard — se montraient difficiles et anormalement agités. Un jour, ils se battirent, et Emma mordit Johann qui, en représailles, lui jeta un caillou à la tête. Olivier était fou de rage, Juliette atterrée. J'en ai marre de vous ! hurla-t-il à l'adresse des enfants, ce qui lui arrivait de plus en plus souvent, sans que Juliette puisse déterminer avec certitude si elle était incluse ou non dans ce « vous » — mais elle ne se faisait guère d'illusions. Chaque fois que sa colère débordait ainsi, Juliette et lui évitaient de croiser leurs regards, sachant qu'ils pensaient tous deux la même chose. Le spectre de la séparation se dressait entre eux, et ils en étaient tous les deux terrifiés.

Puis les choses s'apaisaient.

D'une manière générale, pour limiter les risques d'explosion, Juliette se montrait avec Olivier excessivement conciliante, prévenante à la limite de la servilité. La maison toscane était à la hauteur de ses attentes, et Olivier lui-même convenait que la région était superbe. Juliette se demandait comment elle avait pu se laisser piéger à ce point. Comment se retrouvait-elle à faire la roue devant ce mâle aimable mais distant, qui lui faisait obligeamment l'amour, lui posait parfois la main sur l'épaule, mais jamais n'éprouvait le besoin de la serrer dans ses bras, de lui murmurer des mots enfiévrés. Piégée à prendre garde de ne pas l'irriter, de ne pas le contredire, dans une attitude de femelle soumise, alors qu'elle avait parfois envie de hurler qu'il était un salaud, qu'il avait trahi sa confiance, qu'il les avait plongés tous deux dans une médiocrité qu'elle n'avait pas voulue, qu'elle ne méritait pas — qui lui faisait horreur. Pourrait-il, un jour, reconnaître des torts envers elle dans cette histoire ? À nouveau l'idée la traversa qu'elle était en train de laisser passer sa chance, sa chance de se sortir de ce mariage en laissant à Olivier le mauvais rôle, de retrouver sa liberté avec une conscience pure, en pouvant dire plus tard à ses enfants : « J'ai fait ce que j'ai pu. » Mais aussitôt la vision de V bordant Johann et Emma dans leur lit, leur lisant une histoire avant de leur dire bonsoir la transperçait de douleur, la renforçait dans sa détermination à gagner ce combat, dans sa pénible certitude qu'elle n'avait pas le choix.

Une nuit, elle entendit Olivier se lever, puis se recoucher près d'elle. Les enfants dormaient mal, il faisait chaud. Elle murmura : Tu dors ?

Non, répondit-il. Toi non plus ?

Non.

Qu'est-ce qui se passe ?

Je me demandais pourquoi un jour, il n'y a pas si longtemps, tu m'avais réveillée pour me dire que tu m'aimais, et pourquoi depuis tu n'en as plus jamais éprouvé le besoin.

Je ne sais pas, dit-il. Ce soir-là j'avais soudain une conscience aiguë de ce que je risquais de perdre.

Et plus maintenant ?

Je ne peux pas expliquer, dit-il. Je te vois, je te regarde, je reconnais la femme que j'ai choisie, je te trouve belle. Mais de là à éprouver le besoin de dire « je t'aime »...

Ils étaient allés visiter la tour de Pise. Pendant toute la journée elle avait senti son incompétence en art, en architecture, elle lisait dans le regard d'Olivier le reproche qu'il lui faisait de ne savoir quoi dire devant une statue. Ou elle se l'imaginait. Comme souvent, il marchait vite, sans l'attendre, plusieurs mètres devant elle qui accordait son pas à celui de Johann. Et il parlait de complicité. Les couples, en général, marchent main dans la main, ou au moins côte à côte, qu'ils aient des enfants ou pas. Juliette avait l'impression d'être une femme arabe, dix pas derrière son mari. Tandis qu'elle entrait dans un bureau de poste pour envoyer des cartes postales, il resta assis dehors sur un banc. L'attente au guichet lui parut interminable. Quand elle revint vers lui, elle lança : Vivement qu'ils inventent les distributeurs de timbres en Italie.

Il répondit par un geste, un haussement d'épaules, un rictus, qui la firent bondir.

Qu'est-ce qu'il y a? explosa-t-elle. Tu es furieux, c'est ça? Qu'est-ce que ça veut dire, ce haussement d'épaules?

Olivier la regardait, perplexe et hostile.

Non, répondit-il, ça veut dire, vivement qu'ils inventent les distributeurs, c'est tout.

Les enfants les regardaient, inquiets. La colère de Juliette retomba.

Excuse-moi, dit-elle, j'ai vraiment cru que tu faisais la tête.

Ensuite elle fit des efforts pour dissiper le malaise. Des efforts, toujours, toujours elle. Florence avait dit : Tu ne peux pas faire marcher votre relation à toi toute seule.

Et voilà qu'Olivier remettait ça.

Il y a des moments comme aujourd'hui, dit-il, où je sens une telle absence de complicité entre nous. On est en Italie, on visite des choses incroyables et c'est comme si tu ne voyais rien, comme si on ne pouvait rien partager.

Elle prend l'injustice en pleine face, tente de se justifier. Puis quelque chose en elle se révolte.

Moi qui croyais que cette histoire était vraiment finie, que nous partions ensemble pour nous retrouver. Je m'aperçois que ces vacances sont une période de test pendant laquelle notre relation est évaluée, nos accords désaccords soupesés, et que moi aussi je suis observée, comparée. J'ai eu quelle note, aujourd'hui ? Pas de bol, notre complicité architecturale est proche de zéro, j'ai perdu tous les points que j'avais gagnés en sexe, ces derniers jours.

Arrête, Juliette.

Mais qu'est-ce que je dois encore prouver ? Bien sûr que c'était mieux avec elle. Moi j'ai le quotidien, les enfants. Je ne sais pas si tu t'en rends compte, mais je ne peux pas rester indéfiniment disponible, à attendre que

264

ta décision soit prise. Il viendra un moment où je dirai stop, où je déciderai de cesser de t'aimer.

C'est un cercle vicieux, dit-il. Est-ce qu'on pourrait dormir ? On passe des heures à parler la nuit et le jour on est crevés, on se traîne, et tout paraît lourd. Moi je viens de faire un cauchemar affreux, je me suis réveillé en pleurant, j'ai rêvé qu'il fallait que je tue quelqu'un et Johann aussi voulait se tuer. C'était horrible. Bien sûr qu'il faut que ça s'arrête.

Dormons, dit-elle.

Pendant une journée et une nuit entière, ils ne parlèrent plus de rien.

Olivier avait emporté *La femme rompue* de Simone de Beauvoir, que lui avait donné V. Juliette, qui ne l'avait jamais lu, le lui emprunta un jour sur la plage et le lut d'une traite, effarée. Elle s'attendait au récit d'une passion. C'était, sous forme de journal intime, l'histoire d'une mise à mort, la descente aux enfers d'une femme abandonnée.

C'était, se dit Juliette, l'histoire de sa mère.

Juliette ne se reconnaissait pas du tout dans ce portrait d'une épouse conventionnelle des années 60, mais c'était un détail. Plus troublant était le fait que la « maîtresse » ne faisait dans le livre que de la figuration, le mari y jouant le rôle secondaire, et que leur amour n'était perçu qu'à travers la détresse dans laquelle il plongeait la narratrice. Le roman s'achevait sur son retour dans un appartement noir et vide, et se terminait par les mots : j'ai peur. « Pas grand-chose à voir avec nous », avait dit Olivier souriant, avec un haussement d'épaules, en refermant le livre. Juliette fut soulagée de le lui entendre dire. Elle trouvait dans cette lecture une confirmation de l'étrange folie de V. Seul un esprit malade ou habité par la haine pouvait concevoir l'idée d'offrir un tel récit à son amant pour le convaincre de quitter sa femme. Elle repensa au fameux SMS « Je voudrais qu'elle soit morte », et ressentit un profond malaise. À nouveau l'idée la traversa que V lui voulait vraiment du mal. C'était la même sensation que quand, seule dans un couloir de métro ou dans une rue la nuit, elle entendait des pas derrière elle. C'était exagéré, irrationnel, mais le passé lui avait enseigné que la peur était parfois bonne conseillère. Un voyant « Danger » s'était allumé dans sa tête. Elle essaya de l'ignorer, mais il continuait à clignoter.

27

Une semaine avait passé. Olivier, détendu, souriant, taquin, s'installa sous la tonnelle avec un bloc-notes.

Je vais vider la bouteille de chianti, et terminer cette lettre.
Tu en es où ?
J'avance. J'ai le projet de la poster demain.
Tu lui dis quoi ?
Que c'est fini. En gros.

Tu fais long ou court ?

Plutôt long.

Il fronça les sourcils, la regarda, interrogateur.

Tu crois que je devrais faire court ?

Elle haussa les épaules dans un geste d'ignorance.

Il replongea dans le bloc-notes et réfléchit, le stylo en l'air. Juliette se servit un verre de chianti à son tour.

Les yeux fixés sur l'obscurité devant elle, elle lança soudain :

Quand je repense à la conversation téléphonique que j'ai eue avec elle, elle est vraiment naze, cette fille.

Il leva la tête, l'air interloqué.

Pourquoi tu emploies ce mot ?

Quel mot ? Naze ?

Oui, « naze ». Ce sont ses mots à elle, c'est elle qui dit ça. Toi tu ne dis jamais « naze ».

Juliette soupira. Elle ne pouvait même plus employer les mots qu'elle voulait.

Bien sûr que si, si, je dis « naze ». Tout le monde dit « naze ».

Olivier fit la moue, pas convaincu. Juliette insista.

Elle n'a pas prononcé ce mot quand elle était au téléphone avec moi, si c'est ce que tu penses.

Si tu le dis.

Comment tu termines ta lettre ?

Tu veux lire ?

Il parlait sérieusement, désignait son bloc-notes. Elle hésita, prise de court, puis renonça à se faire du mal. Il y

267

avait sûrement dans cette lettre bien des mots à ses yeux superflus. Mais elle n'allait tout de même pas lui corriger sa lettre de rupture.

Plus tard, dans leur chambre, étendue nue sur le lit, les yeux fixés au plafond, elle dit :

Il y avait la confiance. Ce n'était pas facile, mais il y avait la confiance.

Tu l'as déjà dit, fit-il, sans agressivité, en s'asseyant près d'elle, posant la main sur sa cuisse.

Et elle remarque, une fois de plus, comme il aime bien la reprendre sur sa syntaxe, relever ses répétitions, comme si chaque jour en face de lui elle passait un oral.

Je l'ai peut-être déjà dit, c'est vrai quand même. Tu m'as menti.

On peut voir ça comme ça. On peut dire que je t'ai menti. On peut aussi dire que je t'ai dit la vérité au bout de trois semaines seulement, justement parce que je ne pouvais pas te mentir. La vérité pas entière, la vérité par étapes, mais la vérité quand même.

C'est vrai. On peut voir ça comme ça.

Ils sont tout proches. Essayons de voir ça comme ça, pense-t-elle. Ils font l'amour.

Le lendemain matin, au réveil, elle le vit troublé.

J'ai rêvé que tu me faisais des reproches. Et j'étais malheureux.

Elle le prit dans ses bras, frappée soudain d'une révélation. Si difficile que ce fût à admettre pour elle, Olivier ignorait réellement la culpabilité. Se sachant sans doute, au fond de lui, incapable de la supporter, il l'éliminait avant même d'en prendre conscience, la muait en hostilité. Tout reproche de ce fait ne déclenchait en retour qu'agressivité, au lieu de l'élan vers elle, de l'expression d'un regret qu'elle espérait toujours. En écrivant cette lettre de rupture, il allait tout au bout de ce qu'il pouvait faire. Son absence d'émotion, après tout, il n'en était pas responsable.

Sur le chemin de la plage, il posta la lettre.

Plus tard, très tard ce même jour, terrasse chaises longues tous deux seuls dans la nuit, il alluma son portable, et trouva un SMS de V.

« Je t'envoie un baiser d'une plage déserte au soleil. »

Juliette fit un gros effort pour ne rien laisser paraître, mais elle encaissait avec difficulté. Olivier s'en aperçut.

Si tu préfères, je peux ne pas t'en parler, ce n'est pas important.

Elle n'en revint pas. Serait-il encore capable de lui mentir par omission, de lui cacher des messages de V? N'avait-il pas compris que la vérité pleine et entière entre eux était leur seule chance de s'en sortir?

Tu vois, elle n'est pas morte, dit-elle. Elle est en parfaite santé. Elle ne nous lâchera jamais.

Mais si. Elle a envoyé le message en pensant que je le lirai à Paris. Quand elle rentrera à Paris il y aura la lettre.

Tu crois que ça suffira? Redis-moi ce que tu lui as écrit.

Olivier sourit, narquois, l'air de dire : Tu vois, tu aurais dû la lire.

Je commence par : il y aurait beaucoup de choses à dire mais la principale est de savoir comment on en est arrivés à cette scène hallucinante.

Laquelle? coupa-t-elle. Il y en a eu plusieurs, de mon point de vue.

Celle du jour de mon départ — de ma fuite. Ensuite je parle du « c'est fini », de la différence qu'il y a entre dire « c'est impossible », « il faut arrêter », et « c'est fini », différence que je ne mesurais pas moi-même, c'est toi et Tristan aussi qui me l'avez fait comprendre. Et pourquoi je ne pouvais pas le dire.

Pourquoi?
Oui, je lui explique pourquoi.
Et pourquoi?
Parce qu'il me semblait que c'était faire injure au caractère unique de ce que nous avions vécu ensemble. Et que je crois que j'attendais qu'elle le dise, elle.

Mmm. Ensuite ?

Ensuite je reviens sur les deux dernières semaines, sur la terreur que j'ai vécue — terrorisé de décrocher le téléphone, de rentrer chez moi — et le message de l'autre abruti (Tristan) que j'ai fait semblant de prendre à la légère mais qui m'a tétanisé. Je dis aussi que je sais — parce qu'elle me l'a dit — qu'elle a conservé tous mes messages, qu'elle a instruit mon dossier à charge avec toutes les déclarations que j'ai faites et qui pour elle équivalaient à des engagements, pour pouvoir me les ressortir en disant : quand on a dit ça, on ne peut pas, etc. Et qu'en revanche elle détruisait les messages, car il y en a eu, pas beaucoup, pas assez, mais il y en a eu, qui disaient le contraire. Elle détruisait tous ceux qui disaient : il faut arrêter, c'est trop insupportable pour Juliette.

C'est ça l'argument que tu employais ? C'est trop insupportable pour Juliette ?

Ce n'est pas vrai ?

Ce n'était pas insupportable seulement pour moi, si ? Les crises d'hystérie, les évanouissements dans la rue, les coups de fil qui durent trois heures, j'ai beau faire, je ne peux pas croire que pour vous c'était BIEN. Ni pour toi, ni pour elle.

C'était l'horreur, dit-il. L'horreur. Je ne peux pas imaginer que ça recommence. Je lui dis quoi encore, que je réalise que des deux c'est moi qui aurais dû être le plus prudent, puisque des deux c'est elle qui n'avait rien à perdre. Et je termine en disant que j'ai pris mes dispositions pour ne pas suivre les universités d'été du PS, à moins qu'elle ne me fasse savoir que je peux venir et que tout se passera bien, si l'été lui a porté conseil.

Un temps; puis il ajouta :

J'ai l'espoir qu'elle a déjà parcouru depuis notre départ une partie du chemin, qu'elle a commencé son deuil, et qu'elle comprendra.

Le message qu'elle vient de t'envoyer ne va pas dans ce sens. J'ai peur que pour l'instant rien n'ait changé pour elle, répondit Juliette, sceptique.

Pour moi, les choses ont changé, il y a eu ces vacances, on s'est rapprochés tous les deux.

J'ai donc réussi le test, pensa Juliette avec amertume.

Tu as l'air content, dit-elle. Tu es content au fond d'avoir des nouvelles d'elle.

Je suis content qu'elle ne soit pas dans le coma, oui. La semaine dernière après notre départ j'étais vraiment terrorisé. Cela dit, sur les universités d'été je lui ai menti. Ça m'embêterait beaucoup de ne pas pouvoir y aller. Mais j'ai écrit cela pour qu'elle ne puisse pas penser qu'il y a là un rendez-vous implicite.

Et à part ça, vous avez d'autres rendez-vous professionnels ?

Non, répondit-il, rien de majeur ni d'incontournable.

Le lendemain, c'était leur dernière soirée sous la tonnelle. Les enfants étaient couchés. Juliette détendue se servit à boire plusieurs verres sur la terrasse, et, un peu éméchée, demanda à Olivier à quoi il faisait allusion dans sa lettre, quand il parlait de déclarations qu'il avait faites et que V pourrait retenir contre lui. Olivier la fixa d'un air méfiant.

Des mots d'amour, dit-il.
Lesquels?

Il ne répondit pas. Ils se défièrent un instant du regard, puis Juliette reprit.

Je vais les dire et tu réponds par oui ou par non. Je t'aime? Je n'ai jamais été aussi heureux?
Des choses qui tournaient autour du caractère exceptionnel de ces moments-là, oui, mais je te l'ai déjà dit.
Des choses sur nous? Je veux quitter ma femme?
Non.
Alors quoi sur nous?
Je croyais que tu ne voulais pas savoir certaines choses.
Mais là je te demande ce que je veux savoir.
Mais je ne suis pas obligé de te répondre.

Elle se tut. Après tout, avait-elle vraiment envie de savoir? Olivier reprenait déjà.

Je lui ai dit des choses désagréables à entendre pour toi, c'est sûr.
Par exemple?

Je ne te le dirai pas. Mais à peu près tout ce que je lui ai dit de toi était désagréable à entendre, je suppose.

Un temps. Il rit. Elle l'interrogea du regard.

Je ne peux pas m'empêcher de me demander ce que tu imagines quand je dis « des choses désagréables à entendre ». Je n'ai pas dit des choses du genre : « elle est vieille » ou « elle est mal foutue », si c'est ce que tu crois.

Elle s'étrangla en buvant, toussa.
Je te remercie.

Olivier poursuivait :
Crois-moi si tu peux, je n'ai jamais envisagé de te quitter, cela a pu m'effleurer de me dire c'est vrai, il y a des gens qui divorcent, ça existe, mais je ne l'ai jamais envisagé pour moi. J'ai toujours su le côté délirant de son truc. Tu sais ce que dit Barthes dans *Fragments d'un discours.*

Désolée, répondit-elle, je n'ai pas lu Barthes.

Il explique que c'est de cela qu'il s'agit dans le sentiment amoureux, de dire ces mots-là. Je savais que je ne vivrais rien avec elle, mais à la place je disais ces mots-là.

Ah ah, fit-elle, dubitative. Les mots ou les preuves, il faut choisir, c'est ça?

274

En quelque sorte.

Au point où elle en était, elle se décida à lui parler de la pensée qui l'occupait depuis la veille.

Je peux te poser une question? Hier tu as dit que tu aurais pu ne pas me parler de son message. Tu le pourrais, vraiment? Me cacher des choses, encore?

Il ne répondait pas. Elle réfléchit, ajouta :
Je repense aux moments que tu as passés avec elle APRÈS m'en avoir parlé. Tu as fait l'amour avec elle entre Aubigny et sa pendaison de crémaillère?

Elle sentait, presque physiquement, l'énervement qui montait en lui, comme si elle avait été dans son corps. Il répliqua sèchement :
Là je t'arrête tout de suite, je n'ai pas ta mémoire chronologique, je suis incapable de m'en souvenir.
Tu te rends compte que tu m'as JURÉ que ce qu'elle m'avait dit était faux après son coup de téléphone à Galatea?
Si tu le dis, tu dois avoir raison, tu te rappelles ces choses-là mieux que moi.
Tu m'as juré que c'était faux alors que c'était vrai.
Bien sûr, parce que je ne voulais pas que ce soit elle qui te le dise.

Sa logique imparable. Le mensonge justifié, excusé, par la nécessité.

Mais depuis les vacances, je te dis la vérité.

Elle soupira.

OK, je te crois, il faut bien que je te croie. Mais tu comprends aussi que je puisse avoir des doutes, quelquefois, désormais ?

Une fois de plus, elle constata son incapacité à la rassurer.

Le lendemain, ils prirent la route pour rentrer à Paris.

On va repasser la chattière ? demanda Johann.

28

À peine Juliette avait-elle remis les pieds à Galatea Networks que les emmerdements se précipitèrent sur elle. En son absence, le projet Magellan avait pris un retard considérable et le client s'était plaint. Elle fut appelée dans le bureau du directeur général afin de s'en expliquer. Son alter ego commercial, également convoqué et tout aussi responsable qu'elle, tira prestement son épingle du jeu puis, les bras croisés, impassible, la regarda dévaler la planche qu'il lui avait consciencieusement savonnée. Juliette subit avec stoïcisme les reproches de Chatel, tout en jetant des coups d'œil discrets à sa montre. Yolande était partie en congé et la baby-sitter qui la remplaçait pour l'été n'était pas disponible avant jeudi. Juliette devait absolument partir à 17 heures afin de récupérer les enfants au centre de loisirs. Après les courses, le bain et la préparation du dîner, elle termina sa journée sur les dents.

Olivier, quant à lui, rentra du journal d'excellente humeur. V lui avait laissé un message, tout allait bien, elle aussi avait réfléchi pendant ces deux semaines de séparation, elle avait reçu sa lettre et elle était d'accord, elle lui souhaitait de bonnes vacances, elle espérait qu'ils pourraient continuer à se voir en amis.

Juliette regarda Olivier avec stupeur. Il souriait.
Je n'y crois pas, dit-elle.
Il perdit aussitôt son sourire, haussa les épaules.
Le contraire m'aurait étonné.
Tu lui as répondu?
Je lui ai envoyé un message pour lui souhaiter à elle aussi de bonnes vacances. J'ai imaginé comme toi que peut-être elle allait changer d'idée, me rappeler dans la demi-heure. Mais non, elle m'a renvoyé un SMS pour me remercier. Et c'est tout.
C'est tout.
Oui.
Et donc?
Quoi?
Affaire réglée, happy end, envoyez le générique? persifla Juliette.
On dirait que ça ne te fait pas plaisir.

Non, cela ne lui faisait pas plaisir, pas du tout. Elle se sentait inquiète, déçue, frustrée. Olivier parlait déjà de la possibilité de fréquenter V de manière amicale. Elle ne voyait pas comment l'en empêcher même si cette perspective l'affolait. Elle avait compté sur une nouvelle crise d'hystérie, des scènes, des cris de rage. Le pire coup que pouvait lui faire cette fille était, soudain, de se montrer raisonnable. Olivier, bien sûr, n'envisageait pas une seconde de renoncer à la voir simplement par égard pour sa femme. Après tout, Juliette aussi voyait bien certains de ses ex, de temps en temps.

Je n'y crois pas, répéta-t-elle. Je ne vois pas comment on peut passer d'une relation comme celle-là à une relation d'amitié sereine et apaisée. Plus tard, peut-être. Pas dans une telle continuité, pas sans une rupture franche.

Je ne sais pas, répondit Olivier d'un air pincé. Je ne connais sans doute pas aussi bien que toi ces choses-là. Moi, ça me semble possible.

Il avait déjeuné avec Thierry, son rédac chef, qui l'avait spontanément poussé à abandonner l'idée de se rendre aux universités d'été du Parti socialiste, qui auraient lieu à la fin du mois d'août. Pas tant à cause de ses problèmes personnels, comprit Juliette, que parce qu'il fallait un chef de service à Paris durant cette période. Olivier avait accepté, mais manifestait quelque regret. À présent que tout était clair avec V, il pensait avec un peu d'émotion aux agréables moments qu'il aurait pu passer là-bas. L'idée de ce qu'aurait pu éprouver Juliette durant ces journées ne l'occupait pas le moins du monde, et lorsqu'elle lâcha par mégarde au détour d'une phrase : Je ne peux pas t'interdire…, il tressaillit : M'interdire ?

Elle se tut.

Le lendemain, Juliette passa un après-midi très pénible. Elle avait réussi dans la matinée à traiter les problèmes les plus criants d'urgence et à résorber un peu le retard accumulé dans le projet Magellan. Restait le dossier Victoire, le « front de l'Ouest », comme elle disait à présent pour éviter de la nommer. « Quoi de neuf sur le front de l'Ouest ? » était devenu depuis la Toscane sa manière de demander à Olivier où il en était avec V. Elle aurait pu choisir l'Est ou le Sud. Pourquoi l'Ouest ? Elle n'en savait rien. Les vents d'ouest qui apportent la pluie, à l'Ouest rien de nouveau... Depuis la veille, son cœur palpitait d'angoisse à l'idée qu'Olivier se remette à lui mentir. Le dernier soir en Toscane, elle lui avait dit :

Promets-moi que ça ne recommencera pas à Paris.

Quoi exactement ? avait-il demandé.

Les mensonges, les demi-vérités, les omissions.

Sentant se profiler l'ombre d'un reproche, Olivier s'était fermé d'un coup.

Elle aussi dit que je lui ai menti, c'est drôle.

Elle a raison. Ce n'est pas incompatible.

Bien sûr. Je peux vous mentir à toutes les deux.

Elle n'avait obtenu de lui aucune assurance.

Elle tenta en vain de joindre Olivier pendant plusieurs heures. Il avait coupé son portable et ne répondait pas à son poste fixe. Elle imagina le pire — son échelle du pire s'était sensiblement modifiée ces dernières semaines, jusqu'à devenir exactement proportionnelle au degré d'interaction d'Olivier avec V.

Olivier ne rappela Juliette qu'après qu'elle eut quitté le bureau. Il avait oublié son téléphone portable à la maison. En rentrant avec les enfants, elle le vit en effet, posé sur le fauteuil de l'entrée, éteint. Elle l'alluma sans hésiter. L'écran indiquait « 3 appels en absence » (les siens, sans doute), l'icône de la boîte vocale était affichée (mais elle-même avait laissé un message).

L'icône en forme de petite enveloppe indiquant un nouveau SMS clignotait.

Elle éteignit le portable.

Fouiller dans le téléphone de son mari était incompatible avec l'idée qu'elle se faisait d'elle-même.

Du moins cela avait toujours été le cas jusqu'ici.

Son idée d'elle-même avait dû sérieusement se modifier car, soudain, cette incompatibilité ne lui parut plus du tout évidente.

Le rôle de la femme irréprochable et digne qu'elle avait été dans un lointain passé n'était plus désormais qu'une façade, à mille lieues de la pathétique créature dévorée de jalousie qu'elle était devenue. Elle se détesta et détesta V encore davantage d'avoir été l'artisan d'une telle métamorphose. Elle repensa aux deux heures de malaise et d'angoisse qu'elle avait passées l'après-midi, simplement parce qu'elle ne parvenait pas à joindre Olivier, se demanda si ce serait son lot, à présent.

La réponse était oui, sans l'ombre d'un doute. Elle en conçut une vive amertume. Au point où elle en était, pensa-t-elle, autant cesser de se voiler la face et aller jusqu'au bout de la médiocrité. Elle ralluma le portable, positionna le menu déroulant sur « Messages », sélectionna l'option « Lire ». L'écran était petit, n'affichait qu'une liste de trois. Trois messages de Victoire, sous son nom de famille. Sans doute y en avait-il d'autres au-dessous, mais elle ne vérifia pas.

Elle cliqua sur le premier message — le plus récent : « Merci, moi pareil. Baisers. » Le deuxième : « Rester amis, possible ? J'aimerais bien. » Le troisième : « Je t'envoie un baiser d'une plage déserte au soleil. » C'était celui qu'Olivier avait reçu la semaine précédente en Toscane. Au-dessous de ces trois messages, il y en avait un autre, dont l'expéditeur était un numéro inconnu. Elle ne l'ouvrit pas, éteignit le téléphone et attendit le retour d'Olivier.

Ça va ? demanda-t-il gaiement en arrivant. Pas terrible, apparemment, compléta-t-il aussitôt en voyant son visage sombre. J'ai passé deux sales heures cet après-midi à essayer de te joindre, répondit-elle, ça ne m'a pas mise d'excellente humeur. Ensuite, j'ai allumé ton portable et regardé tes messages — c'est effrayant, je ne pensais pas en arriver là un jour. Tu ferais mieux de changer ton code pin.

Olivier ne fit pas de commentaire, cela n'avait pas l'air de le déranger. Il lui affirma qu'il n'avait eu aucune nouvelle de V, qu'il avait été simplement en vadrouille ici et là, pas de quoi paniquer, vraiment. Rien dans les SMS qu'elle avait lus ne contredisait ce qu'Olivier lui avait dit la veille, pourtant, Juliette ne savait plus si elle devait le croire.

Sitôt les enfants couchés, elle l'enlaça, le déshabilla dans l'entrée, l'assit sur une chaise du salon, le chevaucha et d'autorité, sans un mot, enfonça en elle son sexe durci, lui fit l'amour violemment, sans tendresse, se servant de lui comme elle l'eût fait d'un inconnu levé dans un bar. Olivier ne semblait pas s'en rendre compte et même avait l'air d'apprécier, mais elle n'en tira aucun réconfort. Leur situation était sans issue, et l'amour physique ne résolvait rien.

Toujours rien de neuf sur le front de l'Ouest? lui demanda-t-elle à nouveau le lendemain, lorsque Olivier rentra.

Il hésita.

Pas grand-chose, répondit-il. Elle est passée à l'accueil du journal déposer une cassette vidéo — mais c'était, comment dire, une affaire pendante —, poursuivit-il très vite. Un documentaire dont nous avions parlé, qu'elle m'avait promis de me prêter.

282

Juliette hocha la tête.

Des messages? Pas de message.

Juste une cassette? demanda-t-elle, songeuse. À l'accueil? Elle n'est pas montée?

Non, répondit-il, sur ses gardes. De toute façon, elle repartait dans le Sud aujourd'hui.

Elle n'insista pas sur le moment mais le lendemain matin, en buvant son café, attaqua.

Il y a tout de même un truc bizarre, dit-elle. Comment savais-tu qu'elle partait hier?

Elle m'a envoyé un message pour me le dire.

Tu m'as dit hier pas de message. Parce que tu comprends, poursuivit-elle sans attendre la réponse, ça ne m'amuse pas vraiment de jouer au flic, mais si c'est fini et que vous vous parlez toutes les deux heures et qu'elle t'envoie trois messages par jour, ça va tout de même me poser problème, à la longue.

Il n'y a aucun danger que ça arrive, répliqua-t-il sèchement.

Si Juliette avait été une autre, peut-être en serait-elle restée là. Mais Juliette, étant Juliette, ne pouvait s'empêcher de juliettiser et bien qu'ayant à cet instant précis l'impression très nette qu'Olivier avait envie de la tuer, elle ne lâcha pas le morceau pour autant.

Et avec la cassette, il n'y avait rien? Pas le moindre petit mot?

Olivier entra en fureur.

Si, il y avait une lettre, je ne me rappelle même plus ce

qu'elle disait, si c'est ce que tu veux savoir, tu n'as qu'à la lire.

Il sortit en trombe de la cuisine, revint avec une feuille pliée en quatre qu'il jeta sur la table.

Voilà, elle m'a tellement bouleversé, cette lettre, que je ne sais plus ce qu'il y a dedans. Mais lis-la, toi, tu t'en souviendras sûrement mot pour mot dans dix ans.

Elle regarda la lettre de loin comme un déchet radioactif, sans manifester la moindre tentation de s'en approcher.

Je ne la lirai pas. Dis-moi, toi, ce qu'elle dit.

Olivier eut une brève hésitation, puis reprit la lettre, la déplia, et lut rapidement, d'un ton haineux.

« Après t'avoir lu, je n'ai plus d'autre choix… faire cesser la terreur que, dis-tu, je t'inspire… garde dans mon cœur le souvenir des moments bouleversants… espère qu'avec le temps… tisser un autre lien… t'embrasse. Victoire. »

(Miraculeux, ce prénom, pensa Juliette. Grâce à lui, la moindre lettre, le moindre mail qu'elle signait se transformait en un cri de triomphe.)

Tu es contente ? dit-il en froissant la lettre, qu'il jeta à la poubelle.

Je n'y crois pas, répondit-elle, butée. C'est impossible qu'elle accepte votre rupture comme ça. Ou elle ment maintenant, ou elle mentait avant.

Il fallait emmener les enfants au centre de loisirs. Complètement par hasard, Juliette s'attarda pour chercher sa clé tandis qu'Olivier descendait avec les enfants, et c'est sans l'avoir du tout prémédité qu'elle fonça vers la poubelle et jeta un œil sur la lettre. Les mots, écrits à la main, étaient bien ceux qu'Olivier lui avait lus. Honteuse, elle remit la lettre dans la poubelle et rejoignit son mari et ses enfants en bas de l'immeuble.

Elle rumina toute la journée. Elle ne parvenait pas à comprendre pourquoi Olivier lui avait caché l'existence de cette lettre, dont le contenu selon lui était plutôt rassurant. Ce n'était pas le bon moment, avait-il dit. (Toujours ce savant dosage entre vérité et mensonge, transparence et omission. Mais c'est pour son bien — paraît-il.)

Surtout, Juliette était paniquée par le ton raisonnable et mesuré de la lettre. C'était, à peu de choses près, une lettre qu'elle aurait pu écrire. (Quoique, à la réflexion, non. Toute raisonnable et mesurée qu'elle fût, elle était rédigée dans cette tonalité pathétique très caractéristique de V et qui lui écorchait décidément l'oreille. Elle pensa à la lettre de rupture qu'elle avait envoyée à Olivier au début de son histoire avec Maria, quand il était apparu clairement à Juliette qu'il n'était pas prêt à faire sa vie avec elle. Dans son souvenir, c'était une lettre pleine de sarcasmes, un chef-d'œuvre d'indifférence ironique destiné à bien lui faire sentir tout ce qu'il perdait. Ce but avait sans doute été atteint puisque, quelques années plus tard, il lui était revenu.) Mais enfin, c'était une lettre sensée. Or, Juliette avait compris depuis longtemps que sa seule chance de récupérer Olivier résidait dans le déséquilibre émotionnel de V, dans les aspects violents, hystériques (borderline? Juliette ne connaissait pas grand-chose à toutes ces pathologies, mais se promit de se renseigner), de sa personnalité. Olivier pouvait être touché par elle, et même bouleversé, mais cette fragilité lui faisait surtout peur. Avait-elle pu se tromper à ce point sur V? Elle regretta le scrupule qui l'avait empêchée de récupérer la lettre dans la poubelle afin de la relire et de la conserver, à toutes fins utiles.

La baby-sitter embauchée pour l'été commençait son travail ce jour-là. C'était une étudiante survitaminée que Juliette employait depuis plusieurs années pendant les vacances, une héritière spirituelle de Mary Poppins qui sur ses feuilles de paie se prénommait Julie, mais qui pour une raison obscure se faisait appeler Zoé. Elle était plus autoritaire et moins affectueuse que Yolande, mais elle débordait d'énergie et les enfants l'adoraient. En fin de journée, Juliette profita de la liberté que lui donnait la présence de Zoé et s'attarda à boire un verre avec des collègues. Lorsqu'elle rentra chez elle, une odeur de pâtisserie flottait dans l'appartement. Johann et Emma, lavés et en pyjama, assis sur le tapis, riaient aux éclats devant un spectacle de marionnettes improvisé par leur baby-sitter. Ils avaient déjà dîné. La cuisine était impeccablement propre et rangée, et sur la table deux énormes parts du gâteau préparé par leurs soins les attendaient, Olivier et elle. L'air de rien, Juliette jeta un coup d'œil sous l'évier. Trop tard. Zoé — elle aurait dû s'y attendre — avait changé le sac-poubelle et descendu les ordures. Elle caressa un instant l'idée de toucher le fond du sordide, et de descendre dans la cour fouiller le container avant que la gardienne ne le sorte sur le trottoir, renonça de justesse. Après tout, cela n'avait pas d'importance.

Le soir, Olivier lui avoua qu'après son départ, le matin, il était remonté dans l'appartement et avait récupéré la lettre dans la poubelle.

On ne sait jamais, j'aurai peut-être besoin de la lui rappeler un jour. Pourquoi tu ris ?

29

Au détour d'une de leurs interminables conversations, durant leur séjour en Toscane, Olivier avait expliqué à Juliette que l'une des choses qui attiraient V en lui était l'idée de donner une famille à son fils. Elle lui avait raconté que le père de Tom prenait prétexte de ses problèmes de santé pour essayer de lui en retirer la garde.

Tu peux imaginer ce que ça lui fait. Si on vivait ensemble, elle et moi, cela lui fournirait un argument contre ce fada. Elle l'a quitté parce qu'il la battait, paraît-il.

Le scepticisme de Juliette n'avait pas échappé à Olivier.

À tort ou à raison, elle n'accordait plus aucun crédit à ce que V pouvait raconter. D'après Olivier, elle avait eu une enfance choyée, élevée par des parents en admiration devant elle. Aux yeux de Juliette, elle présentait tous les symptômes d'une petite fille trop gâtée.

Olivier avait insisté.

Sérieusement, je crois que ce mec est un vrai connard. C'est aussi ce que m'a dit Tristan.

Je me méfie des gens qui font des enfants avec des connards, avait répondu Juliette sans réfléchir, excédée par cette capacité extraordinaire qu'avait V de se poser toujours en victime.

Ce n'était pas très malin comme réplique, et même totalement stupide, mais Olivier avait eu le bon goût de ne pas sembler s'en rendre compte.

Tout le monde peut se tromper, avait-il répondu. Mais j'avoue qu'il m'est arrivé de penser que s'il la battait, c'est qu'elle le poussait à bout à force de délire.

Il avait ajouté, souriant : On n'est pas tombés sur la plus facile.

Ça, tu l'as choisie bien lézardée, avait-elle répondu.

Aussitôt, il s'était renfrogné.

Depuis qu'elle avait lu *La femme rompue*, Juliette sentait avec angoisse monter en elle à l'égard de Victoire ce qu'il fallait bien appeler de la haine. Elle détestait ce qu'elle se voyait devenir par sa faute, détestait cette violence qui grandissait en elle. En Toscane toujours, un soir qu'elle avait trop bu, elle avait dit à Olivier : Ce que je ne pourrai jamais lui pardonner, ce qui me donne envie de lui écraser la tête entre deux pierres, c'est d'avoir voulu coucher avec toi à côté de mon petit garçon. Avait-elle vraiment dit : lui écraser la tête entre deux pierres ? Oui, sans doute. Olivier l'avait regardée avec effarement.

Juliette savait bien pourtant que c'était à Olivier et à Olivier seul qu'elle aurait dû en vouloir, qu'il était injuste de sa part de concentrer sa colère sur V, car que lui reprochait-elle au fond ? Certainement pas son déséquilibre — Juliette n'était pas très sûre d'être parfaitement équilibrée elle-même ou plus exactement elle se savait capable de sérieusement disjoncter, mais elle donnait bien le change et personne ne s'en était jusqu'ici aperçu, ce qui était l'essentiel. Peut-être était-ce pour tout le monde pareil, chacun contenait de son mieux sa part de folie, seuls les débordements excessifs étaient punis mais, pour le reste, ce que chacun pensait ressentait dans le secret de son être, les pensées les pulsions les plus démentes, les fantasmes les plus malsains, tant que tout cela restait solidement entravé dans sa camisole de force intérieure cela ne regardait personne.

Le problème était que la camisole de force intérieure de Victoire, si du moins elle en avait une, était d'une qualité qui laissait beaucoup à désirer.

Juliette ne parvenait pas à admettre la façon dont Victoire parlait d'elle, le mépris qu'elle affichait à son égard. De quel droit la jugeait-elle et jugeait-elle le couple qu'elle formait avec Olivier ? Juliette aussi, dans le temps, avait eu une liaison avec un homme marié — une liaison qui l'avait sûrement moins fait souffrir, en tout cas moins longtemps, que le couple qu'elle avait si négligemment estropié. Florence, qui elle aussi avait une histoire similaire à son actif, lui avait dit récemment : C'est notre tour de payer pour ce que nous avons fait à trente ans. Elle avait eu une pensée pour la femme de son amant de l'époque, envie de lui demander pardon. De cette histoire, il ne restait à Juliette aucune cicatrice, mais à elle ? Pourtant, jamais, même à l'époque, même au plus fort de la passion, Juliette n'aurait imaginé dire en parlant de la femme de son amant : « Je voudrais qu'elle soit morte », jamais elle n'aurait imaginé appeler cette femme à son bureau, ni débarquer chez elle, ni d'une manière générale faire le dixième de ce que V lui avait infligé.

Quel traumatisme avait pu subir V pour justifier de tels comportements ? Juliette n'en savait rien et, pire, elle s'en fichait. Jusqu'à preuve du contraire, V restait responsable de ses actes, et le statut de victime dont elle ne cessait de se prévaloir ne lui donnait pas tous les droits. La façon dont elle usait et abusait de sa fragilité, réelle ou simulée, pour atteindre ses objectifs était tout simplement déloyale, et la colère de Juliette dépassait largement sa souffrance personnelle, c'était une question d'éthique, c'était la Femme en elle qui se sentait offensée, la Femme qui avait cru à vingt ans à la Sororité, que les Femmes pouvaient et devaient être Fortes et Solidaires dans le lieu « chaud et simple, riche et concis, éloquent et sincère » du Féminin, tu parles. Et Victoire se disait féministe. C'était à pleurer.

Une dizaine de jours après leur retour, Olivier rentra du journal préoccupé.

Une petite rechute sur le front de l'Ouest, dit-il, mal à l'aise.

Juliette était en train de cuisiner. Elle interrompit son geste, mais prit soin de ne pas manifester le moindre signe de triomphe, de ne rien laisser échapper qui s'apparente de près ou de loin à un quelconque « je te l'avais bien dit », se contentant d'interroger son mari du regard.

Elle va très mal, galère avec son fils, son ex-mari, elle est dans le Sud. Il paraît qu'elle s'est fait taper dessus par son copain, tu sais, avec qui elle bossait l'ENA.

Juliette écarquilla les yeux, n'osant pas croire à sa chance. Cette fois, c'était clairement du délire. Même Olivier, visiblement, ne prenait pas ça au sérieux. Il lui lançait un regard à la fois penaud et complice, un petit sourire au coin des lèvres. Juliette secoua la tête mais ne fit aucun commentaire. En elle le soulagement se mêlait à la fureur.

Et ça continue, pensait-elle, non mais c'est de pire en pire, c'est fou ce que cette fille parvient à lui faire faire, fouiller dans des SMS qui ne lui sont pas adressés rêver de meurtre sauvage et ça maintenant, pire que tout, non c'est vraiment dégueulasse de la mettre dans cette posi-tion, elle, Juliette, la position de douter de la parole d'une femme qui dit s'être fait agresser, dégueulasse, mais là quand même avec la meilleure volonté du monde ça commence à faire beaucoup, cette fille ne peut pas passer une semaine avec un homme sans se faire taper dessus c'est bizarre bizarre tout de même, difficile à croire, elle est complètement cinglée point barre complètement mytho non que ça n'existe pas les femmes battues bien sûr que ça existe et pas qu'un peu Juliette le sait très bien ça existe beaucoup, beaucoup plus qu'on ne croit, Juliette est bien placée pour le savoir quoique maintenant qu'elle y pense Juliette elle n'a jamais été battue par un homme violée oui plusieurs fois battue jamais à quoi ça tient c'est étrange.

Et à part ça, qu'est-ce qu'elle te dit?

Toujours la même chose, c'est impossible, comment peut-on passer de notre histoire à ça, tu n'as pas le droit, ces trucs-là.

Et toi?

Je lui dis qu'on ne va pas recommencer, de se référer à ma lettre.

Se référer. Juliette apprécia la froideur administrative du terme choisi. V n'avait pas dû aimer.

Et puis on a été coupés, j'ai éteint mon portable, je crois que je vais l'éteindre à nouveau, ce n'est pas très gênant, si?

Un peu plus tard le soir Juliette s'assit sur les genoux d'Olivier, lui caressa les cheveux. Bien qu'il s'efforçât de le cacher, il était nerveux.

C'est un problème, dit-il. On sait plus ou moins comment le gérer, on va le gérer. Mais c'est un problème.

Tu n'es pas étonnée, ajouta-t-il, tu me l'avais dit.

Non, Juliette n'était pas étonnée. Elle était un peu inquiète, et secrètement soulagée. Ce nouvel accès de fureur de V était conforme à ses prévisions. Le cauchemar d'une Victoire raisonnable s'incrustant dans leur paysage s'éloignait. Folle, elle redevenait prévisible.

Le lendemain Olivier rentra du journal en panique, tard dans la soirée — les enfants étaient déjà couchés. La crise allait crescendo depuis plusieurs heures. V était rentrée à Paris, l'avait assiégé au journal. Il avait attendu que la nuit tombe pour s'enfuir par le parking. Il était rentré depuis quelques minutes à peine quand son téléphone sonna. V était en bas de leur immeuble avec son fils. Juliette sentit ses jambes devenir de coton, son cœur battre à grands coups dans sa poitrine.

Avec son fils ? s'étonna-t-elle.

Oui, confirma Olivier. Il semblait complètement affolé. On ne peut pas la laisser avec un môme de trois ans sur le trottoir.

Et donc ?

Elle monte, dit Olivier

Il la regarde, inquiet

Tu veux bien ? Tu es d'accord ?

Il est 23 heures, par là.

Elle hoche la tête lentement — a-t-elle vraiment le

choix? Si elle refuse, Olivier descendra. Et puis, qu'on en finisse.

Elle va vérifier que leurs enfants sont profondément endormis, leur porte bien fermée.

Cette fois, nous y sommes, pense-t-elle.

C'est le combat final, on touche au dénouement de l'histoire.

Face à elles deux, Olivier va bien devoir être clair.

Olivier se dirige vers l'entrée. Elle le suit, contente d'être en robe et bronzée, de se sentir jolie.

Avant d'ouvrir, il lui jette un dernier regard. Suppliant, on dirait.

On est ensemble sur ce coup-là. Ne sois pas dure, OK?

Elle acquiesce.

Dans toute guerre, intime ou mondiale, le jeu des alliances est la clé. Depuis leur départ en Toscane, elle a acquis la conviction qu'Olivier a changé de camp.

Ils sont ensemble.

Ça ira.

30

Elle est dans l'entrée, perchée sur de très hauts talons, tenant son petit garçon par la main. Rousse effectivement, on peut difficilement faire plus roux, ses longs cheveux frisés lâchés sur ses épaules, mais à part ça, pense Juliette, étonnamment banale. Élégante sans doute quoique surtout — aux yeux de Juliette toujours — un peu endimanchée pour une soirée d'été. Ne voulant pas s'attendrir, Juliette n'a jeté à l'enfant qu'un bref regard. Olivier, lui, s'affaire autour de Tom, lui demande s'il a soif ou sommeil, cherche un jeu à lui proposer.

Le mieux serait peut-être de l'installer devant une cassette au salon, suggère Juliette, toute son énergie concentrée pour réprimer le tremblement qui l'agite. Nous, on ira parler dans la cuisine.

Il lance à Victoire un regard interrogateur. Elle acquiesce. Elle n'a pas l'air si folle, et même pas folle du tout. Très posée au contraire, très fille de bonne famille, bien élevée. En arrivant elle a salué Juliette d'un signe de tête, sans sourire mais poliment, comme s'il s'agissait d'une banale visite de courtoisie, comme si elle venait prendre le thé, comme s'il était naturel de débarquer ainsi chez son amant à 11 heures du soir, un petit garçon ensommeillé accroché à ses jupes. Son visage est d'une pâleur lunaire mais sans doute est-ce là sa teinte naturelle, en tout cas il est calme et ne porte aucune trace de larmes. Juliette se demande si Olivier ne la mène pas en bateau depuis des semaines. La personne qu'elle a sous les yeux n'a rien de la furie qu'il lui décrivait il y a quelques minutes encore, menaçant de se jeter sous une voiture, de s'effondrer sur le trottoir. Pour un peu, elle la trouverait presque sympathique. Elle doit faire un effort pour se souvenir des messages d'insultes que lui a fait écouter Olivier, de la conversation téléphonique qu'elles ont eue ensemble. Même sa voix lui paraît méconnaissable.

Ils entrent dans le salon à demi éteint et, dans le mouvement, Juliette sent son parfum, son parfum inconnu d'étrangère, évidemment capiteux, dont elle s'étonne qu'il ait pu plaire à Olivier. À elle il n'évoque rien d'autre que cela, l'étrangeté. Olivier fait asseoir le petit Tom dans un fauteuil, s'approche du magnétoscope, fait tomber une pile de cassettes dans son agitation.
Mets-lui *Petit ours brun*, dit Juliette.

Au même instant, le portable d'Olivier sonne.
Oui, elle est ici. Tout va bien.
C'est Tristan, dit-il à V.
Il fait chier, répond-elle.
Tristan a raccroché.
Il a entendu, dit Olivier.

Juliette, on l'a dit, met l'amitié plus haut que tout. La bonne impression que lui a faite V en entrant est aussitôt balayée.

Décidément, se dit Juliette, elle est très antipathique.

Ils vont tous trois dans la cuisine.

Olivier fait asseoir V sur la chaise d'enfant d'Emma. Juliette prend place à l'autre bout de la table et lui reste debout, à égale distance de chacune d'elles, adossé contre la cuisinière. V ne s'adresse qu'à lui, d'une voix basse, ignorant Juliette qui l'observe.

Pour un combat final, l'ambiance est plutôt feutrée.
Rien, mais rien du tout, d'un ring.
Plutôt une finale de Roland-Garros, la foule est muette, silencieuse. Tendue.

C'est V qui sert la première, sans prendre de risque, des balles longues, faciles. Elle s'échauffe.

Elle commence :
Depuis trois semaines j'ai adopté la stratégie des sacs de sable mais ça ne marche pas. Ce n'est pas possible. Ça ne colle pas. Les mots ont un sens, tout de même, les mots veulent dire quelque chose.

Jusque-là, Juliette ne peut pas ne pas être d'accord avec V. Elle la trouve soudain pleine de bon sens.

Je ne t'ai jamais dit que je voulais quitter ma femme, répond Olivier.

Tiens, l'arbitre est monté au filet. C'est lui qui renvoie les balles.
Ce n'est pas l'arbitre, en fait.
En fait, c'est un double mixte.
Sauf qu'Olivier et elle sont ensemble et que V, elle, joue toute seule.

Non. On ne parlait pas d'elle. On ne parlait jamais d'elle. Mais tu te rappelles quand on a parlé de passade, tu m'as dit que pour toi ce n'était pas une passade.

Peut-être, sans doute que j'ai dit ça, oui, c'est possible.

Et les dernières fois qu'on s'est vus, tu avais l'air heureux.

Tu veux dire le déjeuner, le Jardin des Plantes, ces moments-là? C'était des rendez-vous extorqués, quand même.

Peut-être, mais c'était des moments — comment dire — amoureux?

Oui, sans doute, oui.

Olivier est très à l'aise, concentré, il renvoie chaque balle calmement, Juliette n'a rien à faire, elle peut rester en fond de court, laisser ses pensées divaguer.

Elle fume.

De temps en temps, Olivier jette un coup d'œil vers elle, il quête son approbation. Elle fait celle qui ne voit rien.

Fallait pas lui dire je t'aime, pense Juliette.
Il n'a que ce qu'il mérite.

Dire je t'aime, pense Juliette, c'est s'inscrire dans la durée, pas comme dire j'ai envie de toi ou je suis bien avec toi. Dire je t'aime, V a raison, c'est un serment, ça inclut le temps et la globalité, j'aime tout ce que tu es, je t'aimerai toujours ou en tout cas longtemps. On ne peut pas dire je t'aime puis cinq minutes après je ne t'aime plus, mais quinze ans plus tard oui, quelle est la durée de vie implicite du mot je t'aime ?

Pour combien de temps on signe quand on dit ça ?

C'est quoi la durée du bail ?

V s'obstine à rappeler à Olivier les mots d'amour qu'il lui a dits, comme un créancier qui présente sa reconnaissance de dette, c'est pathétique, maladroit, une très mauvaise tactique, qu'espère-t-elle en faisant ça. Les mots d'amour ont une valeur très limitée dans le temps ils ne valent qu'à l'instant T, au moment où ils sont dits, écrits, c'est une monnaie extrêmement volatile, qui connaît des krachs absolument monumentaux, en une nuit le cours s'effondre, V peut bien pousser devant elle des brouettes entières de mots les déverser aux pieds d'Olivier c'est peine perdue ils ne valent plus rien, comment peut-elle ne pas s'en rendre compte.

Olivier en retour lui rappelle toutes les déclarations qu'il a faites qui disaient le contraire, qu'il ne quitterait pas sa femme, qu'on ne peut pas aimer deux personnes à la fois.

Au fond, pense Juliette, le principal reproche qu'on peut faire à Olivier n'est pas d'être bourré de contradictions, il est loin d'être le seul, mais plutôt de les balancer en vrac sans se soucier de l'effet produit. En amour on doit à l'autre un minimum de synthèse, on ne peut pas déposer là comme ça tous ses sentiments ses paradoxes en tas, en pièces détachées pour ainsi dire et démerdez-vous pour faire fonctionner tout ça, pour en extraire l'idée directrice, en dégager le sentiment général, pour imbriquer toutes les pièces de façon que ça marche pour que ça ait un sens.

Le match s'éternise. On entend un bruit de magnéto-scope en provenance du salon. Juliette dit à Olivier :
La cassette est finie, je crois. Mets-lui *Bip Bip et Coyote*, si tu veux.

Changement de côté.

Olivier va dans le salon mettre une autre cassette. Juliette et V restent seules dans la cuisine, face à face. V demande une cigarette à Juliette, qui lui en tend une obligeamment, puis elle s'enquiert, mondaine :
Ça vous a plu, l'Italie ?
Juliette laisse échapper un petit rire, lève les yeux au ciel avec un haussement d'épaules. Oui, c'était bien, oui, dit-elle.

Sitôt qu'Olivier est de retour dans la pièce, les échanges reprennent, mais le ton a changé. V devient plus agres-sive, elle monte au filet, ses balles se font plus sèches.
Alors pourquoi ? demande-t-elle.
Parce que, répond Olivier.

300

Parce que quoi?

Parce que je ne veux pas divorcer.

La partie semble gagnée. Pour la gloire, du fond de son court, Juliette tente à son tour un service. Mal lui en prend.

Et pourquoi tu ne veux pas divorcer? demande-t-elle.

Parce que je ne veux pas de tout ce malheur, répond Olivier, s'adressant toujours à V. Parce que quand je me réveille le matin et que je regarde Juliette je ne ressens pas de dégoût comme il me semble qu'on doit en ressentir quand on veut quitter quelqu'un.

Bide total. Service écrasé dans le filet. Juliette va ramasser sa balle, humiliée.

Ça c'est une déclaration, dit-elle.

Le match est terminé.

V, bien que défaite, triomphe.

Elle se lève, avance vers Juliette et, par surprise, dégaine sa main.

Juliette, prise de court, la serre.

La sidération, ça s'appelle.

V plante ses yeux clairs de tueuse norvégienne dans les siens, la défie :

De toute façon, ça recommencera.

Puis elle enchaîne, si mondaine à nouveau :

Vous permettez qu'Olivier nous raccompagne à la voiture ?

Juliette glacée déglutit avec peine, regrette d'avoir serré la main tendue.

Elle hoche la tête.

Sidérée.

Quand Olivier remonte, elle se jette sur lui et hurle :

Tu ne peux pas le dire, hein ? Tu ne peux pas le dire que tu m'aimes.

Elle le frappe de ses poings, de toutes ses forces. Lui tente de la maîtriser, lui maintient les bras de son mieux, cette fois il a réussi, il a réussi à la rendre dingue elle aussi.

Enfin elle se calme et il s'effondre dans le fauteuil.

Je suis tellement déçu.

Déçu de qui ?

De moi, de moi, de moi, crie-t-il en se frappant la poitrine à son tour. Je croyais que pour une fois j'avais fait ce qu'il fallait.

En bas V lui a demandé : Alors tu ne m'aimes plus ?

Il a répondu : C'est fini.

Donc elle a compris que tu l'aimais encore, je suppose, dit Juliette.

Il se prend la tête dans les mains.

Alors il fallait que je lui dise c'est fini, je lui ai dit c'est fini, maintenant il faut que je lui dise je ne t'aime plus, la prochaine fois il faudra que je lui dise je ne t'ai jamais aimée, c'est ça?

31

Ce que je ne comprends toujours pas, dit Juliette, c'est...

Olivier ne la laissa pas poursuivre.

Si tu pouvais arrêter, rugit-il, si tu pouvais seulement arrêter de commencer toutes tes phrases par « ce que je ne comprends pas, c'est... », vraiment, ça serait bien.

Juliette le regarda étonnée. Ils étaient arrêtés dans une station-service au bord de l'autoroute. Elle se tenait debout près de lui, les bras chargés des boissons et des gâteaux qu'elle venait d'acheter à la boutique, tandis que lui remplissait le réservoir d'essence.

Pourquoi? demanda-t-elle.

C'est tellement agressif je me sens tellement agressé, sommé de donner des explications.

Agressif, répéta-t-elle, perplexe.

Agressif, oui.

Reformuler mes phrases en prenant garde de ne jamais les commencer par « je ne comprends pas », se dit-elle silencieusement, en remontant dans la voiture.

La deuxième partie de leurs vacances venait de commencer. Ils étaient en route pour la Vendée. Quand ils furent de nouveau sur l'autoroute, Juliette alluma l'auto-radio. C'était l'heure des infos.

« ... dans le coma. L'actrice Marie Trintignant a été hospitalisée dans un hôpital de Vilnius, en Lituanie, où elle séjournait pour les besoins d'un tournage. Ses blessures feraient suite à une violente dispute avec son compagnon, Bertrand Cantat, le chanteur du groupe Noir Désir... »

Incroyable, dit Juliette.

Qu'est-ce qui se passe, Maman ? demanda Emma.
Chut.
Juliette écouta avec attention jusqu'à ce que le journaliste passe au sujet suivant, puis elle changea plusieurs fois de canal, cherchant des compléments d'info. Mais partout on disait la même chose. On ignorait tout des circonstances de l'accident, on savait seulement que l'actrice était dans un état grave et que son compagnon avait été hospitalisé lui aussi en état de choc. Juliette aimait beaucoup Marie Trintignant. Elle était très sensible à son charme, sa beauté. Elle se sentait étrangement bouleversée par cette nouvelle. Sur une autre station, ils passaient la chanson *Le vent nous portera*, de Noir Désir — sans doute pas un hasard. Juliette enleva son doigt du bouton de l'autoradio, s'enfonça dans son siège et, les yeux perdus dans le vague, se laissa envelopper par la musique.

Je n'ai pas peur de la route, Faudra voir, faut qu'on y goûte,
Des méandres au creux des reins Et tout ira bien...

Ils arrivèrent à Pornic en milieu d'après-midi. Le père de Juliette, souriant, les accueillit sur le seuil de sa maison, au bord de l'océan. Depuis qu'il s'était trouvé une nouvelle compagne — une nouvelle esclave, pensait Juliette —, les relations avec sa fille s'étaient détendues au point qu'après des années de rupture elle pouvait à présent envisager de passer quelques jours chez lui. Monique mettait de l'huile dans les rouages et sous son influence Jérôme parvenait même à faire semblant de s'intéresser aux enfants. Il aida Olivier à décharger les bagages — saisissant une valise de chaque main afin de bien montrer comme à soixante-dix ans il était en pleine forme. Ce faisant, il leur apprit que quelqu'un, la veille au soir, avait téléphoné et demandé à parler à Olivier. Juliette se sentit instantanément glacée.

Elle voulait savoir quand vous arriviez. Mais elle n'a pas voulu se présenter, ni laisser de message, claironna-t-il d'une voix tonitruante — il était un peu dur d'oreille. Il fit un clin d'œil à sa fille. À ta place, Juliette, je me méfierais.

Et il regarda Olivier d'un air graveleux et complice. Juliette eut envie de le mordre.

Mal à l'aise, Olivier bafouilla quelque chose au sujet du boulot. Il sentait peser sur lui le regard de Juliette, lourd de reproche. Oui, il avait dû dire à V que le père de Juliette possédait une maison à Pornic, et qu'ils iraient y passer la seconde partie de leurs vacances. C'était avant la dernière crise, au moment où il s'imaginait encore pouvoir conserver une relation normalisée avec elle. V connaissait le nom de Juliette et n'avait eu qu'à chercher dans l'annuaire.

Il consulta à nouveau son téléphone. Depuis qu'elle était venue chez eux le samedi soir, Victoire avait essayé plusieurs fois de le joindre sur son portable, mais elle n'avait pas laissé de message. À présent, il paniquait à l'idée qu'elle appelle de nouveau chez Jérôme — ou pire encore, qu'elle débarque à l'improviste. Être humiliée ainsi devant son père, subir sa fausse sollicitude et ses commentaires déplacés serait sans doute plus que Juliette ne pourrait supporter. Il décida de prendre les devants et d'appeler Victoire dès le lendemain matin, en priant le ciel qu'elle se tienne tranquille d'ici là.

Le soir dans leur chambre, déjà couché, il regarda Juliette se déshabiller. En présence de son père, Juliette avait été toute la soirée à fleur de peau, nerveuse et souvent maladroite. La petite fille qu'elle avait été, malgré elle, refaisait surface. Il la trouva soudain émouvante.

Tu as un corps d'adolescente, dit-il.

Elle lui sourit, étonnée, et vint s'allonger nue contre lui. Il passa son bras autour d'elle machinalement, tout en inspectant le plafond, cherchant à localiser le moustique dont ils percevaient le vrombissement intermittent. Il s'était posé dans un angle de la pièce. Sitôt qu'il l'aperçut, Olivier se dégagea de l'étreinte de Juliette en s'excusant, sauta sur ses pieds, enleva son tee-shirt qu'il noua en boule compacte et le lança en direction de l'insecte d'un geste précis et rapide, explosant la bestiole. Il contempla la petite tache de sang sur le plafond blanc, satisfait, jeta son tee-shirt par terre et debout, nu, se retourna vers Juliette, quêtant son admiration. La tête posée sur le coude, elle observait, rieuse, son homme, dans la posture du chasseur triomphant.

Bravo, dit-elle.

Le lendemain, quand elle sortit de la douche, Olivier avait disparu.

Il est parti à la plage, répondit Emma à sa mère, quand elle lui demanda où il était passé.

L'estomac de Juliette se noua. Après s'être énervée sans raison contre les enfants, elle traversa le petit jardin sablonneux qui séparait la maison de l'océan, poussa la barrière de bois et vit Olivier marcher de long en large à grands pas, téléphone à l'oreille, silencieux, les sourcils froncés. Il était encore tôt et la plage, le matin, était presque déserte. Elle resta debout longtemps à l'observer, attendant qu'il finisse par l'apercevoir. Lorsqu'il se rendit enfin compte de sa présence, il s'approcha un peu d'elle. Elle s'assit sur le sable. Il s'éloigna à nouveau. Elle se leva et fit mine de partir, il la rejoignit dans le chemin qui menait de la route à la plage, s'arrêta à deux mètres d'elle, sans la regarder. Elle s'assit sur le muret de pierres et l'écouta dire d'une voix douce : « Non, il ne faut pas que tu fasses ça, bien sûr. » Vus de très haut, leurs mouvements à tous deux devaient évoquer un curieux ballet d'insectes. Juliette imagina le visage de V à l'autre bout du fil, lui superposa en pensée la tache de sang qu'avait laissée le moustique sur le plafond en s'écrasant la veille. Elle se leva et se dirigea vers la route, les larmes aux yeux. Elle hésitait entre partir de son côté pleurer un bon coup sa frustration, sa colère, et se montrer raisonnable, comme d'habitude, se décida à regret, comme d'habitude, pour la deuxième option. Elle retourna chez son père chercher les enfants, partit avec eux pour aller acheter le pain. Bientôt une heure que durait la petite conversation d'Olivier avec V. À peine avaient-ils quitté la maison qu'ils le virent qui marchait à présent sur la route, venant dans leur direction, toujours au téléphone. Les enfants se précipitèrent, il les arrêta d'un geste, elle les entraîna en disant : Laissez Papa, il travaille, il va nous rejoindre.

Il les rejoignit effectivement peu après, devant le kiosque à journaux.

Comme il ne se doutait pas de l'état de rage dans lequel elle se trouvait, il lui parla gentiment, et sa colère retomba.

Elle m'a laissé un SMS me demandant de la rappeler. J'ai voulu te le dire mais tu étais sous la douche. J'ai eu vraiment la trouille qu'elle appelle chez Jérôme.

Et alors, qu'est-ce qu'elle dit ?

Rien. Elle pleure.

Et toi, qu'est-ce que tu lui dis ?

Que je ne vois pas ce que je peux faire. Que je ne suis plus amoureux d'elle. Elle m'a coupé tout de suite en disant ça va, ça, j'ai compris. Elle a fait comme si elle le savait très bien, mais je pense qu'en fait ce n'était pas inutile. De le dire.

Sans doute pas, répondit Juliette.

Ils achetèrent les journaux et le pain, puis s'installèrent à une terrasse de café en bordure de plage, d'où ils pouvaient surveiller les enfants qui jouaient dans le sable.

Je lui ai dit que tu étais ce qu'il y avait de plus important dans ma vie, dit Olivier.

Toute la tension accumulée par Juliette au cours de l'heure qui venait de s'écouler retombait. Elle détourna la tête pour cacher à Olivier son visage.

Tu lui as dit ça?

Oui, bien sûr. Je le lui avais déjà dit.

Et c'est vrai?

Bien sûr. Absolument. Il n'y a rien de plus important que toi dans ma vie. Rien.

Ils restèrent un instant silencieux, écoutant le bruit des vagues. Puis Juliette déplia l'un des journaux — ils consacraient tous plusieurs pages à la tragédie de Vilnius. Marie Trintignant était toujours entre la vie et la mort. Selon les médecins lituaniens, il n'y avait plus d'espoir. À la demande de sa famille, elle allait néanmoins être rapatriée à Paris pour une opération de la dernière chance. Bertrand Cantat avait tenté de mettre fin à ses jours en apprenant les conséquences de ce qui apparaissait toujours comme un terrible accident — dans le feu de la dispute, Marie poussée brutalement, perdant l'équilibre, sa tête dans sa chute heurtant un radiateur.

La dispute avait eu lieu le soir du 26 juillet — le soir où V était venue chez eux.

Le soir, dans leur chambre, Juliette demanda à Olivier :

Et tu n'es plus amoureux, vraiment ?

Non, répondit-il, sûr de lui, guettant sa réaction. Après un temps il ajouta : Tu es déçue ?

Elle le regarda sans comprendre. Il souriait.

Déçue ?

Tu me trouves volage ?

Elle secoua la tête de gauche à droite lentement, sans répondre. Décidément, Olivier resterait toujours pour elle un mystère

Plusieurs jours passèrent sans nouvelles de Victoire. Juliette commença à se dire que cette fois, peut-être, elle était sortie de leur vie.

Tu avais raison. Tu vois, je suis tes conseils, lui dit Olivier. Cela fait trois fois que je suis tes conseils : la première fois, quand nous sommes partis à Annecy, la deuxième quand je lui ai dit « C'est fini », la troisième quand je lui ai dit « Je ne suis plus amoureux ».

Et c'est la vérité ? Tu ne me mens plus, tu es sûr ?

Non, dit-il. Impossible. Même par omission. De toute façon à chaque fois ça me retombe sur la gueule. Maintenant je te dis tout. Absolument tout. Le moindre texto que je reçois je t'en parlerai. La moindre chose qui se passera désormais entre nous, elle et moi.

Un soir qu'ils se sont couchés tôt — Olivier crevé veut dormir — elle le caresse, ils font l'amour, ensuite elle lui dit :

Je suis désolée de t'avoir empêché de dormir.

Tu n'as jamais beaucoup de mal à m'empêcher de dormir, répond-il.

Couchée sur le dos, comme souvent désormais après l'amour elle pense à Victoire, elle n'y peut rien, à la chance qu'elle a eue, Olivier qui la caresse, qui lui dit des mots d'amour, qu'il n'a jamais connu ça, Juliette aussi ça l'aurait rendue folle.

J'aimerais bien, moi aussi. Que tu me dises que tu n'as jamais connu ça, dit-elle, les yeux grands ouverts fixés loin devant elle.

Il se redresse sur un coude pour lui faire face, la force à le regarder, avec une inhabituelle patience.

Mais je n'ai jamais connu ça, dit-il. Rien qui soit même de très loin comparable avec ce que je vis avec toi, je n'arrête pas de te le dire.

Elle le croit sincère, s'étonne de rester si étrangement insensible à ces mots. Est-ce qu'il est trop tard ? Elle ne parvient pas à secouer la tristesse qui s'est installée en elle depuis le début de cette histoire, installée lui semble-t-il pour de bon.

32

Le lendemain il reçoit un SMS de V, le lui montre :
« J'ai toujours aussi mal. Je fais des rêves affreux. »
Puis cinq minutes plus tard :
« Tu vas bien, toi ? »
Le lendemain un autre :
« Fais-moi signe quand tu peux. »

Il lui envoie un texto à son tour, disant qu'il ne souhaite pas lui parler, mais que si c'est vraiment indispensable, il peut le faire vers 22 heures.

Juliette est fascinée par sa froideur, les termes qu'il choisit, souhaiter, se référer. Cette froideur qui la réconforte elle, ou du moins la rassure, et en même temps qui la blesse, car elle se met toujours à la place de l'autre, elle imagine ce qu'elle va ressentir en recevant ça, la violence, elle ne peut pas s'en empêcher.

La réponse arrive quelques minutes plus tard : « Je te fais de doux baisers d'amour. »

Lutter contre cette fille c'est comme donner des coups de poing dans l'eau, ça ne sert à rien, quelques éclaboussures, quelques rides, et le trou aussitôt se referme. Olivier a souvent reproché à Juliette d'être dure, mais cette fille c'est de la flotte, aucune tenue, juste des larmes, se méfier. L'eau c'est traître.

Olivier regarde Juliette, il tente de déchiffrer son malaise.

Ces messages ne changent rien entre nous, si ? Ce n'est qu'un désagrément, comme une roue crevée.

Une roue crevée ?

Oui, enfin, un désagrément, rien de plus.

Juliette pense qu'à la place de V elle n'aimerait pas être traitée de roue crevée. De désagrément non plus.

Le matin suivant, à nouveau deux messages. C'est reparti, visiblement ça ne va plus s'arrêter. Ils vont au café sur la plage, discutent de savoir si c'est mieux qu'Olivier l'appelle en présence de Juliette ou pas. Pour finir il descend sur le sable, il reste à trois mètres d'elle, elle le voit mais le vent la mer, n'entend pas les mots qu'il dit.

Alors? demande-t-elle quand il revient s'asseoir auprès d'elle, au bout d'une demi-heure.

Elle s'est effondrée quand je lui ai dit que tu étais au courant de tous ses messages de tous nos coups de téléphone elle m'a demandé si je t'avais montré son texto d'hier soir je lui ai dit que oui elle s'est mise à hurler.

Elle hurle quoi?

Manque de respect, nazi, je suis une personne quand même, ces trucs-là.

La trouble jouissance de se trouver soudain dans le rôle du bourreau. Elle repense au message de V : Vous êtes vraiment un couple à vomir.

Sinon?

Elle veut savoir comment ça va si je pense à elle comment ça se passe entre nous.

Et tu lui dis?

Je lui dis que ça va, que je crois qu'on a surmonté, je parle d'une complicité retrouvée elle m'a posé des questions sur toi pour finir je me suis fâché je lui ai dit tu veux savoir comment on fait l'amour c'est ça?

Ça s'est fini comment?

Elle a dit qu'elle m'aimera toujours. Mais je sais bien que c'est des conneries, elle dit ça pour m'emmerder parce qu'elle sait que ça me touche, je n'ai pas envie qu'elle finisse en épave, mais cet automne elle tombera amoureuse d'un nouveau mec c'est évident.

Ça le touche.

Donc c'était ça, la stratégie, pensait Juliette, tout encaisser, amour éternel, rester là tapie à l'affût une patience inépuisable, attendre son heure, la fissure entre eux qui ne pouvait manquer de survenir, le dérapage, le clash, pour Olivier une issue de secours pour Juliette une épée de Damoclès mais quand est-ce qu'on allait en finir elle ne pouvait pas vivre constamment dans la terreur comme ça il fallait que ça s'arrête à la fin.

Et deux jours plus tard à nouveau un message : « Tu voudrais bien m'appeler ? Tu me manques. »

Juliette est au supermarché elle fait des courses, elle est nouée d'angoisse depuis le matin. Quelle insupportable présomption, pense-t-elle. Comme si de rien n'était. Tu me manques. Comme s'il ne lui avait pas dit que c'était fini, comme s'ils allaient se retrouver dans quelques jours. Évidemment qu'il lui manque. Encore heureux qu'il lui manque. Il est temps que V apprenne que dans un chagrin d'amour on n'attend pas de l'autre qu'il vous console. On se débrouille. On pleure dans son coin, on envoie des lettres d'injures, on se démerde. Un peu de dignité, d'humour, ou même d'orgueil, ça aide aussi, bien sûr.

En rentrant elle trouve Olivier dans la chambre.
Grosse rechute, lui dit-il.
Ça ne m'étonne pas, répond-elle.
Elle a appelé en numéro masqué alors que j'étais en train de lui envoyer un message disant que ça ne me semblait pas très utile qu'on se parle, j'ai décroché.
Alors ?

Ça a commencé plutôt calmement. Elle m'a raconté un rêve qu'elle avait fait, elle était perdue dans notre appartement qui était immense, complètement angoissée, c'était horrible. Je lui ai expliqué pourquoi je te disais tout à présent, en direct, que je m'étais rendu compte que chaque fois que je ne te disais pas les choses sur le coup, pendant le mois de juin et même après, parce que je pensais que ce n'était pas important, que c'était mon jardin secret, de toute façon ça finissait toujours par ressortir, donc qu'on avait décidé maintenant de fonctionner comme ça. Elle écoutait.

Ensuite c'est monté petit à petit. Elle a dit : « Mais tu peux quand même me laisser une petite, une toute petite place dans ta vie ? » Je lui ai dit que non, qu'elle méritait mieux qu'une petite place dans ma vie de toute façon et qu'il ne fallait plus qu'on se parle ni qu'on se voie tant qu'elle n'en aurait pas rien à foutre de moi, alors elle s'est mise à hurler, qu'elle allait faire une connerie, le truc habituel. J'ai fini par raccrocher, et j'ai eu un message de Tristan me demandant de le rappeler. Et mon portable n'arrête pas de sonner. J'ai peur qu'elle appelle ici. J'ai débranché le téléphone fixe en douce. J'espère que Jérôme ne va pas s'en rendre compte.

Juliette réfléchit un instant.

Il attend un coup de fil du plombier, dit-elle.

L'absurdité de tout ça leur arrache un sourire, pourtant ce n'est pas drôle, pas du tout. Juliette s'assoit sur le lit, le visage dans les mains.

On n'en finira jamais.

Il est auprès d'elle, l'entoure de son bras.

Pourquoi tu dis ça ? Bien sûr que si on en finira, je sais bien que c'est trop long, mais je t'assure qu'on avance. À chaque nouvelle crise des choses sont dites, je crois quand même qu'on progresse.

Il réfléchit.

J'ai envie d'appeler Tristan, qu'est-ce que tu en penses ?

Comme tu veux.

Sitôt qu'Olivier fut sorti, Juliette chercha dans ses affaires l'édition de poche de *La femme rompue*, dont elle ne se séparait plus depuis la Toscane, et en tourna les pages rapidement.

« Tu peux quand même me laisser une toute petite place dans ta vie. »

La phrase se trouvait page 243.

Mais dans le livre de Beauvoir c'était la narratrice, la femme trompée, qui la prononçait.

Pas la maîtresse.

Cette fille est vraiment malade, pensa Juliette, elle déraille complètement, elle se trompe de rôle, elle dit mon texte, depuis le début elle se trompe de rôle, bon Dieu, c'est pour ça qu'elle ne supporte pas qu'on aille ensemble au ciné ou au théâtre, dans le livre il ne va au spectacle qu'avec sa maîtresse, elle sent bien que

316

quelque chose ne colle pas, ça la fait paniquer. Les vacances, pareil. Les coups de fil. Dans le bouquin, Noëllie finit par appeler le mec chez lui, lui fait un chantage au suicide, il hésite, pour finir il y va, eh non, pas Olivier, encore raté, pas de bol, avec nous ça ne marche pas, ce n'est pas notre histoire, pas la mienne en tout cas. Elle doit péter les plombs.

Quand Olivier revint après une dizaine de minutes, il était souriant. Juliette allait allumé une cigarette bien qu'il ne soit que 4 heures de l'après-midi, ce qui était tout à fait contraire à ses habitudes.

Tu ne vas pas fumer à cette heure-ci, dit-il en s'asseyant près d'elle.

Je me suis remise à fumer le 1ᵉʳ juin, je n'ai pas touché une cigarette en Toscane. Ma consommation est directement proportionnelle à la fréquence et l'intensité de tes contacts avec elle. Alors, Tristan ?

Il m'a plutôt rassuré. Il m'a dit qu'à son avis le plus dur était passé. Il croyait que je lui avais raccroché au nez, il m'a juste dit de ne pas faire ça, qu'elle ne supportait pas. Je lui ai dit qu'on s'était parlé pendant une heure, ce n'était pas ce qu'il avait compris. Il m'a dit de considérer qu'elle était folle, que la rupture prendrait plus de temps qu'une rupture normale. Mais qu'il avait connu pire. Je lui ai demandé s'il parlait d'histoires semblables avec d'autres mecs, ou du début de mon histoire avec elle, il est resté vague mais j'ai cru comprendre qu'il s'agissait d'autres mecs.

Juliette haussa les sourcils. Quand Olivier avait pensé appeler le psychiatre qui la suivait, Tristan s'était précipité pour dire à Victoire qu'il voulait la faire interner. À présent, c'est lui qui affirmait qu'elle était folle.

Oui, bon, c'est sûr, admit Olivier, il n'est pas complètement clair. Mais cette fois-ci il était plutôt bien, je t'assure. Il m'a dit qu'il profitait des moments où elle n'était pas là pour partir en vacances, tu te rends compte. Je n'arrive pas à imaginer sa vie de famille, à ce type.

Difficile, dit Juliette.

Il le sait, bien sûr, que ça paraît fou. Il m'a dit : Vous ne pouvez pas savoir à quel point elle est seule. Pour qu'elle en vienne à se confier à moi, vous imaginez.

Juliette n'imaginait pas.

Ce qui lui manque à cette fille, c'est une bonne copine, dit-elle.

La fin du séjour approchait. Après le dîner ils allèrent réserver pour le lendemain au restaurant sur la plage, ce serait sans doute leur dernière soirée. Puis ils marchèrent le long de la mer, il faisait chaud, il y avait des gens dans l'eau.

En revenant, Olivier trouva un message de V :

« Tu me téléphoneras demain ? »

C'était bien ces vacances, lui dit-il dans le lit en la prenant dans ses bras. Non ?

Elle rit.

Si.

On s'est retrouvés, en tant que couple. Non?

Si. Enfin, c'est plutôt à toi de le dire. C'est plutôt toi qui nous avais perdus, en tant que couple.

Ce n'est pas vraiment aussi simple, tu le sais bien.

Je sais, répondit-elle.

C'était leur dernière journée à Pornic. Il faisait de plus en plus chaud. Ils allèrent tôt le matin se baigner. À peine étaient-ils sortis de l'eau et s'étaient-ils allongés sur la plage que le téléphone d'Olivier sonna.

C'est fou, dit-il, je rallume mon téléphone et à la seconde c'est elle.

Il appuya sur la touche C pour ignorer l'appel, il avait aussi un SMS lui demandant à nouveau de la rappeler.

Le ton de ses textos exaspérait Juliette, « Tu voudrais bien… », « Est-ce que… », « J'aimerais bien ». Ce ton à la fois enfantin, soumis, un peu plaintif, qui perçait même en quelques mots. Ignorait-elle l'agressivité ?

En fin d'après-midi d'autres messages commencèrent à arriver.

« Appelle-moi s'il te plaît. Je suis coincée en rase campagne près de La Roche-sur-Yon. »

Elle est complètement cinglée, dit Juliette, furieuse.

Olivier lui non plus n'en revenait pas.

Ça c'est sûr, dit-il.

Qu'est-ce qu'elle fout à La Roche-sur-Yon, d'abord ?

Je n'en sais rien. Elle devait aller passer quelques jours à Ré, chez l'une ou l'autre des huiles du Parti socialiste.

Et qu'est-ce qu'elle attend de toi? Que tu ailles la chercher?

Sûrement, dit Olivier en se marrant.

Elle n'a qu'à appeler Jospin. Ou une dépanneuse.

Elle voyage en train, je pense. Bien sûr, c'est délirant, dit Olivier. Déjà son message d'hier, « Tu me téléphoneras demain? », comme si rien ne s'était passé, après la conversation qu'on avait eue, c'était délirant. La Roche-sur-Yon, c'est la route pour venir de La Rochelle à Pornic?

Je crois. Plus ou moins. En train, je ne sais pas.

Mon fantasme, en fait, c'est qu'elle était en route pour venir ici, et qu'elle est tombée en rade. C'est possible, ça?

Peut-être, dit Juliette. Mais pourquoi?

Pour me voir, évidemment. Elle nous fait le coup à chaque veille de départ. Elle veut me choper avant qu'on rentre à Paris.

Il soupira.

Heureusement qu'on ne dîne pas chez ton père ce soir. Je suis sûr qu'elle va finir par appeler à la maison.

Lorsqu'ils rentrèrent le soir, après le restaurant, Olivier consulta son téléphone. Il avait neuf appels en absence. Et un SMS du même style que le précédent. Apparemment, elle était toujours à La Roche-sur-Yon.

Mais qu'est-ce que c'est que ces histoires? explosa Juliette. Et d'abord, comment peut-on être coincée en rase campagne quand on prend le train? En cas de problème, la SNCF a des cars, non?

Le dernier message date d'il y a une heure et demie, dit Olivier.

Il avait l'air inquiet.

C'est vraiment la terreur, dit-il. J'ai peur qu'elle débarque à chaque seconde.

Ils couchèrent les enfants, puis retournèrent au salon.

Tu ne vas pas la rappeler, si? dit Juliette.

Non, non, dit Olivier. Mais si elle débarque cette nuit, qu'est-ce que je fais? Je l'emmène quelque part?

Sûrement pas, dit Juliette.

Je la fais dormir ici?

Arrête. Si elle débarque, on verra bien. Je m'en charge. On ne va pas se rendre malades à l'avance.

Ils allèrent se coucher, nus l'un contre l'autre, la chaleur était telle qu'on ne supportait même plus un drap.

C'est la fin des vacances, dit Olivier.

On n'a pas beaucoup progressé depuis le début, dit Juliette. Elles ont commencé dans la terreur, elles se terminent dans la terreur.

C'était bien malgré tout, dit Olivier. Ou peut-être à cause de ça?

Juliette resta pensive. Olivier avait raison. L'obstination de V à refuser la rupture avait créé une tension indéniablement bénéfique à leur couple. Ensemble, ils faisaient front contre elle. Elle se demanda avec un peu d'appréhension comment allait se passer le retour à Paris.

33

PARIS, 11 août (AFP) — *Un nouveau record de chaleur vient d'être battu à Paris, avec une température minimale de 25,5 degrés au cours de la nuit de dimanche à lundi, a-t-on appris auprès de Météo-France. C'est la température minimale relevée à la station de Météo-France Paris-Montsouris la plus élevée depuis le début des mesures (1873).*

Dans les bureaux de Galatea Networks, il faisait bon, mais pendant le week-end la chaleur avait été telle que la clim avait sauté dans la salle des serveurs. Le réseau était tombé et, en ce lundi matin, plus aucun ordinateur ne fonctionnait. Le temps que l'équipe de maintenance remette les choses en ordre, le personnel désœuvré errait de bureau en bureau, se regroupait devant la machine à café. En temps normal, un tel incident n'aurait fait que rajouter au stress des ingénieurs, mais à la veille du 15 août, l'ambiance à Galatea était presque détendue. En bras de chemise, sans cravate, Pissignac tendit à Juliette un cappuccino et en profita pour l'informer de sa nomination encore officieuse à la direction commerciale. Obéissant à une impulsion soudaine, Juliette lui toucha le bras. Pissignac sursauta, renversa un peu de café brûlant sur sa main et la regarda, effrayé. Elle lui sourit. C'était fascinant de toucher du doigt un tel triomphe de la vanité et de l'incompétence. Fascinant et mystérieux à la fois. Elle le félicita presque sincèrement. Elle n'avait pas le goût du commerce, encore moins celui du pouvoir, et se sentait surtout satisfaite d'être bientôt débarrassée de lui. Sitôt son cappuccino terminé, elle jeta son gobelet dans la corbeille et tenta à nouveau d'appeler Olivier.

Jusqu'à la dernière minute, à Pornic, ils avaient eu peur que V ne déboule chez Jérôme. Dans la nuit, Olivier avait décidé de renvoyer tous ses appels vers le portable de Juliette (d'où lui était venue cette idée? Pas d'elle en tout cas). En conséquence, le matin de leur départ, son téléphone à elle s'était mis à sonner à 8 heures, et avait continué sans interruption jusqu'à midi. Les appels provenaient de divers numéros, dont celui du portable habituel de V.

Tu peux décrocher, si tu veux, avait dit Olivier, avec un fin sourire.

Non merci, avait répondu Juliette.

Elle imaginait avec un peu d'effarement ce que devait ressentir V en tombant sur sa messagerie. Une fois de plus, elle s'émerveilla de la brutalité semblait-il inconsciente d'Olivier, qui, rétrospectivement, relativisait celle dont il avait fait preuve envers elle, au début de cette histoire.

Anxieux de quitter Pornic, ils avaient pressé le départ et, sur la route du retour, avaient fait halte chez des amis près du Mans. Plus on s'avançait vers l'intérieur des terres, plus la chaleur devenait insoutenable. Suivant le conseil et l'exemple de leur hôte, ils tentèrent de se rafraîchir en se trempant dans un étang d'où Juliette ressortit aussitôt, dégoûtée — l'eau stagnante et tiède avait laissé sur sa peau un résidu huileux dont elle courut se débarrasser en se frottant longuement de savon sous la douche mais qu'elle eut l'impression de sentir encore sur elle pendant plusieurs heures.

Ils étaient arrivés chez eux épuisés, et aussitôt dans leur appartement, une tension palpable était revenue entre eux. Les appels de V avaient cessé, mais ni l'un ni l'autre ne s'illusionnait sur le fait qu'elle allait tenter de joindre Olivier dès son retour au journal.

Là- bas je suis piégé, dit-il. Je ne peux pas lui échapper.

Il va pourtant bien falloir que ça s'arrête, dit Juliette. Même vis-à-vis de ta hiérarchie, ça va finir par ne pas faire très sérieux.

C'est sûr, acquiesça Olivier, soucieux.

Il avait commencé à imaginer une stratégie : lui envoyer un mail pour la prévenir qu'aucune conversation entre eux, désormais, ne durerait plus de trente secondes, ce qui lui permettrait de prendre ses appels lorsqu'il ne serait pas seul et de raccrocher aussitôt avec une panoplie de phrases préparées et anodines pour les oreilles non averties, du genre Très bien, maintenant on va faire comme on a dit.

Vers 13 heures, donc, Juliette voulut joindre Olivier. Au journal, elle tomba sur sa messagerie. Elle essaya son portable, qui d'abord sonna occupé, puis l'envoya sur la boîte vocale. À la seconde tentative, un quart d'heure plus tard, elle sentit l'angoisse la gagner. À 14 heures, elle était au bord de l'hystérie. Elle laissa un message bref à Olivier, ton téléphone est sur messagerie, rappelle-moi s'il te plaît. Puis, une demi-heure plus tard, la voix enrouée : Je ne comprends pas comment tu peux ne pas me rappeler et me laisser imaginer n'importe quoi.

Et de fait, elle imaginait tout. Une conversation téléphonique interminable avec l'île de Ré. Que Victoire avait débarqué au journal en personne, peut-être même était-elle déjà là la veille en bas de chez eux, peut-être Olivier l'avait-il trouvée là quand il était descendu rentrer la voiture au parking. Ce qui aurait expliqué son air bizarre du soir. Ou peut-être était-elle à l'hôpital quelque part, et il était allé la voir. Ou bien…

Le téléphone sonna alors qu'elle fumait une cigarette dans le hall, mais le signal passait mal et Olivier, visiblement, chuchotait. Elle entendit vaguement qu'il ne s'était rien passé du tout, puis il raccrocha en lui disant qu'il la rappellerait très vite d'un poste où il pourrait parler.

Chatel arriva sur ces entrefaites, tout bronzé, et lui proposa de venir boire un café dans son bureau. Son téléphone sonna alors qu'elle était dans l'ascenseur, elle s'excusa auprès de son DG et le planta là sans plus de formalités pour redescendre au troisième étage. Elle n'entendait toujours pas très bien mais comprit qu'Olivier était rentré déjeuner à la maison, ne s'était pas rendu compte que son portable était éteint, qu'il n'avait aucune nouvelle, si ce n'est un paquet posté le jour de leur départ et qu'il avait reçu au journal — un cadeau. Un carnet. Un article de papeterie. Elle entendit les mots « elle l'avait déjà », « voiture », renonça à comprendre ce qu'il lui disait, s'excusa. Ça me rappelle de trop mauvais souvenirs, dit-elle.

Je comprends, dit-il. Mais vraiment, arrête. Je t'ai laissé un message, tu l'as écouté ?

Non, elle ne l'avait pas encore écouté, mais elle le fit en continuant à monter par l'escalier aussitôt après avoir raccroché.

Juliette, écoute, là je me suis isolé pour te dire les choses clairement, minute par minute mon emploi du temps, je n'ai absolument aucune nouvelle et il est impossible, tu entends, impossible, qu'il se passe quelque chose dont je ne te parlerais pas. Alors arrête, je comprends que ça puisse arriver, mais tu es en plein délire, là.

Elle se sentit immédiatement beaucoup mieux, franchit avec légèreté les dernières marches qui menaient au bureau de Chatel.

Le soir, elle se fit expliquer par Olivier cette histoire de cadeau. Il s'agissait d'un cadeau pour Emma, un petit carnet avec un cadenas. De toute façon elle en a déjà un, non? Il me semble l'avoir vue jouer avec dans la voiture. Juliette écoutait incrédule. Le cahier à cadenas que je lui ai donné pour son anniversaire, oui. Attends. Elle achète un cadeau à Emma?

Bien sûr, puisque — dans son esprit — on va être une famille recomposée, elle et moi, répondit-il légèrement.

Voyant sa tête, il enchaîna rapidement : Je savais qu'elle m'avait envoyé un cadeau pour Emma, elle me l'avait dit au téléphone. Mais ne t'inquiète pas, je l'ai mis dans une boîte que je suis allé chercher à la poste, avec un pull qu'elle m'avait offert un jour, et je vais lui renvoyer tout ça. C'est ce que je suis venu faire à midi.

Juliette digérait lentement l'information.

Et elle a posté ça le lendemain du jour où elle est venue ici?

Apparemment, dit-il, un peu agacé. Écoute, ça n'a vraiment aucune importance.

Il y avait un mot avec ?

Non.

Et tu as mis un mot, toi ?

Oui. J'ai écrit : Je ne peux pas accepter ce cadeau pour Emma. C'est fini, tu le sais.

Elle ravala le flot de haine qui montait en elle chaque fois que l'autre s'approchait de ses enfants, et ils n'évoquèrent plus le sujet de la soirée.

La nuit fut encore plus chaude que la précédente, et elle eut du mal à s'endormir. Olivier lui aussi ne cessa de se relever — ils dormaient nus, sans drap, fenêtres et portes ouvertes.

Le lendemain, ils se couchèrent tôt et Juliette se mit à feuilleter un vieux *Marie Claire* qui traînait au pied du lit. Elle était à demi allongée sur le dos et, chaque fois qu'elle tournait une page, le papier lui effleurait agréablement le bout des seins.

Ne sois pas maussade, lui dit Olivier en roulant près d'elle. Tu as un mari impeccable, des enfants pas mal, mais surtout un mari parfait, c'est une bonne base, non ?

Il lui embrassa le ventre.

Arrête, tu ne vas pas tenir tes promesses. Déjà que cette chaleur m'excite.

C'est vrai ? demanda-t-il, intéressé.

Et il se mit à la caresser avec conviction.

Il la fit jouir longuement avant de la pénétrer.

Ensuite ils allèrent tous deux se plonger dans la baignoire remplie d'eau froide. Un truc de couple, tendre, intime, qu'ils ne faisaient jamais. Elle se sentait bien, soudain, détendue. Elle plaisanta.

Ça m'a mise de bonne humeur, tu vois, il suffit de peu de chose.

La chaleur de leurs deux corps mit peu de temps à réchauffer l'eau de plusieurs degrés.

Ensuite elle dormit comme une souche.

34

Juliette continuait à se passionner pour la tragédie de Vilnius. Chaque matin elle dévorait la presse. Après une opération de la dernière chance, Marie Trintignant était décédée à Paris. L'autopsie avait démontré la violence et la multiplicité des coups qui lui avaient été portés par Cantat. Dans ses dépositions, le chanteur avait évoqué l'hystérie de l'actrice, qui selon ses dires s'était jetée sur lui la première en hurlant « Retourne chez ta femme », et qu'il avait seulement voulu calmer. La famille de sa victime s'était scandalisée à bon droit d'une telle défense. Kristina Rady, l'épouse abandonnée, avait pris le premier avion pour Vilnius afin de soutenir celui qui était toujours son mari et le père de ses enfants. Des photos la montraient posant la main en un geste très tendre sur la tête du meurtrier présumé, effondré, à sa sortie du tribunal. Juliette, toutes proportions gardées, trouvait dans cette affaire d'étranges résonances avec ce qu'elle était en train de vivre, et s'étonnait d'incroyables coïncidences : la maîtresse hystérique — ou pas —, la femme bafouée mais fidèle, et blonde. De surcroît le drame avait eu lieu le soir du 26 juillet, le soir où Victoire était venue dans leur appartement et où Juliette s'était jetée sur Olivier, le bourrant de coups de poing.

Et alors ?

Alors rien.

Elle se bornait à constater les faits, n'en tirait aucune conclusion, aucun signe ni sens caché.

Les accusations d'hystérie portées contre Marie Trintignant par Cantat, cependant, la troublaient. Après tout, elle-même ne connaissait de la soi-disant hystérie de V que ce que lui en avait raconté Olivier. Peut-être noircissait-il le tableau pour masquer ses propres faiblesses. Peut-être, réfléchissait Juliette, étaient-ce les hommes qui rendaient les femmes folles.

Ou l'inverse.

Ou les deux.

Peut-être était-ce l'amour qui rendait fou.

Ou le désir.

Ou les deux.

La presse elle-même peinait à démêler le sens du drame de Vilnius. Les magazines naviguaient à vue entre passion — sublime, forcément sublime — et emprise mortifère, s'emmêlaient les pinceaux à tenter d'expliquer comment un si bel amour entre deux êtres si purs avait pu se terminer en fait divers si sordide. Des artistes s'étaient fendus d'une tribune dans *Le Monde* pour affirmer que Cantat était malgré tout un type épatant. Un psychanalyste expliquait que personne n'est à l'abri de la folie, ni d'un raptus — si vous ne comprenez pas cela, vous n'avez jamais été amoureux —, une psychiatre évoquait les « femmes fatales » qui, tout en étant victimes, dominaient leur agresseur, cependant qu'à la suite de Gisèle Halimi les associations féministes hurlaient au crime machiste et faisaient de Marie l'étendard de la cause des Femmes Battues.

V, présidente d'EEE, s'était engouffrée dans la brèche.

Lorsque Juliette apprit par voie de presse qu'elle avait participé, place Colette, à une manifestation de protestation contre les violences faites aux femmes, elle sut que les vacances étaient terminées, et qu'Olivier n'allait pas tarder à entendre de nouveau parler d'elle.

Le coup de fil attendu arriva quelques jours plus tard, dans la matinée. La conversation avec Olivier fut rapide. Victoire commença en lui demandant pardon, il répondit en lui demandant de ne plus l'appeler, elle se mit à pleurer. Hurla qu'on n'avait pas le droit de traiter quelqu'un comme ça. Qu'elle avait tout de même le droit de lui parler. Tu vas faire comme l'autre fois et me transférer sur ta femme ?

Cet appel fut suivi d'un second, qu'il commença par rejeter, puis il la rappela. Cette fois ils eurent une conversation également assez brève, mais « bien », comme il le rapporta plus tard à Juliette. Olivier décrivit à Victoire leur départ de Pornic, comment il avait fini les vacances à cause d'elle comme il les avait commencées, dans la panique, dans la fuite. Elle répondit qu'elle ne pouvait pas concevoir de ne plus le voir, de ne plus lui parler. Il objecta qu'il était « déraisonnable » de vouloir parler à quelqu'un qui de son côté n'en avait aucune envie. Elle en convint, termina en lui disant « merci ».

Elle lui avait expliqué qu'à La Roche-sur-Yon elle avait raté sa correspondance, que tous les hôtels étaient pleins.

Je ne sais pas si c'est vrai, ajouta Olivier.

Et même si c'était vrai, dit Juliette. Tu n'es pas son mari, ni son père, plus son amant. Tu n'es pas son ami non plus. Si être son ami, c'est Tristan, si c'est la ramasser chaque fois qu'elle tombe dans la rue, je ne le supporterai pas.

Je suis d'accord, dit-il. Peut-être que je devrais lui dire

ça la prochaine fois. Que je suis la dernière personne qu'elle doit appeler quand elle a un problème de ce genre.

Même pas la dernière, pensa Juliette.

Quelques jours plus tard, Juliette appela Olivier pour lui proposer de déjeuner avec elle. Il lui demanda : Tu as essayé de me joindre sur mon portable ?

Non, elle n'avait pas essayé. POURQUOI ?

J'ai plusieurs appels en absence et pas de message, répondit-il.

Tiens, fit-elle, c'est curieux. Qui cela peut-il bien être ?

L'après-midi, elle le rappela : Sinon, des nouvelles ? — Non, répondit-il, léger, *no news*.

Le soir en se lavant les mains, il lui dit : Sinon, j'ai eu un nouveau coup de fil. On a parlé cinq minutes.

Qu'est-ce qu'elle voulait ?

Je ne sais pas. C'est comme tu le sentais, je pense, sa nouvelle stratégie. Normaliser nos rapports.

Et alors ?

Rien de spécial, elle prépare l'ENA, elle bosse. C'était très banal, il n'a pas été question de se voir une seconde.

Vous avez fait pati-pata, quoi.

Je n'avais pas envie d'avoir une scène. Si elle se contente d'appeler comme ça tous les dix jours, franchement, je ne vois pas le problème.

Juliette, elle le voit, le problème, mais elle ne dit rien Tire un peu la tronche. Il lui dit :

Fais attention. Si ça t'empêche de dormir chaque fois qu'elle m'appelle, je vais être tenté de ne pas te le dire.

Du coup, elle s'écrase comme une crêpe, assommée.

Un peu plus tard, il ajoute : Et puis je me réserve le droit de choisir le moment. Par exemple, tout à l'heure, quand tu m'as téléphoné, elle avait déjà appelé. Mais j'étais plus ou moins en réunion, je n'avais pas envie de t'en parler.
Donc tu as dit « *no news* ». Mais si j'ai bien compris, le danger, enfin ça peut arriver, il me semble que c'est déjà arrivé, c'est que quelque chose que tu ne dis pas tout de suite, ensuite ce n'est plus le moment, ce n'est plus possible de le dire.

Elle ne ferme pas l'œil de la nuit, pensant à cette menace : Je serai tenté de ne pas te le dire. Et sa façon décontractée de dire « *no news* » au téléphone, comme pour lui rappeler qu'il sait encore très bien mentir, tu veux voir ? Tiens, je te montre.
Au matin, elle est crevée, elle tente de le cacher, pas la peine. Elle finit par cracher : Ce n'est pas qu'elle appelle qui m'empêche de dormir, c'est que tu envisages encore de me mentir. Rassure-moi, tu me dis toujours tout ?
Mais oui. Il part agacé.

Elle passa un coup de fil à Florence, tomba sur Paul. Dis-moi ce que tu en penses, c'est normal qu'elle continue à l'appeler et qu'ils fassent pati-pata ensemble, c'est normal, c'est moi qui suis folle, dis-moi, toi qui es psychiatre.

Non, dit-il fortement, je ne veux pas te donner de conseils, vraiment je ne préférerais pas, mais NON, tu n'es pas folle, NON, ils ne peuvent pas être amis, cette fille m'a tout l'air d'être gravement destructrice.

Bon, merci. Je vais aller au clash ce soir avec Olivier, je voulais juste être sûre.

Elle l'attend dans le fauteuil de l'entrée. Il rentre à 22 heures, comme prévu.

Pile à l'heure, lui dit-elle.

Qu'est-ce qu'il y a ? fait-il inquiet.

Je vais te le dire, viens, je t'ai préparé à manger.

Elle l'emmène à la cuisine, il s'assoit devant un plat de pâtes.

Je voulais te dire que j'y ai pensé toute la journée et que primo je trouve ça dégueulasse de me dire, après tout ce qui s'est passé ces dernières semaines : si le fait qu'elle appelle te fait de la peine, je vais te mentir à nouveau. Même pas « si tu me fais des reproches », ou « si tu te mets en colère », choses que je pourrais à peu près contrôler, quoique ce serait déjà assez dégueulasse quand j'y pense, mais m'interdire de RESSENTIR, ou me dire qu'il faut que moi je te mente sur ce que je ressens, c'est immonde. Et comme je te l'ai dit ce matin ce n'est pas qu'elle t'appelle qui m'empêche de dormir, sinon entre parenthèses je n'aurais pas dormi de tout l'été, c'est que tu me menaces comme ça. Deuzio, et j'en ai parlé aujourd'hui à Paul pour m'assurer que je ne suis pas folle, demande-lui ce qu'il en pense, deuzio, je ne VEUX pas que tu continues à faire pati-pata avec elle, comme tu dis « si elle m'appelle tous les dix jours comme ça pas de problème », bien sûr, et au bout de deux mois pourquoi ne pas se voir en copains ça n'a pas de sens, tu lui as demandé de ne plus t'appeler vendredi dernier, cinq jours plus tard elle te téléphone et tu lui dis en gros tiens, ça me fait plaisir de t'entendre, etc., ensuite pourquoi elle ne recommencerait pas ? Comme si tu disais à un gosse je t'interdis de monter sur la table, le lendemain il y monte, tu fais comme si de rien n'était, tu lui caresses les cheveux et tu lui fais un bisou. Alors moi, qu'elle fasse des crises je m'en fous, tu comprends, à chaque crise au moins j'ai l'impression qu'on avance, tandis que là d'un coup on retourne six semaines en arrière.

Évidemment, elle n'a pas pu dire tout ça d'un coup. À la troisième phrase il s'est levé, il a tapé sur la table, il a crié tu me fais chier, il est parti dans le bureau, je ne parle plus avec toi, mais elle l'a suivi, elle a continué, et il a fini par se calmer et dire, je comprends ce que tu dis sur le fond, mais c'est le ton qui m'insupporte, le côté lourd, je t'attends dans l'entrée j'ai un truc à te dire.

Oui, je sais, a-t-elle répondu, tu me reprends souvent sur le ton, sur la syntaxe, vraiment excuse-moi, mais dans les circonstances tu peux peut-être passer sur certains défauts de forme, et écouter ce que je te dis.

Il se calme.

Sur le fond je suis d'accord, dit-il. J'ai même pensé aujourd'hui que si elle appelait je lui dirais que même des conversations comme celle d'hier ce n'est pas possible. Tu vois, on se rejoint. Mais c'est vrai que ça me gonfle d'avoir encore un drame.

Tant qu'elle y est Juliette ajoute : pour ce qui est de différer la vérité, je comprends quand tu es en réunion, si tu peux éviter de me mentir en me disant « *no news* » et me dire simplement, un peu, je te raconterai plus tard, personnellement je préférerais.

Quelques jours plus tard, comme Juliette l'avait prédit, Victoire appela Olivier à nouveau.

J'ai zappé l'appel, dit-il, et puis je lui ai envoyé un mail pour lui dire qu'elle ne devait plus m'appeler, que même un coup de fil comme celui d'il y a dix jours « nous » posait des problèmes. Elle m'a répondu en me demandant ce que signifiait ce « nous ». J'avais fait exprès bien sûr, pour qu'elle comprenne qu'on était ensemble dans cette histoire à présent, toi et moi. Ça ne lui a pas plu, évidemment. Je lui ai réécrit pour lui dire que je la rappellerai pour lui expliquer de vive voix. Et puis je suis allé chercher les enfants, j'étais à la bourre, je lui ai envoyé un SMS pour lui dire que je l'appellerai demain.

Il la regarda, inquiet.
Ça va ?
Elle rit vaguement, haussa les épaules, ça va, oui, je ne vois pas très bien ce que tu vas encore trouver à lui expliquer mais bon.

Le lendemain elle partit après avoir déposé un baiser sur ses lèvres, légère : Tu vas l'appeler quand ? — Ce matin, je pense, après la réunion de rédaction. — Tu m'appelles après? — Si tu veux. — Ce sera vers quelle heure? — Midi, par là.

À midi trente, Olivier l'appela.
Alors?
Ça a été la crise. Digne de la Vendée. Elle a pleuré, hurlé, on n'a pas le droit de traiter les gens comme ça. Je lui ai dit que son état prouvait bien qu'il ne s'agissait pas juste de cinq minutes de conversation tous les quinze jours. Et puis je n'avais plus de batterie sur mon portable, je lui ai dit j'aimerais bien qu'on arrête cette conversation mais si tu veux attendre que mon portable n'ait plus de batterie, on peut. On a été coupés.
Ça a duré combien de temps?
Je n'ai pas compté.
Environ?
Un quart d'heure.
Mmm.
Depuis j'ai eu trois messages.
Qui disent quoi?
La même chose, plus ou moins. Comme d'habitude. Bon, je te laisse.
OK. Salut. Bisous.

Le soir il l'informa que V n'avait pas rappelé.
Uh uh, fait Juliette. Bon bon. Nous verrons.

Il ajouta :
Je peux juste te dire que maintenant non seulement je n'éprouve plus rien pour elle, mais je ne comprends

même plus comment elle a pu m'attirer. Quand je repense à cette histoire je mesure à quel point c'était quelque chose de violent.

Pas de nouvelles? demande Juliette le lendemain soir.
Aucune.
Il a l'air détendu.
Tu crois que c'est possible qu'elle n'appelle plus?
Je n'en sais rien, dit-il. Oui, je crois. C'est la première fois qu'après une scène comme celle-là je n'ai pas de message pendant vingt-quatre heures. Je lui ai quand même dit que lorsqu'elle m'appelait, quand je voyais son nom s'afficher, ça me faisait chier. J'ai même pensé l'inviter…
Il s'interrompt.
Quoi?
Mais non, je ne le ferai pas, bien sûr. Mais j'ai même pensé. Je crois qu'elle croit qu'il y a encore des secrets entre nous. J'ai pensé l'inviter à t'envoyer tous les messages que je lui avais écrits. Elle les a gardés, je le sais, elle m'en a envoyé un hier. Elle m'a demandé au téléphone ce que ça me faisait de me relire.
Alors?
Je lui ai dit que ça me semblait… comme un état de folie, quoi.

Juliette songe.

Elle te l'a envoyé avant votre coup de fil, ce mail?
La veille. Tu sais, je t'ai dit que je lui avais d'abord envoyé un mail, qu'elle m'avait répondu, etc. Elle a joint un de mes anciens mails.
Ah oui, oui, oui.

Silence.

Et il disait quoi, ce mail?

Je ne me souviens plus, peu importe.

Je t'aime, je n'ai jamais connu ça, c'était formidable, des trucs comme ça?

Des trucs comme ça, oui. Qu'est-ce que ça peut faire?

Si elle doit me les envoyer, il vaut mieux que je me prépare. Même si tu ne lui as pas dit de le faire, elle peut en avoir l'idée sans toi. De toute façon, je pense qu'il y aura un acte conclusif, elle ne peut pas juste cesser de t'appeler comme ça. J'espère qu'il y aura un acte conclusif, moi j'en ai besoin.

Il y a eu sa lettre.

Tu parles d'un acte conclusif : je ne renie rien des mots d'amour, tisser un autre lien entre nous... Tellement conclusif que trois jours plus tard elle sort d'ici en disant : « De toute façon, ça recommencera. » Non, je pense plutôt à un truc du genre m'envoyer tous tes mails, un truc qui foute la merde entre nous.

Ou un dézingage professionnel, dit-il, songeur. Je préférerais la première hypothèse, je dois dire.

Elle s'émerveille en silence qu'il soit si sûr de sa réaction à elle dans ce premier cas, si certain qu'elle serait capable d'encaisser cela comme le reste.

Quelques jours plus tard elle lui demande :

Qu'est-ce que tu m'as dit l'autre soir à propos de quelque chose de violent?

Il ne comprend pas, se crispe.

Quoi, quelque chose de violent? De quoi tu parles?

Tu as dit quelque chose et je ne suis pas sûre d'avoir bien compris, donc je te redemande, c'est tout.

Violent, je ne sais pas, oui, j'ai dû dire que je réalisais combien tout cela, que je croyais léger au début, avait été violent. Pour elle, quand je vois qu'elle en est encore à m'appeler. Pour toi, bien sûr. Pour moi, aussi.

Ce n'est pas ça, dit-elle.

Elle cherche, revient à la charge cinq minutes plus tard.

Tu m'as dit quelque chose qui m'a fait me sentir mieux, sur la manière dont tu voyais à présent cette histoire, j'avais cru comprendre que c'était dans votre relation, chez elle, qu'il y avait quelque chose de violent.

Je ne te crois pas, dit-il, excédé. Si tu veux savoir quel regard je porte sur cette histoire maintenant, pourquoi ce n'est pas ça que tu me demandes?

Tu m'as dit que tu ne comprenais plus comment tu avais pu être attiré par elle, non, un truc comme ça?

Oui, je t'ai dit que je ne comprenais plus comment j'avais pu être attiré par elle.

Voilà, c'était ça.

Elle se sent toute gaie, tout à coup. Il la regarde médusé.

Je te l'ai déjà dit dix fois.

Non, pas du tout, dit-elle joyeusement. Tu ne me

l'avais jamais dit avant, et je voulais être sûre d'avoir bien compris. Pardonne-moi de te faire répéter certaines choses, mais tu sais j'ai quand même entendu je ne sais combien de fois des phrases du genre « c'était une vraie rencontre », etc.

Oui, mais j'aurais pu éprouver ce sentiment de vraie rencontre avec n'importe qui. J'avais besoin de vivre ça à ce moment-là, c'est tout.

Elle a envie de dire qu'il va un peu trop loin, « n'importe qui », c'est trop. Presque n'importe qui, disons. En tout cas, elle va mieux, ils peuvent sortir faire de la trottinette avec les enfants.

35

Les jours passèrent. La canicule était terminée, la grève des intermittents aussi. On faisait le bilan des morts dans les maisons de retraite. Bertrand Cantat dans sa prison lituanienne attendait son procès. Nadine Trintignant écrivait un livre sur sa fille dans lequel elle parlait de lui en disant « ton meurtrier ». Juliette supportait de plus en plus mal son travail à Galatea Networks. Depuis sa récente nomination, Pissignac roulait des mécaniques. Il s'était installé dans son nouveau bureau au cinquième étage, juste à côté de celui de Chatel, et était plus imbuvable que jamais. Elle se surprenait à caresser des rêves de démission, quitter Paris, commencer ailleurs une autre vie.

Olivier n'avait plus de nouvelles de Victoire.

Tant mieux, dit Juliette. Mais quand même, j'aimerais bien un accusé de réception, quelque chose. Elle doit passer l'ENA, cette semaine. C'est cette semaine les écrits des concours.

Ah? répondit Olivier, surpris. Tu es mieux informée que moi.

Le 9 septembre, Victoire appela Olivier alors qu'il était au restaurant. Il lui dit qu'il ne pouvait pas lui parler. Elle ne le rappela pas. Par mesure de sécurité, il lui fit parvenir un mail peu après, dont il envoya la copie à Juliette :

De : Olivier
À : Victoire xxxxxxx
Cc : Juliette
Envoyé : mardi 9 septembre 2003 21 : 34

À propos de l'appel reçu aujourd'hui vers 15 h
Tu ne dois plus essayer de me joindre.
Je te rappelle notre dernier coup de fil :
Tu m'as dit ce que tu en pensais et je l'ai entendu. Tu as parlé de violence, d'humiliation, etc., mais de mon côté j'ai définitivement décidé de ne plus avoir aucun contact avec toi. Il n'y a pas de discussion possible.
N'appelle plus. Je suis vraiment désolé de devoir encore t'infliger ce message.

Le soir, Olivier dit à Juliette : Je ne sais pas si ce mail était utile, je pense que cette fois elle a compris.

Elle ne répondit pas.

Le lendemain, il lui transféra la réponse.

Victoire disait qu'elle était contente de ce qu'elle avait fait à l'ENA, que si tout se passait comme elle le pensait elle partirait pour trois ans à Strasbourg, et que les occasions de rencontre entre Olivier et elle seraient donc nulles, qu'il ne devait pas s'inquiéter.

Elle terminait en le remerciant, sans préciser de quoi.

Elle l'embrassait.

Je la hais, se dit Juliette.

Le 3 juillet, le président Chirac avait nommé les vingt membres de la commission Stasi, leur confiant pour mission de réfléchir à l'application du principe de laïcité dans la République. Dans l'attente de leurs conclusions, le débat sur le port du voile islamique à l'école s'était calmé et V avait dû trouver pour exister dans les médias un autre cheval de bataille.

Pauvre Marie Trintignant, pensait Juliette, c'était tombé sur elle.

L'affaire de Vilnius avait donné un coup de projecteur sur le drame des violences faites aux femmes. Plusieurs émissions de télévision leur furent consacrées et V, fidèle à sa stratégie qui était d'user de son association pour accroître sa notoriété et servir de tremplin à sa carrière politique, se démenait pour être invitée partout.

On parlait d'elle dans la presse, elle participa à quelques plateaux télé.

Juliette cessa de lire les journaux et d'allumer son poste.

Un jour, Olivier rentra et lui dit d'un ton léger : Je ne sais pas si ça entre dans le cadre de notre accord de transparence, mais il y a un portrait d'elle sur deux pages dans le journal cette semaine. C'est Thierry qui a fait l'article.

Juliette fondit en larmes. Il s'étonna, s'énerva.

Je n'y peux rien si je pleure, dit-elle.

Je pensais qu'on pouvait en plaisanter, pas que tu me ferais une scène.

Je ne fais pas une scène, je pleure. Je pleurerais même si tu n'étais pas là, tu comprends ?

Il fit de son mieux pour la consoler.

J'ai couché dix fois avec cette fille, c'est tout, on ne va pas se torturer avec ça pendant dix ans.

Peu de temps après, il trouva à nouveau Juliette en train de sangloter, debout dans le hall de leur immeuble, un exemplaire du *Monde* à la main. Il la regarda affolé, la prit dans ses bras.

Vraiment... si tu savais comme je regrette... quand je te vois comme ça. Il ne faut plus être triste. Il n'y a vraiment pas de quoi. La seule chose importante pour moi c'est nous.

Elle hoquetait.

Dis-moi qu'elle n'est rien pour toi.

Mais je te l'ai dit déjà, mille fois, spontanément. Ces

articles, je m'en fous complètement. L'autre jour au journal je l'ai vue sur LCI, je l'ai trouvée un peu moche, si tu veux tout savoir, mais bon, je ne vais pas en rajouter.

Je crois que je fais une dépression, lâcha-t-elle.

Mais non, ne dis pas ça, enfin qu'est-ce qui t'arrive, qu'est-ce qui se passe ? lui demanda-t-il, affolé.

Je ne sais pas, j'ai envie de pleurer tout le temps, je repense à cette histoire, j'ai l'impression que notre amour a été abîmé, piétiné. Je suis fatiguée. J'ai besoin de dormir, je ne dors pas assez.

Alors dors, dit-il.

Il soupira, le visage dans les mains : Je suis accablé.

Je ne veux pas que tu sois accablé, dit-elle. Ça passera. Il faut du temps.

Elle se moucha, s'essuya les yeux.

Il faut que je me sorte de cette tristesse, dit-elle. Vraiment, tu sais, peut-être qu'il faut que je prenne un amant moi aussi. Ou que je retourne voir un psy.

Préoccupé, Olivier se confia à Paul.

Tu en es où, avec cette fille ? lui demanda celui-ci.

C'est fini, répondit Olivier. Archifini. L'autre jour je l'ai vue à la télé et j'ai même éprouvé, comment dire... une sorte d'antipathie. Maintenant, c'est dans la tête de Juliette que ça se passe.

Mais dans ta tête, ça se passe encore un max, j'ai l'impression, fut le commentaire de Jean-Christophe lorsque Juliette, en conclusion de son récit des événements de l'été, lui rapporta cet échange.

Il revenait de longues vacances en Asie, était très beau,

tout bronzé. Il avait l'air heureux. Un nouvel homme dans sa vie, sans doute.

Juliette haussa les épaules.

Selon Paul, la désidéalisation de l'amour est un grand pas vers le bonheur.

Jean-Christophe réfléchit un instant, les yeux mi-clos.

Je suis assez d'accord, finit-il par répondre. J'ai toujours trouvé la passion incroyablement surestimée, eu égard au ratio énergie/satisfaction qu'elle procure.

Alors je suis en bonne voie, conclut Juliette avec un petit rire amer. En ce qui me concerne, la désidéalisation est en marche. Elle est même bien avancée.

Un autre jour, Juliette déjeuna avec Florence. Elle était fatiguée, les larmes lui montaient sans cesse aux yeux. Florence elle aussi avait vu Victoire sur LCI.

Comment tu as su que c'était elle ?

Ben, il y avait son nom dessous. Dis donc, elle n'est vraiment pas terrible. Elle fait vieille.

Tu es gentille, sourit Juliette pauvrement.

Je te jure, elle a plus de rides que toi.

De son côté, Florence aussi était préoccupée. Au cours d'une fête chez des amis, ils étaient tombés par hasard sur une patiente de Paul. Paul, ennuyé, l'avait évitée pendant toute la soirée mais n'avait pas prévenu Flo assez tôt pour lui éviter d'entrer en conversation avec elle. Depuis, cette femme menait sur Flo une véritable enquête auprès de leurs amis communs. Elle l'avait aperçue devant l'école des enfants, la soupçonnait de la suivre.

C'est quoi sa pathologie à elle ? demanda Juliette.

Florence haussa les épaules.

Une névrose banale, dit-elle. Elle est en plein transfert, elle me déteste, c'est tout.

Elle sourit à Juliette.

Tu vois, tu as de la chance. Ma situation est pire que la tienne. Paul n'a pas le choix, il ne peut pas interrompre sa psychanalyse. Elle le tient.

L'histoire déprima Juliette encore davantage. C'était un triste constat. On s'acheminait vers un monde où les relations thérapeutiques étaient plus solides, plus durables, plus essentielles peut-être que les relations amoureuses.

Le jour même où les résultats d'admissibilité de l'ENA furent publiés, elle consulta le site Internet et ressentit des sentiments mitigés en constatant qu'une fois de plus Victoire s'était surestimée. En tant que fonctionnaire, et grâce au report de limite d'âge dont elle bénéficiait en tant que mère isolée, elle présentait le concours interne supposé plus facile. Elle n'était pourtant pas admissible. Selon toute probabilité, elle allait donc continuer à vivre à Paris. À nouveau Juliette se mit à souhaiter avec force un acte conclusif, qui signifierait clairement la rupture avec Olivier, qui lui permettrait à elle, Juliette, d'enfin tourner la page.

Elle ne doutait plus à présent de la détermination d'Olivier ni de sa franchise envers elle. Depuis le début de l'été, leur relation avait changé. Il y avait entre eux une douceur nouvelle, quelque chose qui ressemblait à de l'amitié. Sur les raisons de ce changement, cependant, leurs opinions divergeaient. On a fait l'amour, disait Olivier. On a parlé, disait Juliette. Un soir, ils se disputèrent comme par le passé, pour une chose futile, une bêtise, puis cela s'apaisa et le lendemain Olivier lui envoya un mail d'excuse qui se terminait par ces mots : Je t'aime.

Insensiblement, Juliette se mit à aller mieux. Elle commença à penser que leur couple pouvait durer, dans ce nouveau déséquilibre.

Un soir, ils allèrent au cinéma. Juliette repensa au jour où elle avait appris l'existence de Victoire et dit à Olivier :

Heureusement qu'elle a fait cette crise, le soir où nous devions aller au cinéma. Sinon vous seriez partis ensemble à Rome et, j'en suis sûre maintenant, je n'aurais jamais pu te le pardonner, ç'aurait été fini entre nous.

Peut-être qu'il n'a jamais été au fond question que je parte avec elle à Rome, répondit-il. Peut-être que je ne t'ai pas tout raconté ce jour-là par hasard.

Elle ajouta : Fin avril, je veux que nous allions à Rome, que tu réserves une chambre au Farnese pour fêter nos treize ans de rencontre.

Ou fin mai pour nos dix ans de retrouvailles.

Non, dit-elle, fin mai, nos dix ans de retrouvailles, ce sera à Paris. Je m'en occupe.

Le Farnese c'est cher, dit Olivier.

Elle le regarda.

Mais c'est d'accord, ajouta-t-il très vite. Une nuit. Après on ira chez Maria.

D'accord, lui répondit Juliette en souriant.

Maria avait terminé sa chimio, les nouvelles étaient bonnes et elle gardait le moral. Juliette admirait son courage et éprouvait envers elle, ces derniers temps, un curieux élan d'affection.

Ce soir-là, quand ils furent de retour chez eux, elle se coucha dans les bras d'Olivier. Tu m'aimes?

Bien sûr, dit-il, tu es mon amour, tu le sais que tu es mon amour?

Et donc on est bien toujours d'accord, l'année prochaine tu me redemandes en mariage.

Et toi tu acceptes ou pas.

Et moi j'accepte ou pas.

Ils se sourient.

Je t'ai tout de même rendu un fier service en ne te fichant pas dehors, dit-elle. Tu te serais retrouvé avec elle, et je ne donne pas cher de votre histoire. Dans six mois elle te disait si c'est ça retourne chez ta femme, tu lui foutais sur la gueule, c'était Vilnius.

Il fixe le plafond, pense tout haut :

Si elle rappelle maintenant, je sais ce que je lui dirai. Je lui dirai que j'aime ma femme. Elle ne me croira pas mais bon.

Je croyais que tu le lui avais dit. Déjà.

Je le lui ai dit. Mais ça ne fera pas de mal de le redire.

Il s'empresse d'ajouter :

De toute façon, elle ne m'en redonnera sans doute pas l'occasion.

Ils gardent le silence un moment, puis Juliette reprend :

Si jamais elle t'en redonne l'occasion. Si tu pouvais au lieu de dire j'aime ma femme dire j'aime Juliette. Ce serait mieux. La personne, pas la fonction, tu vois. J'aimerais mieux. Si tu pouvais.

Quand tu repenses à tout ça tu penses quoi, toi ? demande-t-elle.

Il réfléchit.

Principalement, je suis content que ce soit fini, je crois. Soulagé. D'un autre côté je ne peux pas vraiment regretter que ce soit arrivé — j'avais besoin de ça pour savoir où nous en étions tous les deux. Sinon, il me reste le souvenir d'une épreuve que nous avons traversée ensemble, pour l'essentiel. Avant, ce qui s'est passé avec elle, c'est rien.

Sa lettre. Tu l'as toujours ?

Elle doit être quelque part, oui.

Je veux que tu la détruises. Je ne veux pas que tu l'oublies et qu'un jour Emma ou Johann tombe dessus.

Il va la chercher, la chiffonne sans y jeter un regard, la jette à la poubelle.

Elle pense qu'elle aurait voulu la brûler.

Mais le lendemain matin elle a changé d'avis, fouille dans la poubelle après son départ.

Elle ne la trouve pas, s'affole. Est-il possible qu'il l'ait reprise, à nouveau?

Non. Ouf. Elle est là. Elle la déplie soigneusement, la range au fond de son sac.

Jean-Christophe a dit : garder tous les écrits.

On ne sait jamais.

36

Debout devant le bureau de Thierry, Alexandra et Hervé avaient avec leur rédac chef une conversation animée. Ils s'interrompirent en voyant Olivier qui entrait, revenant d'un rendez-vous. Alexandra retourna nonchalamment s'asseoir à son bureau tandis qu'Hervé, embêté, se dirigeait vers la machine à café. Olivier le suivit.

Qu'est-ce qui se passe?

Rien du tout, pourquoi?

Vous parliez de quoi?

Il soupira.

Rien d'important. C'est juste que ça concerne ta copine, Thierry ne veut pas te mêler à ça.

Les professeurs du collège de banlieue où Victoire était supposée enseigner avaient envoyé une lettre ouverte aux rédactions de plusieurs journaux, s'étonnant que leur collègue en congé maladie depuis plus d'un an soit en mesure de siéger à un conseil municipal, de présider une association et d'assurer sa promotion personnelle sur les plateaux télé.

Mais ne t'inquiète pas, Thierry ne veut pas publier la lettre, Alexandra non plus. Elle dit que les problèmes de santé relèvent du domaine privé, que c'est un procès dégueulasse.

Je m'en fous, dit Olivier. Vous faites ce que vous voulez. Ce n'est pas ma copine.

Il observa avec pitié Hervé s'enfiler un paquet de madeleines tout en buvant son cappuccino. Le pauvre devenait boulimique. Son ex avait demandé la garde totale des enfants et la suspension de son droit de visite, au motif qu'il regardait des vidéos pornographiques et que sa fille un jour voulant mettre une cassette de *Babar* était tombée par accident sur une scène de cul. Jusque-là on pouvait comprendre la mère de la gamine, même si la sanction semblait aux yeux d'Olivier un peu disproportionnée, s'agissant d'un fait isolé qui ne s'était jamais reproduit et sachant qu'Hervé consterné avait juré que jamais plus jamais cela n'arriverait. Mais son ex s'était engouffrée dans la brèche et en avait rajouté, accusant à mots couverts le père de ses enfants d'être un obsédé voire un pervers, et la juge avait décidé par précaution d'accéder à sa demande. Hervé était fou furieux mais Alexandra disait qu'à la place de son ex elle aurait fait la même chose. Olivier regardait avec une antipathie nouvelle cet ayatollah du féminisme qui usait et abusait des décolletés plongeants, surtout lorsqu'elle avait des rendez-vous importants avec des députés ou des sénateurs de sexe masculin. Elle ne couchait pas, sans doute, mais dans un sens c'était pire, et elle parvenait à leur extorquer des confidences que jamais un journaliste mâle ne serait parvenu à obtenir. Pour être tout à fait honnête, Olivier l'enviait. Tout comme il enviait Elsa qu'il avait regardée avec effarement, quand elle avait été engagée à l'issue de son stage, éplucher son contrat de travail dans ses moindres petites lignes, se préoccupant même de savoir si son stage serait comptabilisé pour son ancienneté (son ancienneté!), ainsi que pour ses points de retraite (ses points de retraite!).

Olivier soupira.

Cette génération était si différente de la leur. Des extra-terrestres. Depuis qu'elle avait compris qu'Olivier avait une liaison, Alexandra lui battait froid, et ses airs moralisateurs l'exaspéraient. À quel moment la fidélité dans le mariage était-elle redevenue une vertu cardinale? Il avait beau fouiller sa mémoire, il ne se souvenait pas que Juliette et lui se soient juré quoi que ce soit à ce sujet. Mais il est vrai que ni elle ni lui n'avaient même lu ce à quoi ils s'engageaient en se mariant — évidemment ils n'avaient pas fait de contrat. Il se souvint de sa vie en communauté au début des années 80, il partageait un appartement avec cinq amis, personne n'avait de chambre attitrée et les couples se faisaient et se défaisaient au hasard des envies. De quand datait le retour de la Morale? À l'époque, l'essentiel était la liberté, la vérité aussi, réfléchissait-il. Le mensonge, oui, était bourgeois.

C'est vrai, il avait menti à Juliette.

Qu'elle lui en veuille, c'était une chose. Mais de quel droit Alexandra le jugeait-elle, en quoi ça la regardait qu'est-ce que ça pouvait lui foutre.

D'ailleurs, ce que Juliette lui avait reproché au départ n'était pas de lui avoir menti mais au contraire, en lui disant la vérité, de ne pas l'avoir protégée. Qu'aurait-il dû faire alors ? Lorsque, tout récemment, il avait dit à Juliette qu'il trouvait V un peu moche, elle l'avait regardé comme s'il était un monstre, c'était pourtant la vérité, s'il avait dit qu'il la trouvait jolie ç'aurait été encore pire. Le fond du problème était que les femmes étaient impossibles à satisfaire. Quand il avait transféré les appels de Victoire sur le portable de Juliette, d'accord c'était un peu lâche, mais c'était surtout, à ses yeux, une preuve d'amour envers sa femme. Victoire l'avait traité de nazi. Comment faisaient les autres, tous ces hommes autour de lui qui avaient des liaisons légères, sans conséquence. Était-ce sa faute à lui, leur faute à elles ? Il n'en savait plus rien, il savait juste qu'il fallait que Victoire à présent disparaisse de leur vie, il ne voulait plus la voir, elle lui faisait vraiment horreur.

Il n'éprouvait toujours pas de culpabilité, pas vraiment, mais du regret. Et de l'angoisse, surtout.

V devenait de plus en plus hargneuse, elle lui avait renvoyé plusieurs de ses SMS comme un créancier qui se fâche, bientôt ce serait un recommandé avec accusé de réception et pourquoi pas l'huissier pour le rappeler à ses engagements.

Ce truc qu'avaient les femmes avec les mots. Dire je t'aime lui semblait à lui tellement dérisoire. Il lui semblait que l'amour était un continuum de milliards d'instants juxtaposés d'amour de haine de désir de rejet d'indifférence comme les petites cases rouges et noires d'une roulette, tant que la roue tourne à pleine vitesse on ne voit qu'une couleur uniforme lorsqu'on arrête la roue à l'instant T on court un risque,

Le risque de ne pas tomber sur la bonne case,

Le risque de perdre sa mise.

Avec Victoire il avait eu la sensation confuse que les mots qu'il disait se suffisaient à eux-mêmes, qu'ils contenaient leur propre réalité, jamais il n'avait été question pour lui que cette réalité déborde et envahisse sa vie, pourquoi refusait-elle de le comprendre ? Avec Juliette c'était le contraire, il avait cru qu'un amour sans mots était possible. À quoi bon des mots puisque avec Juliette l'amour était partout dans les meubles du salon dans les chemises qu'il portait dans les goûters des enfants dans les enfants surtout les enfants évidemment c'était vertigineux comme les mots s'étaient en eux incarnés ou plutôt en l'occurrence l'absence de mots, de toute manière devant l'existence des enfants tous les mots devenaient dérisoires. Bien sûr les enfants ne justifiaient pas tout mais la vie auprès de Juliette était douce elle était devenue comme une partie de lui ou lui une partie d'elle ou plutôt ils étaient devenus deux parties d'un même corps.

S'il avait pu seulement revenir quelques mois en arrière.

Il s'était lancé dans cette aventure avec Victoire convaincu qu'il en parlerait à sa femme un jour, et qu'elle lui pardonnerait. Comment cette certitude co-existait-elle avec l'impression qu'il avait si souvent que Juliette ne l'aimait plus, cela il n'en savait rien. Mais un soir où il était rentré chez eux, peu de temps après lui avoir avoué sa liaison, Juliette l'avait regardé longuement sans rien dire et dans ce regard il avait lu deux choses : la première, que Juliette l'aimait toujours. Et la seconde, qu'elle pourrait cesser de l'aimer, s'il continuait à la trahir.

Et à cette pensée, il s'était senti, littéralement, mourir.

Il lui avait dit Tu as la mort dans tes yeux et Juliette n'avait pas compris, elle avait cru qu'il parlait de sa mort à elle alors il s'était rattrapé, il avait dit la mort c'est un peu mélodramatique, de la détresse, plutôt, elle avait hésité puis répondu oui, je suppose, quand je crois que tu ne m'aimes plus ou que j'ai l'impression de ne plus t'aimer. Mais en vérité il parlait de sa mort à lui, de l'impossibilité totale et absolue où il se sentait de vivre sans elle, et dès ce jour-là sa décision avait été prise, tout le reste avait été une malheureuse, désastreuse tentative pour se sortir de cette histoire en faisant à Victoire le moins de mal possible. Maintenant une seule chose l'obsédait : ne pas perdre Juliette ne pas perdre Juliette. Sans elle sans ses enfants sans la famille qu'ils s'étaient construite il ne serait plus rien il sombrerait dans le néant.

Au début face aux crises de V et à ses chantages, il avait pensé qu'est-ce qu'elle doit souffrir pour faire ça il avait eu peur pour elle, pitié d'elle, il l'avait même dit à Juliette qui bien sûr lui en avait voulu. Et puis peu à peu il avait changé d'avis de sentiment, il ne pouvait pas dire pourquoi ni comment mais à présent quand il la voyait à la télé, quand il voyait aussi ce que cette histoire avait fait à Juliette l'état dans lequel ça l'avait mise il ne sentait plus que de la répulsion pour V et même des bouffées de haine Juliette pouvait être tranquille il ne voulait plus la croiser valait mieux pas valait mieux pour elle qu'elle comprenne qu'elle se tienne à distance qu'elle disparaisse pour de bon qu'elle sorte de leur vie sinon il ne répondrait plus de rien.

Lorsqu'il revint, suivant Hervé, vers son bureau, son téléphone sonnait. Hervé décrocha en passant et lui tendit le combiné.

C'est Maman, dit Hervé.

C'est ainsi que, de toute éternité, on nomme les épouses, au service politique.

Olivier prit l'appareil. Juliette voulait lui rappeler qu'ils dînaient chez Florence et Paul. Elle ne travaillait pas ce jour-là et irait chez eux avec les enfants, aussitôt après l'école. Elle voulait savoir à quelle heure il aurait fini et pourrait les rejoindre. Olivier avait complètement oublié ce dîner. Il regarda sa montre, pris en faute. 16 heures et il n'avait pas commencé à écrire le papier que le service édition attendait pour le soir. Heureusement il s'agissait d'un article très court — moins d'un feuillet. Il rassura Juliette, lui promit qu'il serait chez leurs amis au plus tard à 20 heures et se mit au travail d'arrache-pied.

À 19 heures, il se connecta au système éditorial informatisé du journal, fit un glisser-déposer de son texte dans la fenêtre prévue à cet effet et poussa un soupir de soulagement. Il éteignit son ordinateur, rangea ses affaires, salua ses collègues, descendit les escaliers quatre à quatre et se dirigea vers la bouche de métro.

À 19 h 30, il était à Jaurès. Il décida de passer à la maison prendre une douche rapide avant d'aller chez Florence et Paul. Sous l'eau tiède, il se savonna en sifflotant. Il sortait de la salle de bains en peignoir quand on sonna à la porte. Pensant que Juliette avait oublié quelque chose et n'avait pas pris sa clé, il ouvrit sans méfiance.

C'était Victoire. Elle se tenait debout sur le seuil, tremblante, le visage décomposé, comme aux plus belles heures de crise de leur courte histoire. Avant qu'Olivier ait pu réaliser ce qui se passait, elle était entrée dans l'appartement et s'était mise à hurler. Quelqu'un descendait l'escalier. Olivier ferma vite la porte derrière elle afin d'étouffer ses cris, et elle se jeta dans ses bras en sanglotant. Il la repoussa, paniqué, et dans ce geste son peignoir mal fermé s'ouvrit. Il renoua sa ceinture précipitamment, tenta maladroitement de la calmer, avec l'impression de vivre en boucle un mauvais rêve, se demandant comment c'était possible, comment Victoire savait qu'il serait seul chez lui, si elle l'avait suivi. Mais sans doute était-ce un hasard et aurait-elle pu aussi bien débarquer alors que Juliette et les enfants étaient là. Dans l'état où elle se trouvait, elle était capable de tout. Il la tenait par les deux bras, tentant de la maintenir à distance, l'empêchant de se coller à lui, balbutiant je ne comprends pas qu'est-ce qui te prend, on avait dit que c'était fini je croyais que cette fois c'était bon que tu avais compris on ne va pas recommencer. En retour elle lui disait que c'était impossible que sa vie sans lui n'avait pas de sens qu'elle lui pardonnerait tout s'il quittait sa bonne femme maintenant pour venir vivre avec elle qu'il était encore temps.

Elle est complètement barrée, pensa Olivier.

Barrée, c'était le mot.

La rayer, l'effacer de sa vie.

À cet instant le portable d'Olivier se mit à sonner — la sonnerie de Juliette. Puis le téléphone fixe de la maison. Le portable à nouveau. Il était en retard, Juliette venait aux nouvelles. Il tenta l'autorité, haussa la voix. Ça suffit maintenant, tu vas arrêter ton cinéma, de toute façon il faut que j'y aille, on m'attend. La pensée de Juliette lui donna du courage, il se rappela ce qu'il lui avait promis, enchaîna je ne t'aime pas tu comprends tu comprends oui ou non c'est Juliette que j'aime, Juliette, ma femme, toi et moi c'est fini. Victoire s'écarta de lui brusquement et le regarda avec haine. Ta femme, répéta-t-elle avec mépris. C'est elle qui t'appelle, là? C'est ta petite bonne femme qui te siffle? Vas-y alors, cours, petit chien-chien, cours, qu'est-ce que tu attends? Bon Dieu qu'il la haïssait, il regardait son visage déformé par la rage, on aurait dit une hyène, comment avait-il pu seulement l'embrasser. Le cœur d'Olivier battait à se rompre, résonnait dans sa tête, des nuages rouges passaient devant ses yeux. Il serrait les poings. Elle continuait. Tu t'es bien foutu de moi, ça t'a fait du bien j'espère, maintenant tu peux frimer auprès de tes collègues c'est minable minable raconter partout que tu m'as sautée pauvre type si tu savais comme je la vomis ta petite vie de merde ta petite famille de merde. Dans l'entrée, posée sur une console, il y avait une photo encadrée de Juliette, lui et les enfants. Tout en prononçant ces mots, Victoire s'en était emparée et la jeta de toutes ses forces sur le sol. Le sous-verre se brisa. Olivier faisait des efforts surhumains pour se maîtriser, jamais de sa vie il n'avait frappé une femme, ce n'était pas aujourd'hui qu'il allait commencer, mais comment se débarrasser d'elle. Le téléphone ne sonnait plus. Si ça se trouve, Juliette se demandant ce qui se passait était en route pour chez eux. À l'idée qu'elle puisse se trouver face à Victoire, la panique le saisit. Brusquement, il ouvrit la porte d'entrée et, jouant sur l'effet de surprise, attrapa Victoire par le bras, la poussa sur le palier de toutes ses forces et claqua la porte derrière elle, puis s'adossa tremblant au chambranle et écouta.

Victoire ne criait plus.

Le silence dura plusieurs secondes.

Puis Olivier entendit un bruit sourd, le bruit d'une chute dans l'escalier.

37

Bien qu'Alexandra ne lui adressât plus la parole, Olivier continuait à venir au journal. Il n'avait pas vraiment le choix mais, même s'il l'avait eu, il aurait tout fait pour tenter de continuer à mener une vie normale, pour faire comme si cet événement monstrueux n'avait pas existé. Les flics débarquant chez eux au petit matin, l'emmenant sous les yeux de ses enfants ébahis — Dieu merci, il avait échappé aux menottes, de justesse —, Juliette affolée. Le trajet entre deux policiers jusqu'au 13ᵉ arrondissement, dans une voiture banalisée — l'impression soudain d'être un acteur dans un film, un mauvais film de série B. La garde à vue.

Sur le coup, il n'avait pas compris ce qui s'était passé. Il n'avait pas voulu envisager que Victoire se soit jetée volontairement dans l'escalier, il s'était dit que dans l'état où elle se trouvait, avec ses fichus hauts talons, elle avait dû rater une marche, en dévaler quelques-unes sur les fesses. Il avait hésité à aller voir si elle avait besoin de secours, avait préféré attendre un peu. Il s'était approché de la fenêtre qui donnait sur la rue, espérant la voir sortir de l'immeuble. Au bout de quelques minutes, ne l'apercevant toujours pas, il s'était décidé, tétanisé de peur et toujours en peignoir, à descendre l'escalier. Elle ne s'y trouvait pas non plus. Il avait respiré. Sans doute était-elle sortie avant même qu'il n'aille à la fenêtre, auquel cas cela avait été très rapide, elle n'avait pas dû se faire grand mal.

Il était remonté chez lui, avait ramassé les éclats de verre du cadre photo, s'était habillé, avait rejoint Juliette chez Florence et Paul et lui avait tout raconté.

Pendant les deux semaines qui avaient suivi, il n'avait eu aucune nouvelle de Victoire, mais il surveillait l'apparition de son nom dans les médias et lorsque Hervé lui dit l'avoir aperçue lors d'un bureau politique du PS, il se sentit pleinement rassuré. Jusqu'au jour de sa garde à vue, où il apprit qu'en sortant de chez lui ce jour-là Victoire était allée chez un médecin faire constater ses hématomes, avant de porter plainte contre lui pour violences auprès du procureur de la République que, par chance, elle connaissait personnellement. Amer, Olivier pensa qu'il devait sans doute s'estimer heureux qu'elle ne l'ait pas, tant qu'à faire, accusé d'agression sexuelle. Pour peu que quelqu'un l'ait vu en peignoir dévaler l'escalier après elle, l'affaire aurait été entendue.

Juliette, elle aussi, avait accusé le coup. Mais passé le premier choc, la nouvelle de la plainte déposée par Victoire, assortie d'un certificat médical, avait paradoxalement provoqué chez elle un intense soulagement. Si V

362

avait été enceinte — de plus de trois mois, à présent — nul doute que ce fait aurait été versé au dossier comme une circonstance aggravante. Le spectre d'une paternité imposée à Olivier, que pendant toutes ces semaines Juliette avait maintenu à distance sans jamais pouvoir l'oublier tout à fait, s'éloignait enfin pour de bon.

Dès le lendemain de la garde à vue, elle avait appelé la BEAP (Brigade d'enquête sur les atteintes aux personnes) pour demander à être entendue. L'inspectrice en charge du dossier lui avait répondu aimablement, lui disant que son coup de téléphone tombait bien, qu'elle avait de toute manière l'intention de la convoquer. Olivier n'avait pas estimé nécessaire d'appeler un avocat, certain que sa bonne foi suffirait à convaincre la police. Avant d'en arriver aux faits précis qui lui étaient reprochés, et qu'il avait évidemment contestés, il avait fait un récit circonstancié de ce qui s'était passé ces derniers mois et tenté d'expliquer les problèmes psychologiques dont souffrait Victoire. Malheureusement, il avait effacé tous ses textos ainsi que ses mails, et n'avait aucune preuve matérielle de ce qu'il affirmait. Par ailleurs, il était bien conscient que le fait que la plaignante soit une élue, comptant parmi ses relations des figures éminentes du monde politique et semblant jouir de toute sa santé mentale, ne plaidait pas en sa faveur. Il leur avait alors appris qu'elle était en congé maladie depuis plus d'un an, ce qui était un fait aisément vérifiable. Son interlocutrice avait haussé le sourcil, l'air étonné — il avait eu la certitude que Victoire, au cours de son audition quelques jours plus tôt, avait omis de mentionner ce détail. Olivier avait donné à la police le nom de son psychiatre ainsi que le numéro de Tristan et, tout en précisant qu'il s'agissait d'un ami proche de Victoire, leur avait affirmé qu'il pourrait confirmer ses dires. Globalement, bien que profondément choqué, Olivier était sorti plutôt confiant — et libre — de sa garde à vue, qui avait duré plusieurs heures.

Juliette, sortant des bureaux de la BEAP quelques jours plus tard, était elle aussi assez rassurée. L'inspectrice lui avait déclaré être sur le point de boucler son enquête — avec l'audition de Juliette, elle considérait que le dossier serait clos et elle le transmettrait au parquet.

Tout ce que lui avait raconté Juliette, lui avait-elle confié sur un ton bienveillant, allait dans le sens de ses propres conclusions, et sans pouvoir préjuger de la décision du parquet, elle laissa entendre à Juliette que l'affaire serait selon toute vraisemblance classée sans suite, d'autant plus qu'Olivier n'avait aucun antécédent et que, par ailleurs, les hématomes dont souffrait Victoire ne présentaient pas un caractère de réelle gravité. Un peu rassérénée, Juliette s'était alors étonnée de la rapidité et de la brutalité avec lesquelles Olivier dans ces conditions s'était vu signifier sa garde à vue. L'inspectrice avait eu un geste fataliste, signifiant clairement que, la plaignante eût-elle été une citoyenne quelconque, il n'en aurait sûrement pas été de même mais que, s'agissant d'une élue, le parquet exigeait de la police une diligence particulière — dommage, pensa Juliette, qu'une telle diligence ne soit pas plutôt mise au service des

Vraies Victimes qui, pendant ce temps, attendaient chez elles la peur au ventre que leur compagnon rentre pour les tabasser.

Malgré ses mensonges passés, Juliette n'avait pas mis en doute une seconde la parole d'Olivier. Il lui avait juré que plusieurs secondes s'étaient écoulées entre le moment où il avait poussé Victoire sur le palier et le bruit de sa chute, et elle le croyait quand il disait qu'il n'en était pas responsable. Elle était certaine qu'il s'agissait, de la part de Victoire, d'une mise en scène.

C'était l'acte conclusif qu'elle avait appelé de ses vœux.

C'était la Vengeance de Victoire.

Avant de lui faire signer sa déposition, son interlocutrice lui fit répéter que jamais, au grand jamais, Olivier n'avait levé la main sur elle, qu'il était incapable de violence physique, surtout envers une femme, et Juliette sentit s'allonger sur elle l'ombre de Kristina Rady — à la différence près, pensa-t-elle, que le drame de Vilnius avait qu'on le veuille ou non une dimension tragique, cependant que leur histoire ressemblait plutôt à un minable règlement de comptes entre notables de sous-préfecture. À la dernière minute, Juliette s'était souvenue de la lettre de Victoire récupérée in extremis dans la poubelle et l'avait apportée à la BEAP pour appuyer ses dires. L'inspectrice l'avait lue avec intérêt et l'avait photocopiée afin de la joindre au dossier. Il était clair à sa lecture que des deux c'était Olivier le plus terrorisé.

Sans doute cela ne cadrait-il pas très bien avec la version des faits que Victoire avait donnée aux enquêteurs — dont Olivier n'avait pas eu connaissance dans son détail — car Juliette avait eu le sentiment que cette lettre achevait de faire basculer la conviction de l'inspectrice de leur côté.

L'audition était terminée, Juliette avait signé sa déposition mais l'enquêtrice ne semblait pas pressée d'en finir. Elle regardait Juliette avec curiosité.

Pourquoi n'avez-vous pas porté plainte pour harcèlement ? demanda-t-elle brusquement.

Juliette fut prise de court.

Moi ?

D'après ce que vous racontez, cette personne vous harcelait au téléphone, vous poursuivait jusque chez vous… Il y a des lois contre ça.

Juliette ne sut que répondre. Les plaintes n'étaient pas son genre, voilà tout. Elle repensa au jour où elle avait dit à Olivier : Je te préviens, la prochaine fois qu'elle met les pieds ici j'appelle les flics, au regard plein de haine qu'il lui avait lancé.

Elle balbutia.

Ce n'était pas facile, mon mari était amoureux d'elle…

L'inspectrice hocha la tête, pas convaincue, et contempla Juliette encore un instant, l'air intrigué.

Vous devez l'aimer beaucoup. Peu de femmes auraient supporté ça.

Le visage de Juliette se ferma.

L'inspectrice n'insista pas, se leva et lui tendit la main

chaleureusement, lui souhaitant bon courage. La décision du parquet, lui indiqua-t-elle, ne serait pas connue avant plusieurs mois, mais elle ne devait pas trop s'inquiéter.

Juliette sortit dans la rue du Château-des-Rentiers, troublée. Elle avait eu ce sentiment à plusieurs reprises durant les mois qui venaient de s'écouler mais jamais avec tant de force. Personne ne comprenait sa réaction face à la trahison d'Olivier, à ses mensonges, aux agressions de V. Son comportement était incompréhensible. Elle se sentait humiliée par la compassion de l'inspectrice. Elle sentit les larmes lui monter aux yeux et la révolte, simultanément, l'envahir. De nouveau elle pensa à son viol. Car de même que les gens ont une idée très précise de la manière dont se comporte une femme violée, se dit-elle, les gens ont aussi une idée très précise de la manière dont doit se comporter une femme trompée, de ce qu'elle peut ou ne peut pas supporter, de ce qu'elle doit ou ne doit pas accepter, et le consensus était, au nom de la dignité des femmes, au nom de leur intégrité, qu'elle avait le devoir de se montrer intransigeante, qu'elle était sommée de préférer une solitude glorieuse à un amour imparfait, il y avait là-dessus un consensus très fort même Yolande le lui avait dit on ne doit pas tout accepter avec les hommes, eh bien tant pis pour ce qu'en disaient les autres, Juliette elle pliait mais elle ne rompait pas, elle était le roseau, elle ne serait pas rompue, elle y tenait c'était son droit à son amour imparfait, à son amour conjugal, à son amour de merde aurait dit V, même si elle savait bien que dans l'échelle des amours il se situait tout en bas, tout en bas, au ras du sol, tout minable qu'il était minuscule pas comme la passion de V qui elle était grandiose, infiniment en tout point supérieure, qui se situait tout en haut tout en haut des sommets, au rayon des passions sublimes, des os du visage fracassés et des dénonciations calomnieuses.

Deux jours plus tôt, à la télévision, elle avait regardé une émission sur le thème des violences conjugales à laquelle participait V et cette fois elle n'avait pas éteint, malgré l'insondable dégoût que lui inspirait le fait de voir V s'ériger en porte-parole de femmes véritablement maltraitées. Les fausses victimes, pensait Juliette, sont les pires ennemies des vraies. Pour quelqu'un qui était censé s'être fait tabasser deux semaines plus tôt, V semblait remarquablement en forme et Juliette avait éprouvé la même fascination qu'au moment de la nomination de Pissignac à la direction commerciale. L'ascension des gens comme lui, comme V, semblait irrésistible. Nul doute qu'elle avait devant elle un grand avenir.

Juliette, quant à elle, n'était plus très sûre de voter aux prochaines élections.

Elle avait eu quelques jours plus tôt une longue conversation avec Paul. À la question de savoir de quelle pathologie, à son avis, souffrait V, et comment il était possible qu'elle réussisse en dépit de ses débordements à mener ainsi carrière, Paul avait haussé les épaules. Ne connaissant pas V, il ne pouvait hasarder aucun diagnostic, mais les névroses et même, affirma-t-il, les psychoses, n'étaient pas rares dans la classe politique — on convainc beaucoup par l'emprise, avait-il dit — la phrase avait frappé Juliette. Il avait évoqué l'hystérie, qui a à voir avec la résolution de l'œdipe et l'idéalisation du père, l'absence de frustrations structurantes qui se transforme en fantasme de surpuissance, en sentiment que face à soi les autres ne sont jamais à la hauteur. Pour finir, il avait parlé d'érotisation de la souffrance.

S'enfermer dans une vision victimaire de l'amour, avait-il ajouté, c'est refuser de voir la nature intrinsèquement conflictuelle du couple.

Là-dessus il s'était tu, un léger sourire aux lèvres, les yeux pétillants derrière ses lunettes rondes. Juliette le regardait, se demandant où il voulait en venir. Il saisit alors un stylo et dessina sur la nappe un système de flèches circulaires.

Un couple, reprit-il, fonctionne le plus souvent selon un modèle de double contrainte réciproque. C'est le principe des portes tournantes. Chacun semble aller dans une direction différente, mais en fait, les deux mouvements ont le même effet.

C'est-à-dire ? demanda Juliette.

Que chacun des partenaires demande à l'autre quelque chose qu'au fond de lui il ne parvient pas à croire possible. Par exemple, une femme qui a souffert d'abandon va demander à son amant « aime-moi », mais de manière inconsciente, comme elle a peur que l'amour ne soit toujours suivi d'abandon, elle va tout faire pour le repousser loin d'elle.

Juliette s'était demandé si ce discours la visait directement. Elle avait regardé Paul d'un air interrogateur, il lui avait souri sans répondre. La première chose qu'avait faite Olivier quand ils s'étaient connus avait été de la quitter pour Maria. Était-ce la raison pour laquelle elle s'était convaincue si vite qu'il était l'homme de sa vie?

Refusant de se laisser psychanalyser sauvagement, elle avait répondu en ingénieur, fixant le cercle dessiné sur la nappe.

D'un point de vue mécanique, ton truc me fait surtout penser à une roue de vélo. Tant qu'il y a du mouvement, on tient en équilibre grâce à l'énergie cinétique. Dès qu'on s'arrête, on tombe.

Oui, ça aussi, avait approuvé Paul.

Et toi, avec Florence, ça va? avait contre-attaqué Juliette.

Paul avait souri, amusé.

Florence récriminait constamment contre lui. Malgré son amitié pour elle, Juliette se demandait souvent comment il la supportait. Leur couple, dit-elle à Paul, était pour elle un mystère.

Vus de l'extérieur, avait-il répondu sans broncher, tous les couples sont des mystères.

Lassé d'être regardé comme une brute par Alexandra et quelques autres, Olivier avait demandé à quitter le Service Politique. Il s'occupait à présent du courrier des lecteurs et des forums sur Internet. Il pouvait ainsi travailler depuis la maison, passer davantage de temps avec les enfants, et ignorer la rumeur faisant de lui un cogneur qui continuait à se propager dans le tout petit milieu journalistique.

Juliette, elle, s'était vu proposer de manière tout à fait inattendue par Chatel la direction technique de Galatea et avait emménagé dans un bureau au cinquième étage, non loin de Pissignac. En contrepartie, elle avait dû renoncer à son quatre cinquièmes de temps mais le travail était passionnant et Olivier plus disponible que par le passé, ce qui tombait bien.

Quelques mois plus tard, comme prévu, la plainte de V fut classée sans suite et ils en furent naturellement soulagés. Repensant à sa conversation avec l'inspectrice, Juliette suggéra sans conviction à Olivier de porter plainte à son tour contre V pour dénonciation calomnieuse. La réponse d'Olivier fut sans surprise et sans appel : pas question pour lui de « remettre des sous dans la machine », selon ses termes exacts. Avec l'abandon des poursuites, il estimait s'en être sorti à bon compte, même si toute cette affaire lui avait indiscutablement causé du tort. Aux yeux de ceux qui étaient au courant — et V faisait en sorte qu'ils soient de plus en plus nombreux — la suspicion, en effet, demeurait. V l'entretenait de son mieux et en profitait pour alimenter son fonds de commerce en se plaignant haut et fort de la complaisance de la justice vis-à-vis des violences faites aux femmes.

À ce jeu-là, pensa Juliette, on gagnait toujours.

Franck raccompagna Juliette jusque devant son porche. En sortant du restaurant, il lui avait répété plusieurs fois : Tu es superbe. Il la regardait : Tu as quelques cheveux blancs. Tu as un peu maigri. Les cheveux courts te vont très bien.

J'aimerais te revoir, lui dit-il devant chez elle.

Facile, répondit-elle. C'est simple, à présent.

Pendant le déjeuner, ils n'avaient parlé que du présent et du temps écoulé depuis qu'ils s'étaient vus pour la dernière fois — vingt ans, au moins.

Et voilà que soudain il dit quelque chose sur la manière dont il avait pensé à elle, parfois, durant toutes ces années.

Elle s'appuya contre une voiture garée et répondit, les yeux tournés vers le sol :

Moi j'ai un souvenir (elle hésita, leva la tête et le regarda dans les yeux). On a fait l'amour combien de fois ensemble, une fois, deux, trois ?

Il vacilla comme si elle l'avait frappé, se troubla si violemment qu'elle en fut secouée elle aussi.

J'ai un souvenir… comment dire… de ton corps… Il était dur.

Elle voulait dire, le souvenir encore présent de son corps nu sous le sien, il était son troisième, quatrième amant ? Son corps sous elle, ses muscles, sa langue dure dans sa bouche. Son sexe.

Il rit un peu : Dur ? Je ne suis pas sûr de bien comprendre.

Il continuait à la regarder, l'air bouleversé. Nous étions trop jeunes. Moi surtout. J'ai eu la certitude que tu cherchais quelque chose que je ne pouvais pas te donner.

S'il continuait à la regarder comme cela, elle allait se mettre à pleurer.

Il dit : Tu étais tellement plus mûre que moi. Tu avais été jetée assez brutalement dans la vie, il faut dire.

Elle ne comprenait pas de quoi il parlait, pensa soudain à son avortement.

Je ne sais pas si tu le savais à l'époque, mais j'étais enceinte. J'ai avorté pendant les oraux.

Il la dévorait des yeux.

Bien sûr que je le savais. Tu ne t'en souviens pas ? Tu m'avais tout raconté, la première nuit.

Leur première nuit ? Le trou noir. Elle se jeta dans ses bras, l'étreignit.

Sans doute avaient-ils fait l'amour beaucoup plus que deux ou trois fois. Elle eut peur de l'avoir blessé.

J'étais amoureuse, pourtant, je me souviens de ça.

Il haussa les épaules.

Nous étions si jeunes.

Il gardait les yeux fixés sur elle, l'air toujours aussi bouleversé.

Il dit son prénom.

Elle sentit le désir exploser dans son ventre comme une balle tirée à bout portant. Elle n'avait pas ressenti ça depuis des années. Cette intensité cette brutalité du désir. Elle se détacha de lui, croisa le regard de Yolande qui passait sur le trottoir. Bon Dieu, si quelqu'un du quartier la voyait.

Au deuxième déjeuner ils s'embrassèrent dans sa voiture. Il était parfait, disait exactement ce qu'il fallait : Qu'est-ce qui nous arrive? Qu'est-ce qui se passe? Regarde-moi, dis-moi, pourquoi m'as-tu appelé? Tu me dis que tu es fidèle depuis dix ans. Qu'est-ce qui se passe?

Alors elle lui raconta l'histoire, le plus brièvement possible.

Lorsqu'elle eut fini, elle ajouta : Je ne veux pas me servir de toi.

Il dit : Tu n'as pas changé. Tu es un mélange incroyable.

Je te trouvais splendide. Tu es toujours magnifique.

J'ai toujours pensé que tu étais extrêmement intelligente. Brillante.

Il dit : Comment peut-on tromper une femme comme toi?

Je sens que tu es prête à faire une connerie, dit-il. Ne fais pas de connerie. Pense à tes enfants.

Il dit : C'est fou, ce n'est pas du tout comme serrer dans ses bras quelqu'un de nouveau, d'inconnu.

J'ai envie de toi, dit-elle.

J'ai envie de toi, dit-il.

C'est ce désir-là qui manque tellement, dit-elle, pas le plaisir. N'est-ce pas?

374

Ils partirent tous deux pour quelques jours de vacances en famille, chacun de leur côté. Ils se parlèrent rapidement deux fois mais, jamais sûrs d'être seuls, ils étaient un peu tendus, un peu secs.

Elle lui dit : Tout de même c'est incroyable. Je viens de réaliser à quel point c'est incroyable.

Tu viens seulement de réaliser, répondit-il. Moi j'ai réalisé tout de suite. Mais c'est toi qui es responsable de tout, non ?

Elle adore sa voix. Si familière qu'elle se dit ce n'est pas possible, j'ai dû connaître quelqu'un qui avait la même voix ces dernières années. Elle ne trouve pas.

Son prénom dit par cette voix-là, le regard qui va avec, un frisson la parcourt.

Elle avait oublié qu'entendre murmurer son prénom pût lui donner des frissons.

Je suis encore assez bouleversé depuis l'autre jour, dit-il.

Moi aussi, répond-elle.

Trois jours sans se parler. Elle pense à lui sans cesse. Elle fantasme, qu'elle fait l'amour avec lui, ou mieux encore qu'elle est assise à côté de lui dans la voiture et lui fait l'amour sans le toucher, en lui parlant.

S'ils font l'amour pour de vrai sans doute que tout cela sera fini.

Elle pense à Olivier aussi évidemment, au mal qu'elle va lui faire, à l'enfer qu'ils viennent juste de traverser, qu'elle ne veut surtout pas revivre.

Elle n'y peut rien. Elle est aspirée.

Une conversation de deux minutes le jour de son retour. Elle a laissé un message, attend trois heures qu'il la rappelle, déjà elle souffre.

Il faudrait s'arrêter là. S'il s'agit de comprendre ce qu'Olivier a pu ressentir c'est bon. Elle sait. Mais impossible d'arrêter à présent. La machine est lancée fonce dans le noir.

Il l'appelle elle lui dit le week-end s'est bien passé. Il dit oui… enfin… trois jours sans te parler il y a un petit manque quand même.

Elle ne répond pas.

Ils se voient demain soir.

Composé et achevé d'imprimer
par CPI Firmin Didot,
à Mesnil-sur-l'Estrée le 1ᵉʳ juillet 2013
Dépôt légal : juillet 2013
Numéro d'imprimeur : 118971

ISBN 978-2-07-014195-1/Imprimé en France